VERDWENEN
STEDEN

Philip Matyszak

VERDWENEN STEDEN

Uitgeverij Omniboek

INHOUDSOPGAVE

Vorige pagina's Zicht op de Romeinse stad Timgad, in het huidige Algerije, die rond 100 n.Chr. door keizer Trajanus werd gesticht.

Links Een inscriptie gevonden bij Dura-Europos die de keizer, de senaat en het volk van Rome geluk toewenst.

Volgende pagina's De Sfinxpoort in de Hettitische hoofdstad Hattusa, in het huidige Turkije. De stad werd gesticht in het zesde millennium v.Chr., in de late bronstijd.

Geesten uit het verleden

Menselijke ontwikkeling en stedelijke ont- wikkeling – in al haar vormen – zijn onlos- makelijk met elkaar verbonden. Sterker nog: een van de definiërende kenmerken van de moderne mens is dat we stedenbouwers zijn. Gedurende de hele geschiedenis wer- den mensen aangetrokken tot steden. Dáár gebeurde het – bijna alle menselijke vooruit- gang ontstond in de stad. Hoewel we geneigd zijn om steden te zien als groot of zelfs als metropolen waar ten minste tienduizenden mensen wonen, is dat zelfs tegenwoordig niet altijd het geval (zo zijn in Noord-Amerika 'steden' met minder dan vijfduizend inwoners niet ongebruikelijk). In de antieke wereld kon een 'stad' zelfs nog kleiner zijn. En hoe deze ministeden functioneerden vertelt ons veel over vroege samenlevingen.

Archeologen die het verhaal van de mensheid reconstrueren, waren ooit van mening dat verstedelijking na de uitvinding van de land- bouw de vanzelfsprekende volgende stap was. Ze redeneerden dat de nieuwe boeren meer waarde aan het land gingen toekennen en het daarom wilden verdedigen tegen de geweld- dadigste en roofzuchtigste soort op aarde: an- dere mensen. Waar de lokale geografie geen natuurlijke verdedigingswerken bood, werden die door mensen gebouwd. Deze defensieve bolwerken waren de eerste steden.

Het lijkt er echter op dat dit perspectief is gestoeld op een onnodig pessimistisch mensbeeld. Uit recenter onderzoek blijkt namelijk dat zelfs niet-agrarische mensen elkaars gezelschap opzochten en in groten getale bij elkaar klitten om redenen die niets met oorlogsvoering te maken hadden. Neem bijvoorbeeld het Anatolische Göbekli Tepe, waar archeologen enorme stenen construc- ties hebben gevonden die doen denken aan die van Stonehenge, maar dan veel fraaier bewerkt en bovendien zesduizend jaar ouder. Om deze bouwwerken op te trekken zullen de pre-agrarische mensen binnen een geco-

ordineerd project dat duizenden uren kostte moeten hebben samenwerken. Andere bewij- zen, bijvoorbeeld afkomstig uit Dolní Věsto- nice in Tsjechië, tonen aan dat 'nomadische' stammen bij tijd en wijle in grote aantallen samenleefden. Over het waarom kunnen we alleen maar speculeren. Deze nederzettingen waren weliswaar tijdelijk, maar hadden de omvang van veel van de antieke steden die in dit boek worden beschreven.

Daar komt bij dat de eerste steden niet ont- stonden op goed verdedigbare bergtoppen, maar op het voor landbouw geschikte laag- land. Dat gebeurde bijvoorbeeld langs de Nijl in Egypte, de Eufraat in Mesopotamië en de Gele Rivier in China. Rivieren boden niet alleen zoet water, maar ook mogelijk- heden voor reizen en handel. Klaarblijkelijk ontstonden steden dus niet overwegend uit militaire noodzaak, maar vooral om de land- bouwoverschotten ten volle te benutten en een niet-agrarische bevolking ten behoeve van bestuur, religie, onderwijs en handel bij elkaar te brengen. De eerste steden waren collectieve menselijke projecten; oorlog was daarvan slechts een klein onderdeel.

Steden werden om allerlei redenen gebouwd. Persepolis, 'De stad van de Perzen', was gro- tendeels een ceremoniële plek die gedurende bepaalde perioden van het jaar bijna helemaal was uitgestorven, maar in het rijk niettemin een enorm belang vertegenwoordigde. Som- mige steden, zoals het Romeinse Waldgir- mes, werden gesticht als een uitdrukkelijk imperiaal statement, terwijl andere, zoals het Mesopotamische Mardaman, begonnen als handelsstation en halteplaats voor karavanen. Een stad kon ook de vorm aannemen van een louter bestuurlijk en religieus centrum waar- bij de eigenlijke bevolking buiten de stads- muren woonde en deed wat vrijwel iedereen in de antieke tijd deed: ze voorzagen als boer in hun eigen levensonderhoud.

De meeste antieke stedelingen handelden omgekeerd aan de moderne forens: 's ochtends verlieten ze de stad om op de omliggende velden te werken. Voor de status van stad was het bevolkingsaantal irrelevant. Van belang was daarentegen dat de stad zelfbestuur kende en aan de onmiddellijke omgeving bestuurlijke diensten en (politie)toezicht bood. Dat is dan ook de definitie die we voor de antieke steden in dit boek zullen aanhouden. Daaruit volgt dat zelfs een piepkleine nederzetting, zoals Skara Brae op de Orkney-eilanden, voor de lokale inwoners als een 'stad' gold, aangezien er binnen een omtrek van honderden kilometers niets vergelijkbaars aanwezig was. Urbanisme is relatief.

In de loop van de eeuwen veranderde de wereld en daarmee onze manier van leven. Sommige steden waren niet langer nodig, gewenst of geschikt. Tegenwoordig liggen de restanten van de stad Uruk, de grootste nederzetting in Mesopotamië in het vierde millennium v.Chr., verweesd in een kaal en troosteloos landschap. Deze stad werd verlaten nadat de omliggende, voorheen zo vruchtbare velden ten prooi vielen aan verwoestijning. Ook in Mesopotamië bevond zich het trotse Akkad, ooit een bloeiende stad. Maar de koning viel uit de gratie bij de goden, waarna, zo geloofden zijn inwoners, de stad uit goddelijke wraak werd verwoest. Zelfs zo grondig verwoest dat we haar exacte locatie niet kennen.

Andere steden werden om meer prozaïsche redenen verlaten. Een ooit bedrijvige haven slibde dicht, handelsroutes werden verlegd, in een vallei verderop groeiden de gewassen beter. Na de val van het West-Romeinse Rijk werden sommige steden achtergelaten met inbegrip van alles behalve de bewoners. Plekken zoals Venta Silurum in het huidige Wales werden niet verlaten omdat ze onbewoonbaar waren, maar omdat men geen reden

meer zag om er te blijven wonen. Timgad en Hattusa waren in hun tijd grote metropolen, maar bestaan nu eigenlijk alleen nog als terloopse verwijzingen in de geschiedenisboeken. Deze plekken noemen we 'verdwenen steden'.

Zodra een stad is verdwenen, kan het zijn dat ze voortleeft in mythen – denk aan Troje, Camelot en Atlantis –, of juist volledig verdwijnt uit het collectieve bewustzijn van de mensheid. Althans, totdat er sporen worden gevonden. Ongetwijfeld zijn er onder de zee, de grond of het woestijnzand honderden van zulke steden, zo volkomen verdwenen en vergeten dat ze niet meer voorkomen in het verhaal van de mensheid.

Veel van de verlaten steden in dit boek kunnen we nog bezoeken. We kunnen er door de uitgestorven straten dwalen en ons afvragen hoe het leven er hier al die eeuwen geleden zal hebben uitgezien. Soms moet dit dwalen gebeuren met behulp van een zuurstoffles, en soms maken de politieke woelingen van onze huidige wereld toerisme te riskant. Af en toe is de stedelijke locatie onbekend. Maar de steden zijn er nog. Ze bestaan als stille, tijdloze herinneringen aan vervlogen tijden, andere plekken en volkomen andere manieren van leven. In weerwil van al hun vroegere glorie worden ze tegenwoordig alleen bewoond door de geesten uit het verleden. En dus noemen we ze 'verdwenen'.

Om als 'vergeten' te gelden, moet een stad op een zeker moment van de kaart zijn verdwenen, waarbij haar voormalige belang zo volstrekt uit het collectieve geheugen werd gewist dat zelfs het bestaan van de stadsruines amper werd onthouden. Een voorbeeld hiervan is Cyrene in Libië, ooit een dynamische handelsplaats en een van de grootste steden van het zuidelijke Middellandse Zeegebied. Als gevolg van de veranderende tijden en verwoestijning bleef er alleen een (nog altijd prachtige) locatie en ruïne over die eeuwenlang door niemand werd bezocht.

Sommige van de beschreven steden, zoals Troje, zijn nooit vergeten (al werd Troje lange tijd zo volstrekt verdwenen geacht, dat mensen dachten dat de stad alleen in de mythe had bestaan). Maar ook deze steden leven alleen voort als overblijfselen van een verdwenen cultuur, als slachtoffers van veranderende tijden en omstandigheden die ook de Romeinse steden in Algerije en Griekse steden in Egypte het predicaat 'verdwenen' opleverde. Andere steden, zoals Dura-Europos en Beta Samati, zijn zelfs bijna helemaal vergeten, maar ook hun rijke geschiedenis is een verkenning meer dan waard.

Deze steden, die in hun hoogtijdagen bloeiende gemeenschappen kenden, werden verwoest. Soms ten gevolge van klimaatverandering, soms door menselijk optreden, soms ook gewoon door de veranderende omstandigheden die de reden voor hun bestaan wegnamen. Al deze steden, of ze zich nu in de woestijn bevonden, vlak bij (of in) de zee, of als ruïne detoneren in het moderne landschap, hebben hun eigen unieke verhaal. Wat dat verhaal telkens duidelijk maakt, is dat mensen al duizenden jaren, niettegenstaande alle menselijke barbarij, misdaden en dwaasheden, graag samenleven. Deze verschillende volkeren en culturen voerden oorlog, dreven onderling handel en wisselden gaandeweg innovaties, ideeën en filosofieën uit. Met als gevolg dat mensen in het Afrikaanse Sudan en op de Schotse Orkney-eilanden een belangrijke gemeenschappelijke geschiedenis delen.

Het zijn hun steden, hoe verdwenen en vergeten ze ook mogen zijn, die deze in steen gehouwen geschiedenis vertegenwoordigen.

Op deze grafplaat uit Palmyra wordt een overledene wakker in het hiernamaals terwijl een bediende een kom wijn brengt. De culturele versmelting in deze kosmopolitische stad blijkt uit de Parthische kleding van de figuren en de Grieks-Romeinse stijl van het reliëf.

DEEL 1
De oudste steden

Wat was er eerst: de kip of het ei? Of zoals de archeologen en antropologen die onderzoek doen naar de eerste steden van de mensheid zich afvragen: wat was er eerder, de stad of de boerderij?

Een paar decennia geleden werd deze vraag nog onzinnig geacht. Het antwoord was toch bekend? Algemeen werd aangenomen dat toen mensen zich de landbouwtechnieken eigen maakten, ze zich permanent vestigden, hun levensstijl van jager-verzamelaars opgaven en genoeg voedsel produceerden om ook in het levensonderhoud te voorzien van het deel van de bevolking dat geen landbouw bedreef, te weten de priesters, bestuurders en kooplieden. Dat deze niet-agrarische bevolkingsgroep het efficiëntst functioneerde als er een groot aantal mensen dichtbij woonde, leidde tot het ontstaan van de stad.

Maar aanwijzingen afkomstig uit de eerste steden zetten deze theorie op losse schroeven. Tegenwoordig weten we dat ons klimaat allesbehalve constant is. Op dit moment leven we in een ijstijd, of eigenlijk in een interglaciale periode van opwarming die zo'n twintigduizend jaar geleden inzette. Sterker nog: de vroege neolithische tijd, zo'n duizend jaar geleden, lijkt warmer en natter te zijn geweest dan de huidige periode. In sommige delen van de wereld, en dan vooral in het gebied tussen Anatolië en het Hoogland van Iran, waren de omstandigheden bijzonder mild. In de waterrijke gebieden leefden heel veel vissen en gevogelte. Op de uitgestrekte weiden, die rijk waren aan wilde graansoorten, graasden kudden wilde geiten en herten. Het lijkt erop dat het land rijk genoeg was om een populatie van jager-verzamelaars te onderhouden. En dus vestigden ze zich daar permanent.

Waarschijnlijk zagen de eerste steden eruit als grootschalige tribale kampen. Veelzeggend is dat we van die plekken geen sporen van de aanwezigheid van priesters, kooplieden of een bestuurlijke elite hebben gevonden. Çatalhöyük had bijvoorbeeld geen tempels, grote marktpleinen of paleizen.

Een groot deel van het antieke Noord-Amerika zag er gedurende bepaalde perioden uit als een enorm zoetwatermeer. Zo'n achtduizend jaar geleden stroomden daar ineens miljoenen tonnen smeltwater uit weg. De nieuwe hypothese luidt dat deze overstroming zorgde voor een scherpe daling in de wereldwijde temperatuur, waardoor de voorheen vruchtbare, waterrijke gebieden verdroogden. Aangezien de mensen in de stedelijke nederzettingen niet wilden wegtrekken uit de woonplaats van hun voorouders, zetten ze hun vindingrijkheid in om het beste te maken van wat er nog voorhanden was. Droge weidelanden werden bemest en geïrrigeerd, wilde granen gedomesticeerd. Ook de dieren die daarvan graasden werden gedomesticeerd.

Kortom, het zou kunnen dat mensen geen steden hebben gevormd als gevolg van landbouwoverschotten. Het was wellicht andersom: mensen die al in steden woonden, zouden weleens de landbouw kunnen hebben ontwikkeld zodat ze in hun steden konden blijven wonen. Landbouw, zeker wanneer die is gebaseerd op irrigatie, vereist zowel een bepaalde organisatiegraad als de aanwezigheid van een bestuur om de verdeling van overschotten te coördineren en geschillen te beslechten. Dat was wat de koningen in hun nieuwgebouwde paleizen deden. Bovendien zijn boeren afhankelijk van het weer, en dus moesten de goden gunstig worden gestemd. Dat vereiste tempels. Steden begonnen onderling hun middelen en hulpbronnen uit te wisselen, waardoor er een klasse van kooplieden ontstond.

Veel steden uit dit tijdperk konden zich echter niet aanpassen aan de veranderende omstandigheden; zij werden verlaten. Andere steden werden verzwolgen door het stijgende zeewater. Concurrentie om hulpbronnen stimuleerde een andere menselijke uitvinding – oorlogsvoering – en sommige steden bleken ofwel niet te verdedigen of simpelweg het verdedigen niet waard. Maar dit alles spon zich uit over lange perioden. De menselijke ontwikkeling van het neolithicum tot aan de bronstijd was een langzaam en grillig proces. Let wel: een aantal van de steden dat verdween, had eeuwen langer bestaan dan de vermaarde steden van de moderne tijd, zoals Berlijn, Moskou en Parijs.

Wat in deze veranderende wereld onverminderd doorging, was de voortschrijdende verstedelijking. Mensen woonden graag in steden en dus bleven ze daar wonen. De eerste steden zijn een concrete belichaming van de menselijke weerbaarheid in tijden van (soms door de mens gecreëerde) tegenspoed. De eerste stedelingen, of ze nu woonden op de afgelegen, boomloze noordelijke eilanden, in een strijd verwikkeld waren met het oprukkende woestijnzand of de stijgende zeespiegel, of zelf het gebied van vijandelijke herders binnendrongen, tartten de verwachtingen – en elkaar – en legden daarmee de fundamenten van de wereld van vandaag de dag.

Ca. 7250-5500 v.Chr.
Çatalhöyük
Verwachtingen

*Om jezelf door de stad te verplaatsen hoefde je enkel een locatie
en richting te kiezen en vervolgens over de daken te lopen totdat
je er was.*

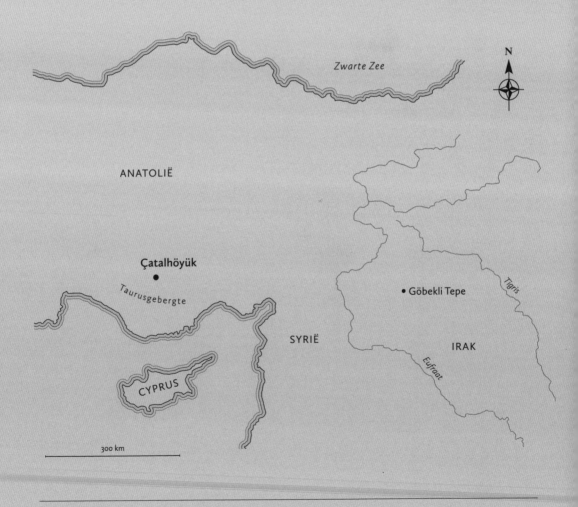

Zwarte Zee

N

ANATOLIË

Çatalhöyük
•

Taurusgebergte

Göbekli Tepe

Tigris

SYRIË

IRAK

Eufraat

CYPRUS

300 km

In de twintigste eeuw stond het de meeste antropologen vrij helder voor ogen hoe de moderne samenleving was ontstaan. Mensen in Mesopotamië ontwikkelden landbouwtechnieken, en de daarbij geproduceerde overschotten stelden hen in staat om in grotere, compactere gemeenschappen te leven en ook niet-boeren, zoals priesters en soldaten, te onderhouden. Omdat grotere gemeenschappen organisatie behoeven, ontwikkelden stedelingen hiërarchieën van de koning tot de boer. Soldaten hielden de orde. Terwijl de vroege niet-stedelijke gemeenschappen matriarchaal waren en overwegend aardgoden vereerden, waren deze nieuwe samenlevingen uiterst patriarchaal en aanbaden ze luchtgoden. De revolutie van akker en stad verspreidde zich geleidelijk over de wereld en creëerde de moderne beschaving zoals we die nu kennen.

Maar een onlangs herontdekte stad zette deze veronderstellingen op z'n kop. Deze stad werd zelfs door de Unesco beschreven als een 'plek die cruciaal is voor ons begrip van de menselijke prehistorie'. Een tikje overdreven, zou je misschien denken. Ware het niet dat de hier gedane ontdekkingen ons perspectief op de menselijke prehistorie daadwerkelijk radicaal veranderden.

Om te beginnen bevindt de stad Çatalhöyük zich niet in Mesopotamië maar in Midden-Anatolië, zo'n 1500 kilometer naar het noordwes-

Interieur van een huis in Çatalhöyük. Een deel wordt afgeschermd door de stierenhoorns die kenmerkend waren voor de huizen in deze stad.

De dicht op elkaar gepakte huizen van Çatalhöyük in het landschap van nu. Voor de oorspronkelijke inwoners van de stad zou het er tegenwoordig onvoorstelbaar dor hebben uitgezien.

ten. Daarnaast werd het Mesopotamische Uruk lange tijd beschouwd als 's werelds eerste stad, maar Çatalhöyük blijkt op zijn minst even oud. Zijn fundamenten dateren van ten minste negenduizend jaar geleden, en misschien van nog wel eerder. De inwoners van deze extreem oude nederzetting zullen al doende hebben ontdekt wat het betekende om in zo'n omvangrijke gemeenschap te leven.

Dat zorgde voor een aantal opvallende aspecten. Zo heeft Çatalhöyük geen begraafplaatsen, maar werden mensen begraven onder platforms in hun eigen huis. Huizen werden vaak volgestort, verbrand en heropgebouwd, waardoor er tot aan het moment dat de stad in 5500 v.Chr. werd verlaten (zo'n 4700 jaar voordat Rome werd gesticht), achttien lagen van huizen waren ontstaan. Daarnaast kende Çatalhöyük geen straten. De huizen werden daarentegen tegen elkaar aan gezet. De bewoners kwamen en gingen via dezelfde openingen in de platte daken die de rook in staat stelden om uit deze raamloze kamers te ontsnappen.

Zo'n stadsplan betekent dat de huizen pal tegen elkaar aan konden worden gebouwd: binnen de stadsoppervlakte van twaalf hectare stonden meer dan tweeduizend huizen tegen elkaar aan. Om jezelf door de stad te verplaatsen hoefde je enkel een locatie en richting te kiezen en vervolgens over de daken te lopen totdat je er was. Het agglomeraat van huizen werd alleen onderbroken door een smalle rivier die tussen de heuvels op deze plek door stroomde en zo de grotere en oudere verhoging aan de oostkant scheidde van een kleinere en nieuwere aan de westkant.

Aan deze tweedeling ontleent de stad haar naam (die in modern Turks 'gevorkte tumulus' betekent), want voordat de opgravingen begonnen splitste zich op dit punt een voetpad af. We weten niet hoe de inwoners van Çatalhöyük hun stad noemden, en of ze überhaupt een naam had. Namen zijn immers nodig om de ene van de andere vergelijkbare zaak te kunnen onderscheiden, maar in de wijde omtrek was er niets wat leek op Çatalhöyük – en misschien gold dat dus ook voor de rest van de wereld.

Hoewel de landbouw niet onbekend was bij de bevolking en het belang daarvan geleidelijk ook toenam, lijkt Çatalhöyük rond de tijd van zijn stichting voornamelijk te zijn bewoond door jager-verzamelaars. Tegenwoordig is dit gebied een van de droogste delen van Turkije, maar negenduizend jaar geleden was het een vruchtbaar drasland waar zoveel dieren- en plantenleven voorkwam dat het een sedentaire bevolking kon onderhouden. Vissen, watervogels, wilde schapen en ander vee leverden eiwitten, terwijl onder de lokale planten tarwe, gerst, pistache- en amandelbomen waren. Het zou dus zo kunnen zijn dat de landbouw niet tot verstedelijking leidde, zoals lang werd gedacht, maar dat Çatalhöyüks verstedelijking de landbouw in de hand werkte, doordat de stad de agricultuur ontwikkelde die een bevolking kon onderhouden die ten langen leste uitgroeide tot zo'n achtduizend inwoners.

Deze aspecten maken Çatalhöyük al tot een uitzonderlijke stad. Maar de vindplaats had nog meer verrassingen in petto. Nagenoeg de hele locatie bestaat uit huizen. Vooralsnog zijn er geen publieke ruimten ontdekt: geen paleizen, basilica's, markten, theaters of tempels. (Ter vergelijking: in de oudheid werd bijna twee derde van het centrum van Rome in beslag genomen door publieke gelegenheden van een of ander type.) Zeker het volledig ontbreken van paleizen en tempels is zeer opmerkelijk.

Kende Çatalhöyük een centraal bestuur, dan houdt de locatie dat goed verborgen. De plek doet opvallend egalitair aan, want alle tot dusver blootgelegde huizen zijn overeenkomstig opgezet en geen enkel huis is weelderiger ingericht dan het andere. Klaarblijkelijk werden besluiten collectief genomen. Sommige bezittingen in de stad lijken te zijn gebruikt door wie ze op een bepaald moment ook maar nodig had. Er zijn antropologen die betogen dat dit erop wijst dat de stad sterk hechtte aan gelijkheid. Misschien was het wel de enige bestuursvorm die de inwoners kenden; misschien was de autocratie als bestuursvorm nog niet eens uitgevonden.

Bij de eerste archeologische opgravingen kwam een groot aantal vrouwenbeeldjes aan het licht. Die wekten de indruk dat Çatalhöyük een matriarchale samenleving kende. Sommige archeologen omarmden dit idee met groot enthousiasme, maar opnieuw liet Çatalhöyük zich niet vangen in stereotypes. Bij latere opgravingen werden juist veel mannen- en dierenbeeldjes gevonden. Wel leek toen te worden bevestigd dat Çatalhöyük inderdaad egalitair was – uit onderzoek op de skeletten bleek dat mannen en vrouwen een vergelijkbaar dieet hadden en met dezelfde plichtplegingen werden begraven. Uit sporen van het roet van het vuur binnenshuis, dat in de longen en uiteindelijk op de ribben terechtkwam, bleek dat mannen en vrouwen evenveel tijd in huis doorbrachten. Ook de slijtage aan botten wijst erop dat mannen en vrouwen dezelfde taken uitvoerden, hoewel schilderingen suggereren dat het meestal mannen waren die op groot wild joegen.

Ian Hodder, een van de archeologen die de vindplaats blootlegde, zei hierover: 'We zien hier geen patriarchaat of matriarchaat. Wat we zien is misschien nog veel interessanter. Namelijk een samenleving waarin de vraag of je een man of een vrouw was op heel veel vlakken niet bepalend was voor het leven dat je kon leiden.' Eén verschil was natuurlijk dat vrouwen kinderen baarden, met alle gevaren van dien. Archeologen merkten op dat in de meeste huizen vrouwen met zuigelingen het dichtst bij de haard werden begraven.

In Çatalhöyük blijft nog veel te ontdekken. Maar het beeld dat we tot dusver hebben gekregen is ronduit fascinerend. Zo zijn er weinig aanwijzingen dat de ontdekte wapens werden gebruikt voor iets anders dan de jacht, dus wellicht was Çatalhöyük een vreedzame samenleving. Er is betoogd dat antieke mensen hun huizen heus niet alleen op een verhoging bouwden vanwege het uitzicht (nadat er herhaaldelijk huizen op huizen waren gebouwd, verhief Çatalhöyük zich zo'n twintig meter boven het omliggende vlakke land), maar dat het in dit geval waarschijnlijk eerder werd ingegeven door de wens om overstromingen te vermijden dan uit het oogpunt van verdediging.

Wapens werden gemaakt van hoorn en afgebikte obsidiaan. Uit geïmporteerde voorwerpen blijkt dat de stadsbewoners handelsbetrekkingen onderhielden met plekken in Syrië. De huizen bestonden uit bepleisterd leemsteen en waren rijkelijk versierd met schilderingen en beeldhouwwerken. Hieronder bevonden zich vooral veel echte en gebeeldhouwde schedels van wilde dieren, onder meer van stieren, herten, luipaarden en gieren. We hebben zelfs een paar prikkelende aanwijzingen dat de lokale loodafzettingen werden ontgonnen door 's werelds eerste metaalwerkers.

Uiteindelijk werd Çatalhöyük verlaten. Misschien werd de plek minder productief als gevolg van toenemende droogte. Ook mogelijk is dat de stad door de komst van nieuwe ideeën over de stedelijke omgeving, zoals de noodzaak van straten en publieke ruimten, minder aantrekkelijk werd. In latere jaren bleek uit voorwerpen als zegelstempels dat concepten als privébezit terrein wonnen. Wat ook vaststaat, is dat landbouw toen inmiddels een grote industrie was geworden (rond dezelfde tijd werd het eerste vee gedomesticeerd). Nadat de stad werd verlaten, heeft die in bijzonder goed gepreserveerde staat de tand des tijds doorstaan. Ongetwijfeld herbergt Çatalhöyük nog talloze verrassingen die nog meer van onze ideeën over het antieke verleden van de mensheid op de proef zullen stellen.

Aanvankelijk werden op deze plek vooral kalkstenen beeldjes van 'Moeder Aarde' gevonden. Dat deed sommige vroegere onderzoekers denken dat Çatalhöyük een matriarchale samenleving was geweest.

Çatalhöyük vandaag de dag

Nadat Çatalhöyük werd verlaten, raakten zijn ruïnes geleidelijk onder het zand begraven. De stad zou zesduizend jaar doorbrengen als een tweetal niet bijzonder opvallende heuvels op de Turkse Konyavlakte. De eerste archeoloog die belangstelling opvatte voor de plek was de Engelsman James Mellaart, die in 1958 op deze locatie stuitte en er tussen 1961 en 1965 opgravingen verrichtte. Het was Mellaart die de vrouwenbeeldjes ontdekte die de basis vormden voor de opvatting dat zich hier een matriarchale samenleving had bevonden. Na opgravingen eind twintigste eeuw werd dat idee echter grotendeels ontkracht.

Tegenwoordig werken internationale experts in Çatalhöyük samen binnen een interdisciplinair team (het Çatalhöyük Research Project) dat zich toelegt op het ontraadselen van de mysteriën van de menselijke prehistorie op deze locatie. Sinds 2012 staat Çatalhöyük op de Werelderfgoedlijst van de Unesco. Het Turkse Algemene Directoraat van Monumenten en Musea houdt het aantal bezoeken van buitenstaanders zoals toeristen zorgvuldig binnen de perken.

In Çatalhöyük bevinden zich weliswaar een klein ontvangstcentrum, een café en een museum, maar het is niet toegestaan om zonder begeleiding rond te lopen. Een groot deel van de blootgelegde locatie wordt door grote overkappingen overdekt. Die moeten de ruïnes beschermen tegen de elementen.

Ca. 3200-2500 v.Chr.
Skara Brae
Het ruige leven op de Orkney-eilanden

Aangezien er geen bomen waren, bouwden de eilanders
zowel hun huizen als hun meubels van steen.

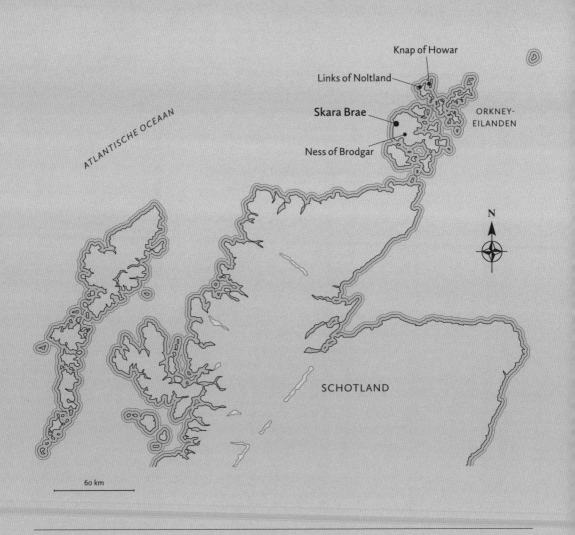

De traditionele theorie over de menselijke beschaving (waarbij landbouwoverschotten leidden tot steeds grotere nederzettingen) kreeg recent een paar flinke knauwen. Sommige vroege nederzettingen dateren namelijk van vóór de periode dat landbouw wijdverbreid raakte. Bovendien bevonden sommige zich in gebieden die allesbehalve ideaal voor cultivering waren. Een voorbeeld bij uitstek daarvan was Skara Brae, een nederzetting op de door de wind geteisterde Orkney-eilanden, ten noorden van het Schotse vasteland. Daar lijken de mensen ruim vijfduizend jaar geleden te hebben besloten om zich collectief te vestigen, ondanks het ontbreken van vruchtbaar land, veel wild of fruitbomen. Sterker nog: er groeiden hier helemaal geen bomen.

We weten niet waarom mensen er oorspronkelijk voor kozen om zich op Skara Brae te vestigen, noch hoe groot hun nederzetting destijds was. Waarschijnlijk werd een groot deel opgeslokt door de zee voordat iemand in de moderne tijd zich überhaupt bewust werd van het bestaan van deze nederzetting. Andere huizen op deze plek waren wellicht grovere constructies die nu volkomen zijn weggeërodeerd. Maar

Interieur van een huis in Skara Brae, waar je kon kiezen uit elk soort meubels dat je wilde – zolang ze maar van steen waren.

zonder de krachten die tot erosie leidden was Skara Brae wellicht nooit ontdekt.

In de winter van 1850 kreeg Schotland te maken met een hevige storm die tal van mensenlevens eiste. Op het grootste eiland van de Orkney's – dat door de inwoners het Mainland wordt genoemd – werden de winden door de vorm van de Bay of Skaill zo gekanaliseerd dat hun gebundelde kracht zich focuste op een specifiek heuveltje dat door lokale inwoners de Mound by the Reef ('Heuveltje bij het rif') of Skerrabra werd genoemd. De wind blies de zanderige aarde weg en legde een complex bloot van dakloze huizen die werden verbonden door overdekte doorgangen.

De lokale landheer, William Watt, begon onmiddellijk aan geïmproviseerde archeologische opgravingen en hij nodigde oudheidkundige George Petrie uit om de vindplaats te onderzoeken. Aanvankelijk werd Skara Brae gehouden voor een nederzetting uit de ijzertijd, en dus voor zo'n 3500 jaar jonger en minder interessant dan ze eigenlijk is. Dankzij radiokoolstofdatering en extra opgravingen wordt Skara Brae tegenwoordig gezien als misschien wel de best geconserveerde neolithische vindplaats van Europa.

Rond 3200 v.Chr., toen Skara Brae voor het eerst werd bewoond, zag het landschap er enigszins anders uit. De golvende velden en ongerepte zandstranden waren er al, maar de kustlijn is in de loop der eeuwen sterk verlegd. Oorspronkelijk lag de nederzetting Skara Brae veel verder landinwaarts. Waarschijnlijk werd ze gebouwd op een plek waar ooit een zoetwatermeer door de duinen van de zee werd gescheiden.

Bij afwezigheid van bomen bouwden de eilanders zowel hun huizen als hun meubels van steen. De tot dusver ontdekte huizen zien er allemaal vrijwel hetzelfde uit. Het belangrijkste bouwmateriaal bestond uit de flagstones afkomstig uit de sedimentaire rotsen die hier van oorsprong voorkomen. Het lijkt erop dat de bouwers enigszins in de zijkant van de heuvel hebben gegraven zodat ze de muren door de aarde konden laten stutten, waarna ze de flagstones zonder specie op elkaar hebben gestapeld. Van de daken is niets teruggevonden, wat betekent dat ze moeten zijn gemaakt van organisch materiaal dat al duizenden jaren geleden is weggerot.

Het zou kunnen dat de daken waren vervaardigd van zeewiermatten die met strooien touwen aan de stenen werden bevestigd. Deze zeer praktische techniek werd tot relatief recent toegepast door inwoners van de Orkney-archipel. De dakbalken waren misschien van balein of drijfhout, al zou je verwachten dat er in dat geval ten minste enige overblijfselen van deze relatief duurzame materialen zouden zijn gevonden.

Een typisch kenmerk van de reeds blootgelegde huizen is een klein voorvertrek dat elk huis verbond aan een goot, waardoorheen het overtollige regenwater naar de zee werd afgevoerd. We mogen aannemen dat dit toiletten waren en dat we hier een van de eerste rioleringsstelsels van de wereld zien. Gegeven de bittere kou en hevige stormen tijdens de winters op de Orkney-eilanden was er alle reden om de roep van de natuur te beantwoorden zonder dat je jezelf aan de elementen hoefde bloot te stellen. Dat werd door deze indoor-toiletten mogelijk gemaakt.

De stenen interieurs van Skara Brae doorstonden de tand des tijds, terwijl het houten meubilair van veel latere Britse nederzettingen is

Voorgaande pagina's
De term 'stad' is soms relatief. Hoewel Skara Brae tegenwoordig zou doorgaan voor een gehucht, was het veruit de grootste nederzetting in de streek. Om die simpele reden zullen de inwoners Skara Brae 'de stad' hebben genoemd.

vergaan. In elk huis bevond zich aan weerskanten van de hoofdingang een bed. Waarschijnlijk sliep de echtgenoot in het grotere bed en de echtgenote in het kleinere, waarbij de kleinere kinderen de bedden van hun ouders deelden. Dat laatste was gebruikelijk tot aan de vroegmoderne tijd. Midden in de huizen van Skara Brae bevond zich een stenen haard. In de hoeken van de vierkanten kamers bevinden zich nog voorraadkasten, met daarnaast stoelen en ladekasten waarin het aardewerk moet hebben gestaan.

De restanten van dat aardewerk maakten het mogelijk om Skara Brae te dateren. De gevonden fragmenten zijn van een soort aardewerk die we 'Grooved Ware' noemen. Uit de aanwezigheid daarvan blijkt dat de Orkney-eilanden zelfs in deze vroege tijd al via handelsroutes met de rest van (het tegenwoordige) Groot-Brittannië waren verbonden. Er bestaat een fascinerende hypothese dat deze aardewerkstijl – waarvan inmiddels exemplaren zijn aangetroffen op meerdere neolithische vindplaatsen in Groot-Brittannië – daadwerkelijk op de Orkney-eilanden is ontstaan en zich van daaruit naar Groot-Brittannië en Ierland heeft verspreid.

Een mysterieuze vondst in Skara Brae is die van stenen balletjes die ijverig zijn ingekerfd met raadselachtige lijnen en patronen. Niemand weet waarvoor ze dienden, al kwamen vroege archeologen met fantasievolle theorieën over mystici die op de eilanden allerlei geheime riten zouden hebben uitgevoerd.

In werkelijkheid lijkt Skara Brae vooral te zijn bevolkt door schaapsherders. In het neolithicum leverden schapen allerlei producten. Van de ramshoorns kon je drinkbekers, gereedschappen en muziekinstrumenten maken. De botten boden lijm en naalden, terwijl de pezen als dun touw werden gebruikt. Met deze materialen kon het leer van schaapshuiden worden samengenaaid, terwijl de wol kon worden geweven of samen met de lijm tot vilt vermaakt. De blaas bood een handige bak of houder, terwijl het gehakte vlees verpakt in de darmen worst werd. Bij leven gaven de ooien melk, en dood werden ze geroosterd boven een met schapenmest gevoed vuurtje.

Ten minste een van de tot dusver blootgelegde huizen in het complex lijkt een soort werkplaats te zijn geweest waar gereedschappen, en misschien ook artikelen van leer, werden vervaardigd om te gebruiken en te verhandelen. Wapens werden niet aangetroffen, tenzij je de messen en botte bijlen gemaakt van bot daartoe wilt rekenen. Maar waarschijnlijk waren dat gereedschappen: niets op de locatie wijst erop dat de inwoners zich moesten beschermen tegen iets anders dan het weer.

Zeshonderd of zevenhonderd jaar nadat mensen in Skara Brae gingen wonen, werd de plek weer verlaten. Dat er verspreid over de vloer van een van de huizen kralen van een gebroken ketting werden gevonden, werd ooit gezien als een bewijs dat de mensen halsoverkop voor een externe dreiging hebben moeten vluchten. Zo gewelddadig kan die dreiging echter niet zijn geweest, want menselijke resten zijn voor-

Deze mysterieuze stenen, die tussen de vier- à vijfduizend jaar geleden werden ingesneden, verbluffen en fascineren de archeologen van vandaag.

alsnog niet aangetroffen. Aangezien de huizen zelf geleidelijk werden ingedamd door het zich ophopende puin van de nederzetting en bedekt door het verwaaiende zand van de duinen, lijkt het aannemelijker dat de inwoners geleidelijk naar herbergzamere oorden zijn vertrokken. Skara Brae werd verzwolgen onder het zand dat de plek gedurende de volgende veertig eeuwen zou bedekken.

Skara Brae vandaag de dag

De onverschrokken reiziger kan tussen april en september op de Orkney-eilanden een bezoek aan Skara Brae brengen. Daarvoor dien je alleen een kleine vergoeding te betalen aan de organisatie Historic Scotland, dat de locatie beheert.

Actief beheer is nodig ook, aangezien de zeewering die een eeuw geleden ter bescherming van de gebouwen is opgetrokken, tegenwoordig worstelt met de stijgende zeespiegel en de extreme weersomstandigheden. Het risico bestaat dat een storm van dezelfde kracht die oorspronkelijk Skara Brae voor ons onthulde, het karwei afmaakt en de hele locatie van de kaart veegt.

Sinds 1999 prijkt Skara Brae op de Werelderfgoedlijst van de Unesco. Het archeologisch onderzoek wordt nog altijd voortgezet in de hoop dat meer gebouwen zullen worden ontdekt en we eindelijk de volledige omvang van de nederzetting zullen kennen.

3200?-2000 v.Chr.
Akkad
De vervloekte stad

De oude vrouwen jammerden: 'Wee mijn stad!'
En de oude mannen echoden: 'Wee haar inwoners!'

Vloek van Agade regel 198

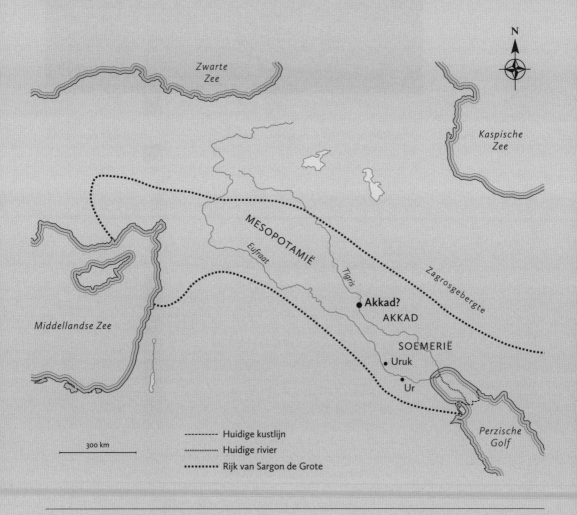

Zwarte Zee

Kaspische Zee

MESOPOTAMIË

Eufraat

Tigris

Zagrosgebergte

Middellandse Zee

Akkad?

AKKAD

SOEMERIË

Uruk

Ur

Perzische Golf

300 km

---------- Huidige kustlijn

·············· Huidige rivier

•••••••• Rijk van Sargon de Grote

Om redenen waarover nog altijd wordt gediscussieerd begonnen mensen rond 4500 v.Chr. met grootschalige stedenbouw. Dit gebeurde als eerste in een gebied dat tegenwoordig Zuid-Irak, West-Iran en Oost-Syrië beslaat, de lijn van een boog vormt en mede daarom bekendstaat als de 'Vruchtbare Halvemaan'. Wellicht was de antieke stad Uruk de eerste van deze nederzettingen, hoe dan ook werden op de oevers van de Tigris en Eufraat algauw andere steden gebouwd. In navolging van de oude Grieken noemen we dit gebied tegenwoordig Mesopotamië, wat simpelweg 'tussen de rivieren' betekent.

Agade, later bekend als Akkad, was zo'n vroege stad. Agade werd gesticht bij een vertakking van de rivier: misschien aan de Tigris vlak bij het huidige Bagdad, of anders op de westoever van de Eufraat nabij de Soemerische stad Mari. Laatstgenoemde locatie heeft een streepje voor, aangezien de meeste informatie over Akkad afkomstig is uit spijkerschriftteksten die werden aangetroffen op in Mari opgegraven kleitabletten.

Voordat in de negentiende eeuw de spijkerschrifttabletten uit Mari waren ontcijferd, was er over Agada/Akkad niets anders bekend dan een enkele verwijzing in de Bijbel: 'Nimrod (...) was een geweldig jager (...) De kern van zijn rijk werd gevormd door Babel, Uruk, Akkad en Kalne, in Sinear (Genesis 10:8-10).

We weten niets over de vroege geschiedenis van Agade, dat ongemerkt uit de historische annalen zou zijn verdwenen als er op een zeker moment voor 2300 v.Chr. niet een kind was geboren dat Sargon heette. Sargon stichtte het rijk dat algemeen wordt beschouwd als het eerste ter wereld. In de decennia voordat hij aan de macht kwam, hadden enkele Mesopotamische steden hechte bondgenootschappen gesloten,

Akkadische cilinderzegel (links) en de afbeelding nadat de zegel over een kleien oppervlak is gerold (rechts). De stiermens versus de leeuw was een veelvoorkomend thema, maar helaas kennen we de achterliggende mythe niet. De inscriptie vertelt dat deze zegel aan een zekere Ishri-ilum toebehoorde.

De Stèle van de Over-winning van Naram-Sin (bewind 2254-2218 v.Chr.). Doorgaans wordt de stierenhoorn-helm van de koning alleen door goden gedragen, maar Na-ram-Sin toont zich hier ondergeschikt aan de goden door zijn blik naar de sterren te rich-ten terwijl onder hem zijn verslagen vijanden zijn afgebeeld.

waardoor ze al bijna op een land gingen lijken. Toch was Sargon de eer-ste die een echt rijk vormde (oftewel een multinationale bestuursvorm die door één centrale macht wordt geregeerd).

In een overgeleverde inscriptie claimde Sargon dat hij Akkad stichtte, de stad waaraan zijn domein zijn naam ontleende: het Akkadische Rijk. Het heeft er echter alle schijn van dat Sargons Akkad een omge-doopte versie van de toen al antieke stad Agade betrof. (De naam 'Agade' stamt van vóór het ontstaan van de Semitische taal die Sargon in zijn inscripties gebruikte.) Wat wel buiten kijf staat, is dat Sargon tijdens zijn langdurige bewind (2334-2279 v.Chr.) zijn geboortestad ingrijpend her-bouwde en dat Akkad nadien verderging als een florerende hoofdstad.

Na Sargon was de grootste Akkadische koning zijn kleinzoon Naram-Sin. Hij regeerde van 2254 tot 2218 v.Chr., al zijn alle data uit dit tijdperk omstreden. Bronnen zijn schaars en fragmentarisch, niet in de laatste plaats doordat er meer tijd zit tussen Naram-Sin en de Egyptische Cleopatra dan tussen Cleopatra en de uitvinding van de televisie.

Nadat Naram-Sin een opstand had neergeslagen, bouwden de in-woners van Akkad voor hem een tempel. Dat kwam aan het licht toen tijdens een modern wegenbouwproject in Irak een standbeeld dat daar-over vertelde werd opgegraven. Op het Bassetkibeeld, vernoemd naar het dorp waar het is gevonden, staat een inscriptie in het Akkadisch. Aangezien Bassetki in het huidige Koerdistan ligt, maakte deze vondst ook meteen duidelijk hoezeer de Akkadische cultuur zich naar andere delen van het rijk had verspreid. De Akkadiërs standaardiseerden ma-ten en gewichten, en voerden een rijksbreed dateringsstelsel in waarbij elk jaar naar een belangrijke gebeurtenis werd genoemd.

Uit een andere inscriptie maken we op dat Naram-Sins tempel in Akkad de stad moest delen met ten minste één ander groot religieus gebouw. Akkad was namelijk het centrum van de verering van 'de hei-lige Inana', de Semitische godin van de liefde, sensualiteit, vruchtbaar-heid én oorlog. Inana's tempel in Akkad was een heiligdom en wordt aangeduid als een 'vrouwendomein'.

Een beschrijving van Akkad, die dateert van meer dan honderd jaar na het bewind van Naram-Sin, verhaalt van stadsmuren 'als een berg-helling' en een haven waar schepen in de luwte konden rusten. Ook wordt er beweerd dat net zoals de Tigris in zee vloeide, de mensen uit Soemerië per boot goederen naar Akkad brachten (*Vloek van Agade* regels 40-42).

De kroniek vervolgt: 'Zoals een meisje dat kwartier maakt in de vrouwenvertrekken van het huis, verfraaide de heilige Inana haar stad.' Ze zorgde ervoor dat de pakhuizen waren gevuld en dat de mensen konden eten en drinken wat ze wilden. Op de binnenpleinen zou het hebben gewemeld van exotische schouwspelen: niet alleen van bezoe-kers uit onbekende oorden, maar ook van apen, waterbuffels, ruwharige schapen die wijselijk opzijstapten voor machtige olifanten, terwijl leeu-wen, wilde ibissen en andere gevangen dieren in kooien werden tentoongesteld. Mensen dromden samen voor allerlei vermaak, genoten van feestelijke maaltijden en in de straten weergalmden de klanken van de tigidrum. In het antieke Babylon was de 'tigi' zowel een instrument als een soort muziek.

Ook elders in het rijk wentelde men zich in voorspoed en geluk. De bestuurders en tempels van deze gebieden vormden een hele uitdaging voor de douanefunctionarissen bij de stadspoorten van Akkad met de omvang en luister van hun offergaven. Kortom: afgaand op de hierboven samengevatte antieke kroniek beleefde Akkad een gouden tijdperk.

Aan deze idyllische periode kwam echter een einde toen de machtige god Enlil om onbekende redenen ontstemd was over Akkad. Zelfs Inana kon Enlil niet de baas en ontvluchtte de stad. Het verhaal wil dat Naram-Sin wachtte, bad en aan Enlil offerde teneinde de reden van zijn misnoegdheid te achterhalen. Maar zeven jaar later wachtte hij nog steeds. Ten slotte rukte de getarte koning op naar E-kur, Enlils heilige bergtempel. Daar liet hij ladders neerzetten en het huis van de god baksteen voor baksteen afbreken.

Met deze flagrante heiligschennis joeg Naram-Sin de andere goden tegen zichzelf en de stad in het harnas. De kroniek vertelt dat net als in de tijd voordat de steden bestonden, de velden geen graan meer opleverden, de wateren geen vis boden, de boomgaarden niet langer siroop of wijn voortbrachten, uit de wolken geen regen viel en de planten niet meer wilden groeien. De prijs van olie schoot omhoog en de armen lagen uitgehongerd op het dak van hun huis. Geweld en bloedvergieten waren aan de orde van de dag. In de straten dwaalden zoveel wilde honden dat mensen die zich in hun eentje of met z'n tweeën de straat op waagden werden verscheurd. De oude vrouwen jammerden: 'Wee mijn stad!' En de oude mannen echoden: 'Wee haar inwoners!'

Weldra vielen buitenlandse indringers het geplaagde rijk binnen. De laatste koningen van Akkad verdedigden een stadstaat die was geslonken tot een paar velden buiten de stadsmuren, waarna uiteindelijk ook die verloren gingen. 'En zo ging het. Op de jaagpaden naast de kanalen groeide het gras hoog, op de wagenpaden groeide het gras van de rouw' (*Vloek van Agade* regels 272-274).

Akkad vandaag de dag

Jarenlang werd het verhaal van de vervloekte stad alleen als zodanig gezien: als een verhaal dat misschien niet zo krachtig was als de *Ilias* van Homerus, maar wel net zo gefantaseerd. Maar toen werd ontdekt dat Troje daadwerkelijk had bestaan en dat Homerus' epos heel wat waarheid bevatte. Datzelfde blijkt te gelden voor het verhaal van Akkad.

Door hedendaagse onderzoekers wordt de *Vloek van Agade* niet gezien als een vertelling met als moraal dat je de goden maar beter niet

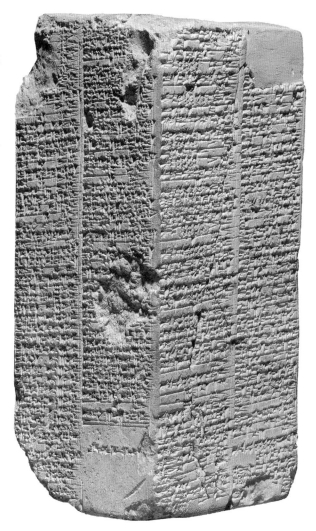

Een 'prisma' van klei in spijkerschrift. Tot de oneindige dankbaarheid van latere historici bevat deze uit vier zijden bestaande tablet een lijst van alle koningen van Soemerië, van de tijd van de legenden tot aan het contemporaine tijdperk, inclusief informatie over hun bewind.

kunt uitdagen, maar als een relaas van maatschappelijke ineenstorting die door klimaatverandering werd veroorzaakt. Als de gewassen inderdaad niet meer groeiden en de rivieren opdroogden, was dat niet het gevolg van de toorn van Enlil maar van een grote droogte. Uit geologisch onderzoek bleek dat zich rond de toenmalige Mesopotamische steden meerdere lagen onvruchtbare grond bevinden. Ook werden er bij boorwerkzaamheden strata aan stof onder de zee gevonden die daar werden afgezet door de zandstormen die duizenden jaren geleden over de verdorde vlakte joegen.

Of Akkad nu slachtoffer werd van klimaatverandering of goddelijke furie, de stad zakte hoe dan ook weg uit het collectieve geheugen naar eerst het domein van de mythen en vervolgens dat van de vergetelheid. Tegenwoordig is Akkad zo volstrekt vergeten dat niemand meer weet waar zich de machtige muren en drukke pleinen van Sargons keizerlijke hoofdstad ooit hebben bevonden.

Ca. 2800-ca. 1100 v.Chr.
Pavlopetri
De oudste overstroomde stad in het Middellandse Zeegebied

We hebben hier te maken met een stad die twee- of zelfs drieduizend jaar ouder is dan de meeste overstroomde steden die zijn bestudeerd (...) het is absoluut uniek.

Nicholas Flemming, onderwaterarcheoloog

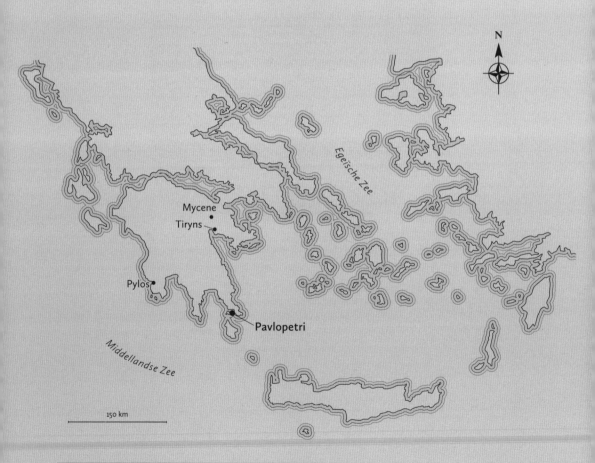

Vanaf de kust van Griekenland strekken zich drie schiereilanden uit, waardoor het lijkt alsof de Peloponnesos als een reuzendraak met zijn klauwen naar Kreta reikt. Tussen het middelste en het oostelijke schiereiland bevindt zich de monding van de rivier de Eurotas. Stroomopwaarts liggen dan weer de restanten van Sparta, de antieke stad die rond 950 v.Chr. werd gesticht. Maar Sparta is nog jong vergeleken met een andere stad nabij het Laconische oostelijke schiereiland, die namelijk zo'n tweeduizend jaar eerder werd gebouwd.

Hoe de inwoners deze stad noemden is onbekend. Tegenwoordig heet ze Pavlopetri naar het piepkleine rotsige eilandje dat de rand van de onderwaterruïnes markeert. Wat we wel weten is dat de inwoners van het antieke 'Pavlopetri' kosmopolieten, meesterbouwers en handelaren waren – dat laatste vooral in de stoffen die de regionale specialiteit schijnen te zijn geweest. In haar bloeitijd rond 1200 v.Chr. was de stad een van de vele bedrijvige havensteden van het Myceense Griekenland. Pavlopetri bevond zich aan een laaggelegen inham en werd aan alle kanten omgeven door bergen en langgerekte zandstranden.

Het eiland Pavlopetri: een onbetekenende, net boven de zeespiegel uitstekende rots die ooit uitzicht bood over een van de oudste steden van het prehistorische Griekenland.

De locatie van de haven was ideaal voor de handel met Kreta en het verderop gelegen Egypte. Dat de rotsige Laconische kustlijn weinig ruimte biedt voor geschikte havens (in de antieke wereld was de streek de schrik van zeelieden), gaf Pavlopetri de kans om ongehinderd door regionale rivalen te floreren. Hoewel de stad de chaotische nasleep van het einde van de Myceense periode overleefde, kon niets Pavlopetri redden van het onheil dat zich aankondigde. De combinatie van het stijgende zeewater en plaatselijke aardbevingen zorgde ervoor dat de antieke stad eerst beetje bij beetje overstroomde, totdat de door een storm voortgezwiepte golven de opgehoogde bebouwing doorbraken en een totale ineenstorting veroorzaakten. Op het strand van Pounta steken de ruïnes boven het zand uit, om zich tot verderop in de zee uit te strekken.

De onderwaterstad. Een duiker zwemt tussen de digitaal weergegeven restanten van een woning in de Baai van Vatika. Een groot deel van de schade aan de gebouwen is toegebracht door modern scheepsverkeer.

De ontdekking van Pavlopetri

Voor hedendaagse archeologen bood het lang onder water verborgen gebleven Pavlopetri zo zijn voordelen. Weinig archeologische vindplaatsen zijn volledig ongeschonden. Mensen van latere generaties hebben de kwalijke gewoonte om zich boven op deze plekken te vestigen, waarna ze die geleidelijk begraven onder hun eigen gebouwen en puin. Maar doordat Pavlopetri de afgelopen drieduizend jaar onder de

zee heeft doorgebracht, bleef de stad als het ware bevroren in de tijd. De onderwaterstad biedt een momentopname van hoe een havenstad uit de laat-Myceense tijd eruitzag en functioneerde.

Het centrum was klein en druk. De kern van de locatie beslaat zo'n negenduizend vierkante meter (ter vergelijking: Trafalgar Square in Londen is zo'n twaalfduizend vierkante meter groot). De overgebleven gebouwen bestaan uit vijftien tegen elkaar aan gebouwde complexen van op elkaar gestapelde, onbewerkte natuursteen. Hieronder bevindt zich een aantal woongebouwen, zoals blijkt uit de haardstenen en kindergraven binnen de muren (dat laatste was, hoeveel afgrijzen dat bij ons ook wekt, een gebruikelijke begrafenispraktijk). Net buiten de stad bevindt zich een grotere algemene begraafplaats.

De hele nederzetting is een stuk groter, mogelijk zo'n tachtigduizend vierkante meter, en bestaat uit verspreid staande voorstedelijke huizen. De huizen hadden grote binnenplaatsen en ook moestuintjes; sommige stonden vrij, andere waren een soort twee-onder-een-kapwoningen. Pavlopetri was zeker geen bij elkaar gemikt zootje: het was een netjes georganiseerd stadje met goedgebouwde wegen en goten die via zorgvuldig aangelegde kanalen het water lieten afvloeien. Op de platte huisdaken zullen zich tuinen hebben bevonden met fruitbomen in potten, en waar op veilige afstand van mogelijke dieven de was te drogen werd gehangen.

Hoewel er al sinds 1904 berichten waren over een verloren stad in dit gebied, werd die pas in 1967 officieel herontdekt door de onderwaterarcheoloog Nicholas Flemming van het Britse National Institute of Oceanography. Nadat hij onder water op de bergrichel die naar het eilandje Pavlopetri leidt alleen stenen graven had aangetroffen, zwom hij via de smalle baai terug richting het vasteland. Daar zag hij dat de zeebodem was bezaaid met huisfundamenten in onbewerkte natuursteen. Hij schetste ze en regelde dat een team van onderwaterarcheologen van de universiteit van Cambridge in 1968 de stad kwam onderzoeken. Het grondplan van de stad was perfect bewaard gebleven, maar dat kon je van de gebouwen zelf bepaald niet zeggen. Doordat de zee erboven slechts een paar meter diep is, hadden de sleepankers van de boten in de Baai van Vatika veel muren beschadigd. Meer recentelijk werden de wateren bij het eiland door grote schepen illegaal gebruikt om hun romp schoon te maken, met als gevolg dat de bijtende chemicaliën de toch al zo kwetsbare vindplaats hebben aangetast.

Een kosmopolitisch centrum

In weerwil van de schade die was aangericht door het scheepsverkeer en andere menselijke activiteiten, was (en is!) er voor archeologen nog genoeg opwindends aan de antieke haven te ontdekken. Het team van Cambridge hield het er aanvankelijk op dat de stad uit de Myceense tijd stamde. Die datering moest algauw worden bijgesteld toen er voorwerpen naar de oppervlakte werden gebracht die stamden uit de vroege bronstijd en die lieten zien dat Pavlopetri al veel eerder werd bewoond, op zijn laatst in 2800 v.Chr. Dat maakt van Pavlopetri met enige afstand de oudste onderwaterstad die ooit is ontdekt. Door nieuwe vondsten uit Pavlopetri, zoals gereedschappen vervaardigd uit obsidiaan en neolithisch aardewerk, zou de leeftijd van de nederzetting weleens nog verder terug kunnen worden gelegd.

De ondiepe wateren maakten de ontdekking van de stad mogelijk, maar stelden de vindplaats ook bloot aan de getij- en golfwerking. De deining onder water oefende continu druk uit op, en brak uiteindelijk de lichtere voorwerpen, die op grotere diepten waarschijnlijk intact waren gebleven. Een groot voordeel van deze ondiepe ligging is dan weer dat de antieke stad gemakkelijk kan worden bereikt en verkend met een eenvoudige duikuitrusting. Al heeft dat echter ook weer nadelen. Tot voor kort was hier geen toezicht, maar toen de locatie eenmaal bekend was, namen amateur-souvenirjagers artefacten mee die, in hun context gelaten, archeologen veel meer van het verhaal van de stad zouden hebben verteld. Zo weten we dat de stedelingen nijvere wevers waren, aangezien er veel ronde stenen zijn gevonden die werden gebruikt om de draden van een verticaal weefgetouw op hun plek te houden. Er werden hier veel meer van deze gewichten aangetroffen dan op andere plekken uit dezelfde tijd, wat erop wijst dat er in Pavlopetri stoffen voor de export werden geproduceerd. Daarnaast zijn er aanwijzingen dat de stad naast wevers klerken, handelaren en bronswerkers kende. Buiten de stadsmuren waren ongetwijfeld boeren en herders actief die de stad van voedsel voorzagen.

Uit de vondsten blijkt ook het kosmopolitische karakter van de stad. Zelfs dagelijkse gebruiksvoorwerpen, zoals kannen en urnen, werden ofwel geïmporteerd of vertonen de invloed van andere beschavingen rond de Middellandse Zee, zoals Egypte en het Minoïsche Kreta. Helaas is het merendeel van deze artefacten door de golfwerking in scherven over de zeebodem verspreid geraakt. Niettemin kan uit het aantal en de aard van de scherven worden afgeleid dat Pavlopetri een bedrijvige havenstad was.

Een van de belangrijkste plekken in een Myceense stad was het *megaron*, een grote, halachtige ruimte die diende als het bestuurlijke en religieuze centrum en tevens als trefpunt voor kooplui. Een van de opwindendste recente vondsten in Pavlopetri is die van een groot gebouw dat een vroege versie van zo'n megaron lijkt te zijn geweest. Zowel dit als andere gebouwen die duidelijk maken hoe het leven en werk van de stadsinwoners eruitzag, werden dankzij moderne sonartechnologie driedimensionaal tot leven gebracht. Zo konden Pavlopetri's gebouwen uitzonderlijk gedetailleerd worden gereconstrueerd. Sterker nog: Pavlopetri was de eerste plek die zo in kaart werd gebracht.

Pavlopetri vandaag de dag

De wereld die Pavlopetri achter zich liet, was de archeologische overblijfselen niet gunstig gezind. Tot voor kort ging dat van kwaad tot erger. Nog afgezien van de constante diefstal van artefacten van de locatie, werd het water in de baai aangetast door regionale infrastructurele ontwikkelingen, zoals een aardgaspijplijn en een nabijgelegen energiecentrale. Dankzij inspanningen van lokale activisten doen de Griekse autoriteiten hier nu gelukkig wat aan.

Sinds 2016 is Pavlopetri een zogenoemde World Monuments Fund Watch-vindplaats, wat het Griekse ministerie van Cultuur aanzette tot nieuwe maatregelen om de plek te beschermen en er verantwoordelijk toerisme mogelijk te maken. Het zogenoemde Eforaat van Onderwater-Oudheden organiseert tegenwoordig rondleidingen in Pavlopetri. De Hydrografische Dienst van de Griekse marine heeft de locatie inmiddels opgenomen op zeekaarten om ervoor te zorgen dat de gezagvoerders van grotere schepen op de hoogte zijn van de risico's die hun vaartuigen voor Pavlopetri kunnen betekenen. Ook worden sinds 2016 de grenzen van de vindplaats met boeien aangegeven, om te voorkomen dat kleine boten per ongeluk de ruïnes beschadigen.

De ironie wil dat de schepen, ooit de levensader van de antieke haven, tegenwoordig worden weggehouden van Pavlopetri om de restanten van de stad te beschermen.

In Pavlopetri werden dit soort prehistorische graven onder water, uitgehouwen in de rotsen langs de kust en ook in de duinen aangetroffen.

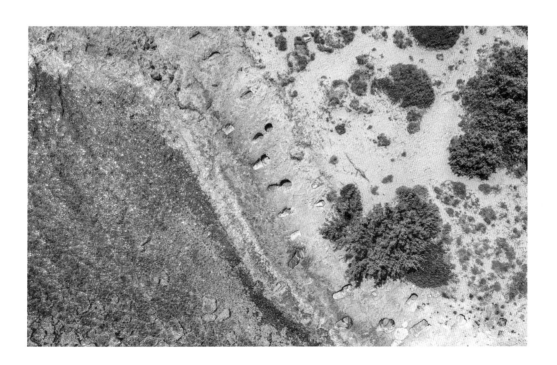

Ca. 2500 v.Chr.-800 n.Chr.
Zoar
De stad die overleefde

Lot verzocht toestemming om te schuilen in het nabijgelegen Zoar. De engel wilde de stad wel sparen.

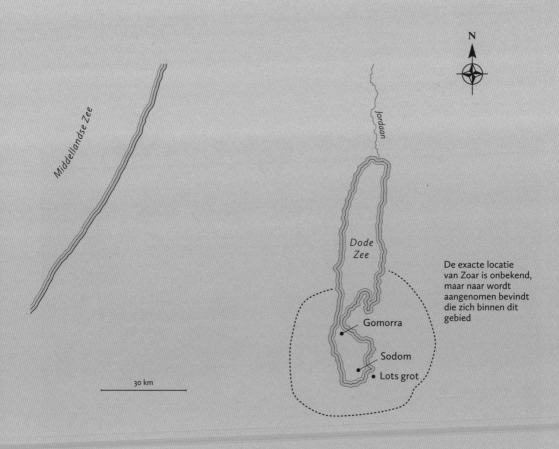

Middellandse Zee

Jordaan

N

Dode Zee

De exacte locatie van Zoar is onbekend, maar naar wordt aangenomen bevindt die zich binnen dit gebied

Gomorra

Sodom

Lots grot

30 km

Volgens zowel de Koran (Boek 11) als de Bijbel (Genesis 13:13) begingen de inwoners van Sodom 'zondigden zwaar'. Deze teksten schrikken er tamelijk preuts voor terug om ons te vertellen wat die 'zware zonden' dan precies waren. Zo'n tweeduizend jaar later zou de christelijke kerk besluiten dat dit wel een verwijzing moest zijn naar de 'zonde' sodomie.

Toch zou de belangrijkste zonde in antieke ogen best eens de schending van de heilige riten en de gebruikelijke gastvrijheid kunnen zijn geweest. Sodom stond namelijk berucht om zijn wangedrag tegenover vreemdelingen, en datzelfde gold 1200 v.Chr., aan het einde van de bronstijd, voor het nabijgelegen Gomorra en de andere steden in de streek rondom de Dode Zee. Daarom zond de Heer, Allah dan wel Jahweh, twee (of drie) engelen naar Sodom. Ze namen tijdelijk hun intrek in het huis van ene Lot, die door de Almachtige was aangemerkt als de enige goede man in de stad. Zodra bekend werd dat er twee goddelijk mooie vreemdelingen verbleven, verzamelde zich een menigte voor Lots huis die de nieuwkomers wilde 'bekennen'. Het gekozen woord hiervoor, *yada*, deed de nodige stof opwaaien, aangezien iemand 'willen bekennen' op de door 'yada' gesuggereerde manier een seksuele betekenis lijkt te hebben.

In ieder geval leek Lot te denken dat de menigte daarop uit was, want hij zei tegen hen: 'Luister, ik heb twee dochters die nog nooit met een man geslapen hebben. Die zal ik bij jullie brengen, doe met hen wat jullie willen. Maar laat die mannen met rust, ik heb hun niet voor niets een veilig onderkomen geboden' (Genesis 19:8).

De menigte sloeg dit opmerkelijke aanbod af en bleef joelen om de vreemdelingen. Ten slotte voerden de engelen Lot en zijn gezin de stad

De onherbergzame kust van de Dode Zee zoals gezien vanaf de Jordaanse kant. Doordat de zee zich op een actieve breuklijn bevindt, vinden er veel aardbevingen plaats; daarnaast is het een van de zoutste wateren ter wereld.

uit. Ze zeiden dat ze naar de bergen moesten gaan. Met haar gedragingen had de menigte het noodlot afgeroepen over zowel Sodom als Gomorra en enkele andere steden. Het geduld van de Heer was op. Volgens de Koran bleef Lots vrouw achter in het goddeloze Sodom – wie weet dacht ze het hare over het voorstel van haar echtgenoot om haar maagdelijke dochters aan de menigte over te leveren.

Omdat Lot vreesde dat hij de bergen niet op tijd zou bereiken, verzocht hij toestemming om te schuilen in het nabijgelegen Zoar. De engel wilde de stad wel sparen. Wat hielp was dat Zoar de kleinste was van de steden die op de nominatie voor verwoesting stonden; de naam van de stad betekent ook zoiets als 'de kleinste'. 'Toen liet de Heer uit de hemel zwavel en vuur neerkomen op Sodom en Gomorra en hij vernietigde die steden en de hele vallei, met de inwoners van al de steden en met alles wat er op het land groeide. De vrouw van Lot, die achter hem liep, keek om en veranderde in een zuil van zout' (Genesis 19:24-26).

Drieduizend jaar later wordt het gegeven dat Zoar de ramp overleefde gezien als een cruciale aanwijzing voor de zoektocht naar Sodom en Gomorra. En trouwens ook naar Adma en Seboïm, twee andere steden die eveneens de toorn Gods over zich heen kregen en werden vernietigd, maar vervolgens meteen werden vergeten. Een complice-

rende factor is dat ook Zoar, alhoewel deze stad tot aan het eind van de middeleeuwen werd bewoond, tegenwoordig verloren is.

Zoar vóór Lot

Er zijn meerdere kandidaatlocaties, want de Jordaanvallei was een van de eerste permanent bewoonde gebieden ter wereld en is rijk aan antieke ruïnes. Al voor de ramp in Sodom was Zoar oud. Oorspronkelijk werd de stad Bela genoemd, maar kennelijk onderging de stad een naamsverandering nog voordat de Hebreeën de regionale Kanaänitische cultuur van de regio gingen overheersen. De *Syrische Kronieken* (een verzameling teksten die dateert van tussen de zesde en dertiende eeuw n.Chr.) beschrijven een antieke traditie van de stichting van de 'steden van de vlakte', zoals die twee generaties voor Abraham werd voltrokken. Een Kanaäniet genaamd Armonius stichtte twee steden, die hij noemde naar zijn zonen Sodom en Gomorra. Een derde stad noemde (of vernoemde) hij naar zijn vrouw Zoara.

Toen Mozes het Beloofde Land bereikte, zou hij daar 'de vlakte bij de palmstad Jericho, tot aan Zoar' hebben gezien (Deuteronomium 34:3). De 'vlakte van Jericho' verwijst niet alleen naar laagland, maar naar een specifiek gebied dat de vijf 'steden van de vlakte' omvatte. Van die vijf stond indertijd alleen Zoar nog overeind. In de Bijbel werd dit gebied ook wel de Siddimvallei genoemd. De Hebreeuwse kroniekschrijvers vestigden voor het eerst hun aandacht hierop toen de steden van de vlakte in opstand kwamen tegen de Elamitische koning Kedorlaomer. Hij wordt in geen enkele andere bron genoemd, maar de informatie uit deze tijd vertoont zoveel lacunes dat dat eigenlijk niets zegt. Bovendien kan de naam Kedorlaomer worden vertaald als 'Dienaar van Lagamar', een machtige Elamitische god; en een Hebreeuwse schrijver die een koning uit zijn duim zoog zou zich waarschijnlijk niet zo nauwkeurig conformeren aan de Elamitische grammatica en naamgeving. Kedorlaomer werd door de kerkvader Abraham (die we ons doorgaans niet als krijgsheer voorstellen) van de vlakte verdreven. Daarmee waren de vijf steden bevrijd, om vervolgens weg te zinken in het morele verval dat tot hun ondergang zou leiden.

Voor die ondergang waren de steden relatief welvarend, wat mede te danken was aan de ligging dicht bij de Dode Zee. In latere jaren zou Zoar balsem en indigo hebben geproduceerd, en zich hebben toegelegd op de export van de dadels van de palmbomen die in groten getale in een nabijgelegen oase stonden (die misschien oorspronkelijk bepalend was geweest bij de keuze van deze locatie voor de stad). In de derde eeuw n.Chr. beschreef de christelijke schrijver Eusebius (*Onomasticon* 261) de Dode Zee als gelegen 'tussen Jericho en Zoar'. Hij zegt erbij dat de sporen van een vruchtbaar land nog zichtbaar waren. Wellicht diende de stad ook als diepzeehaven aan een van de uiteinden van de Dode

Lots grot

1 De oorspronkelijke natuurlijke grot. Recente vondsten, waaronder aardwerkscherven en vuurstenen gereedschappen, wijzen erop dat de grot ca. 3000 v.Chr., in de vroege bronstijd, voor het eerst werd gebruikt.

2 In de Byzantijnse periode werd rond de grot een klooster gebouwd, inclusief een basiliek, woonvertrekken voor de monniken en een verblijf voor pelgrims. Uit de verschillende inscripties rondom deze plek waarin wordt gerept van de 'heilige Lot', blijkt dat de grot waarschijnlijk een populair bedevaartsoord was.

3 De basiliek, die rond de zesde eeuw n.Chr. werd gebouwd, biedt een sierlijke toegang tot de grot.

4a, b, c In totaal telt deze locatie drie verschillende mozaïekvloeren die dateren van eind zesde en zevende eeuw n.Chr.

Zee (over welk uiteinde precies ontspon zich onder academici echter een hartstochtelijk debat).

Een van de belangrijkste producten van de regio was asfalt. Sterker nog: in de oudheid werd de Dode Zee 'Asphaltites' genoemd vanwege dit waardevolle product, dat volgens de Romeinse geograaf Strabo (16.2.42) door lokale inwoners in brokken uit het meer werd gehaald. Waarschijnlijk was deze bron van welvaart tevens de oorzaak van latere verwoesting: er is gespeculeerd dat een aardbeving een enorme explosie van asfalt teweegbracht. Veelzeggend is misschien dat de antieken asfalt als een soort klei zagen, en dat in de Koran staat dat Sodom werd vernietigd door een regen van stenen van gebakken klei (Boek 11). De kennis over deze gebeurtenis bleef overigens niet beperkt tot de abrahamitische godsdiensten. In de eerste eeuw v.Chr. beschreef Strabo haar in zijn *Geografika* (16.2.44) als volgt:

> Het bewijs van de explosieve aard van het landschap valt overal terug te zien. Nabij Moasada [niet te verwarren met het beroemde Massada] zijn de puntige rotsen verschroeid, de grond is opengescheurd en de bodem assig. De afstotelijke geur van het lekkende pek ruik je al van afstand. Je ziet stadsruïnes (...) en de lokale inwoners beweren dat (...) het meer als gevolg van aardbevingen en uitbarstingen met veel vuur buiten zijn oevers trad en de rotsen door lava werden overspoeld. Sommige steden liepen onder, andere werden door de overlevenden verlaten.

Een andere mogelijkheid is dat het zeewater steeg als gevolg van de platentektoniek en dat Sodom en Gomorra zich daardoor konden voegen bij de lange lijst gezonken steden.

Zoar ná Lot

Zoar overleefde en zou overwegend worden bewoond door de Moabieten, een volk dat zou afstammen van een van de dochters van Lot. Naar verluidt werd Moab verwekt toen de dochters van Lot, jaren na de vlucht uit Sodom en bij gebrek aan geschikte mannelijke partners, hun vader dronken voerden en verkrachtten. Later gebruikten de Romeinen Zoar als een tussenstation en werd er een eenheid van inheemse boogschutters-te-paard gestationeerd. In de nadagen van het Romeinse Rijk was het een centrum van Joodse cultuur.

Een van de fascinerendste aanwijzingen voor Zoars locatie is een mozaïekvloer, de zogenoemde Madabakaart, in een Jordaanse kerk uit de Byzantijnse tijd. Daarop wordt Zoar duidelijk aangegeven, maar als gevolg van het veranderende zeewaterpeil en de in onbruik geraakte antieke namen blijft de exacte locatie onbekend. In de vroege middeleeuwen prezen Arabische schrijvers de zoete dadels uit Zoars oase, maar ook daaruit konden hedendaagse onderzoekers de locatie niet afleiden.

De laatste beschrijving van Zoar is wellicht van de hand van de Engelse reiziger Sir John Mandeville. Die bezocht de stad in 1350 toen het stijgende zeewater Zoar al grotendeels had verzwolgen (in zijn *Travels* uit 1356):

> Zoar, dat dankzij Lots gebeden werd gered, hield het lang vol doordat het op een heuvel lag. Nog altijd steekt een deel boven het water uit, bij goed en helder weer kun je soms de muren zien. Rechts van die Dode Zee verwijlt de vrouw van Lot als zoutpilaar.

Zoar vandaag de dag

Na hun verblijf in Zoar verhuisden Lot en zijn dochters naar een nabijgelegen grot. Daar werd Moab geboren. De Jordaniërs wezen de huidige plaats Ghor es-Safi aan als het antieke Zoar en veranderden de nabijgelegen 'Grot van Lot' in ''s werelds laagste museum' op zo'n vierhonderd meter onder zeeniveau. Of dit nu wel of niet Lots echte grot is, hoe dan ook toont het museum voorwerpen uit de rijke geschiedenis zowel van de regio als van haar onderling vervlochten Joodse, christelijke en Arabische gemeenschappen. Die geschiedenis strekt zich uit van het begin van de bronstijd tot aan tegenwoordig. Het maakt duidelijk dat Zoar inmiddels vijfhonderd jaar verdwenen is, maar ook dat de stad voordien een stuk langer heeft bestaan dan de meeste steden.

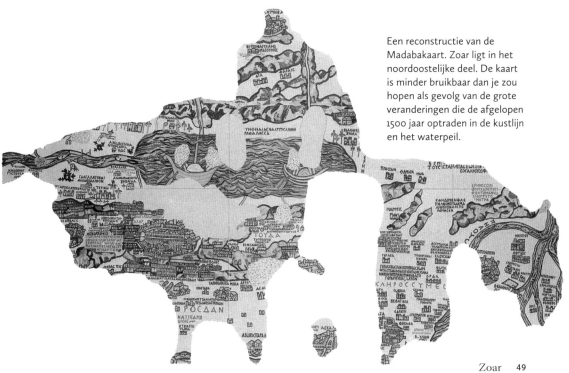

Een reconstructie van de Madabakaart. Zoar ligt in het noordoostelijke deel. De kaart is minder bruikbaar dan je zou hopen als gevolg van de grote veranderingen die de afgelopen 1500 jaar optraden in de kustlijn en het waterpeil.

Ca. 3000-1200 v.Chr.
Hattusa
Bedreigde keizerstad

*Als wie mij dan ook als koning opvolgt Hattusa nieuw leven
inblaast, moge de Stormgod van de Lucht hem vellen.*

De laatste regel van de *Anittatekst*

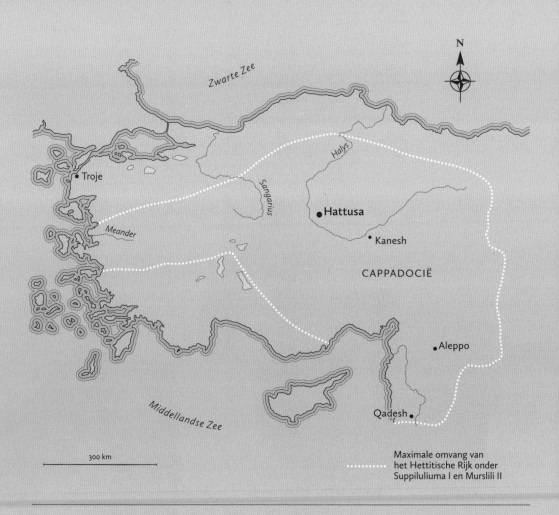

Maximale omvang van
het Hettitische Rijk onder
Suppululiuma I en Murslili II

300 km

De ligging van Hattusa was zowel een zegen als een (vrij letterlijke) vloek. Rond 5000 v.Chr. kwamen de eerste kolonisten naar deze plek op de noordelijke centrale bergketen van Anatolië. Een golvende vlakte die werd gevoed door de rivier de Kizil Irmak beloofde vruchtbare grond, terwijl de boomrijke helling aan de zuidkant van de vlakte zowel bouwmaterialen als bescherming bood. In het gebied was zelfs water beschikbaar, want van de helling liep een kreek naar de rivier. Uit een nabijgelegen bos kon timmerhout worden gehaald en daar kon tevens op wild worden gejaagd. Met andere woorden: gezien de neigingen van de neolithische mensen om zich in steeds grotere nederzettingen te vestigen, was Hattusa het soort locatie waar vroeg of laat wel een stad moest ontstaan.

De eerste bewoners waren de mysterieuze Hattiërs. Zij vestigden zich op de verhoging en woonden hier in het begin van de bronstijd in een kleine, maar bloeiende stad. Ze noemden hun stadstaat Hattush. Ze aten vooral gerst en eenkoren (een tarwesoort die door de eerste boeren werd verbouwd). De schapen die men liet grazen op de vlakte voorzagen de bewoners van vlees en kleding. In ieder geval in latere jaren verbouwden ze ook vlas en linzen. De Hattiërs genoten kortom de vruchten van de natuur. Hun probleem was hun medemens, meer bepaald hun agressief expansionistische buren, de Hettieten.

Nog niet zo gek lang geleden beschouwden historici de Hettieten als een semi-legendarisch volk, vergelijkbaar met de Trojanen. De enige vermelding van de Hettieten komt uit de Bijbel, waar ze worden

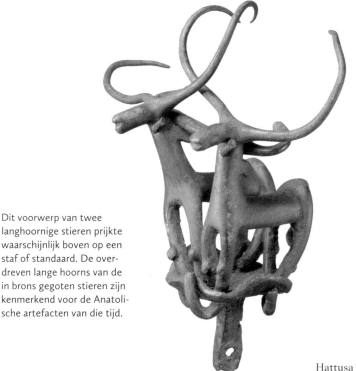

Dit voorwerp van twee langhoornige stieren prijkte waarschijnlijk boven op een staf of standaard. De overdreven lange hoorns van de in brons gegoten stieren zijn kenmerkend voor de Anatolische artefacten van die tijd.

Een van de zes toe-gangspoorten tot de stad, de zogenoemde Leeuwenpoort, is deels opgetrokken uit onbewerkte natuursteen. Dit suggereert dat in weerwil van de gedetailleerde weergave van de leeuwen die de toegang flankeren, de bouw aan de poort nooit werd afgerond.

beschreven als een kleine stam uit Noord-Syrië. En toch waren de Hettieten net als de Trojanen heel echt en heel belangrijk. De Hattiers wisten maar al te goed waar ze vandaan kwamen (hoewel hun stad Kussara nu verdwenen is). Het contact tussen de Hettieten van Kussara en de Hattiërs uit Hattush leidde tot grote wrijving. Toen de Hettieten rond 1700 v.Chr. Hattush veroverden, gaf de Hettitische koning Anitta opdracht om de stad te vernietigen, er onkruid te zaaien en een tablet neer te zetten met daarop de tekst dat de 'Stormgod' elke koning zou vellen die zou proberen deze stad opnieuw tot leven te wekken.

Deze locatie was echter zo ideaal dat het slechts een kwestie van tijd was voordat mensen het plateau opnieuw zouden betrekken. Ongeveer een eeuw later werd de stad opnieuw gesticht door een andere Hettitische koning van Kussara. Deze Hattusili maakte Hattusa, zoals de stad nu heette, zelfs tot zijn hoofdstad. Ironisch is dat de poging van koning Anitta om Hattusa voorgoed uit te wissen alleen is overgeleverd dankzij de bronnen uit de archieven van diezelfde stad.

Terwijl de Hettieten zich ontpopten tot de dominante macht in Klein-Azië, groeide en bloeide Hattusa. Van oudsher trok de stad de aandacht van buitenlandse indringers. Onder meer de Akkadiërs, de Assyriërs en de Egyptenaren bedreigden haar muren. Sterker nog: tegenwoordig wordt bij de Verenigde Naties in New York een kopie tentoongesteld van het oudste overgeleverde internationale vredesverdrag, dat in 1259 v.Chr. werd gesloten door de Hettieten en Ramses II van Egypte, en in Hattusa werd ontdekt.

Zij die de muren van Hattusa wilden bestormen, wachtte een lastige kluif, want de Hettitische koningen hadden de qua ligging sowieso al beschermde plek voorzien van een acht meter dikke muur. Deze strekte zich meer dan zes kilometer rond de stad uit en telde meer dan honderd verdedigingstorens. Tegen die tijd was Hattusa verdeeld in een

Dit uit basalt uitgesneden, Hettitische beeldje van bijna een meter hoog, vertegenwoordigt ofwel een priester ofwel een god.

bovenstad, de Büyükkale (Grote Vesting), en een benedenstad, waar het gros van de bevolking woonde: zo'n vijftigduizend mensen.

Achter de extra verdedigingsmuur van de bovenstad bevonden zich de koninklijke residentie en tientallen tempels. Daarnaast was er een onschatbaar archief van spijkerschrifttabletten, waarvan er sindsdien duizenden zijn opgegraven (kleitabletten zijn nagenoeg onverwoestbaar). Aangezien de tabletten administratieve gegevens, juridische documenten, informatie over religieuze ceremoniën en Hettitische literatuur bevatten, geven ze een weergaloos inkijkje in het leven van de inwoners van Hattusa meer dan drieduizend jaar geleden.

Deze informatie kon worden aangevuld met de vruchten van de arbeid van archeologen die tuinen, een openluchttheater en grote waterreservoirs annex vijvers hebben blootgelegd. Een van die reservoirs lijkt een vuilstortplaats te zijn geworden, want inmiddels is daar meer dan een ton aan aardewerk opgegraven.

In de bergketen twee kilometer ten noordoosten van Hattusa vestigden de Hettitische koning het in de rots uitgehakte heiligdom van Yazılıkaya, waarvan kamers zijn gevuld met de frappante Hettitische bas-reliëfs van koningen en goden. Ook bevindt zich daar een enorme openluchttempel waar de koningen offers brachten om zich van voorspoed voor hun rijk en de hoofdstad te verzekeren.

Die offers waren nodig ook, aangezien het klimaat van de noordelijke hoogvlakte kouder en droger werd. Rond 1200 v.Chr. werd Hattusa tijdelijk verlaten. Dat er geen aanwijzingen zijn voor plunderingen doet vermoeden dat een natuurlijke ramp, zoals een hongersnood, tot de evacuatie heeft geleid. Mocht hongersnood inderdaad de reden zijn geweest, dan heeft het niet gelegen aan de inspanningen van de Hettitische koningen. In Hattusa bevonden zich namelijk enorme graanschuren. Die waren soms langer dan een voetbalveld en hadden een capaciteit van meer dan tweeduizend ton graan.

Een veranderende wereld bracht de voorheen bloeiende stad in gevaar. Als gevolg van interne politieke woelingen en aanvallen van buitenlandse vijanden belandde het Hettitische Rijk in een vrije val. Aan het eind van de bronstijd stortten de beschavingen verspreid over de mediterrane wereld in elkaar; het Hettitische Rijk was een van de slachtoffers. In het Zwarte Zeegebied bood een woest en krijgshaftig volk, de Kaskiers, sinds lange tijd weerstand aan de Hettitische noordwaartse expansie. Zij roken hun kans nu het rijk was verzwakt. De Kaskiërs stortten zich op Hattusa, plunderden de stad en brandden haar tot de grond af, net zoals Anitta duizend jaar eerder had gedaan. Dat de stad daadwerkelijk werd bestormd en niet belegerd blijkt uit de enorme hoeveelheden verkoold graan die later in de pakhuizen werden aangetroffen.

In de loop van de daaropvolgende decennia werd Hattusa geleidelijk verlaten. Zo'n achthonderd jaar later ontstond hier een kleine nederzetting. Dat dorp bleef bestaan tot aan de Byzantijnse tijd, waarna het werd verlaten. Zowel Hattusa als het Hettitische Rijk waarvan het ooit de trotse hoofdstad was geweest, werden nadien vergeten.

Tussen 1890 en 1900 werden de eerste spijkerschrifttabletten in Hattusa gevonden. Dit exemplaar heeft niet ver gereisd en bevindt zich tegenwoordig een paar kilometer verderop in het Archeologische Museum in het Turkse Boğazkale.

Hattusa vandaag de dag

Na de herontdekking van Hattusa in de negentiende eeuw werd er constant gegraven. De Turkse autoriteiten zijn erg trots op het behoud van dit deel van hun antieke erfgoed en doen hevig hun beklag over de Europese ontdekkingsreizigers die antieke artefacten van de vindplaats hebben meegenomen.

Een bijzonder grote bron van onenigheid zijn de sfinxen die ooit de stadspoort van Hattusa sierden. De sfinx lijkt een symbool van de stad te zijn geweest; er zijn meerdere exemplaren gevonden die in wisselende staat verkeren. Een van deze sculpturen, die al sinds 1934 tentoongesteld stond in het Pergamon Museum in Berlijn, is in 2011 teruggegeven aan Turkije.

Tegenwoordig trekt Hattusa veel aandacht van archeologen en toeristen. Een grote attractie is de reconstructie van een 65 meter lang deel van de stadsmuur, dat werd gebouwd met behulp van dezelfde materialen en technieken die door de oorspronkelijke bouwers werden gebruikt. Ook kunnen bezoekers mijmeren over de betekenis van een glasachtige groene kubus van steen die zich op een prominente locatie bevindt in een van de tempels. Deze nefrietachtige rots vertegenwoordigde onmiskenbaar een bepaald belang, maar helaas wordt er in antieke bronnen niet naar verwezen.

Rustzoekers kunnen hun hart ophalen in het İbikçam-bos, het laatste restant van het ooit dichte bos ten zuiden van de hoofdstad, dat van Hattusa lang geleden zo'n aantrekkelijke plek om te wonen maakte.

Ca. 2500-600 v.Chr.
Mardaman
De stad die niet klein te krijgen was

Terwijl de decennia zich aaneenregen tot eeuwen en millennia, sijpelde de kennis over Mardaman langzaam weg uit het collectieve geheugen van de mens.

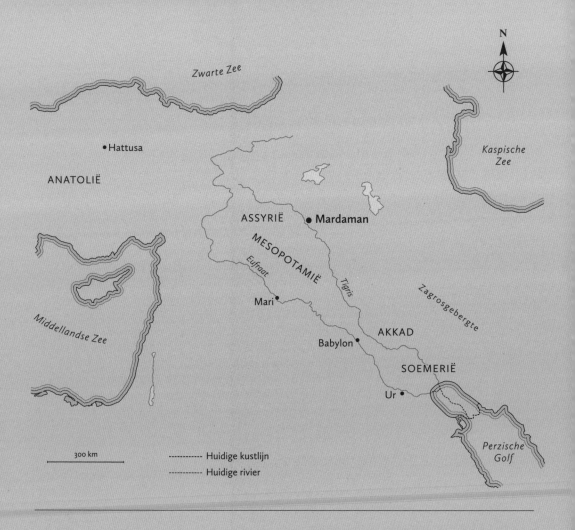

In musea wereldwijd bevinden zich tienduizenden kleien spijkerschrifttabletten. In Mesopotamië en Anatolië worden er nog altijd nieuwe exemplaren ontdekt. Aangezien er zonder twijfel meer tabletten zijn dan mensen om ze te vertalen, geven ze slechts mondjesmaat hun geheimen prijs.

De tabletten verwijzen regelmatig naar historisch onbekende personen en naar plekken die nog op ontdekking wachten. Zo beschrijven ze het volk van de Hurrieten, dat woonachtig was in het huidige Noord-Syrië, Irak en Oost-Anatolië en een godin aanbad die Shuwala van Mardaman heette. Deze Shuwala kennen we ook uit archeologische bronnen uit Ur, Hattusa en andere steden. Daaruit kunnen we echter alleen afleiden dat Shuwala algemeen in de regio werd aanbeden, maar in de stad Mardaman de belangrijkste godheid was. Je kunt het vergelijken met de manier waarop de godin Athene door heel de hellenistische wereld werd vereerd, maar het meest in de stad Athene zelf.

Maar waar bevond Mardaman zich eigenlijk? Uit andere bronnen weten we al lange tijd dat Mardaman een tamelijk belangrijke stad ergens in het antieke Mesopotamië was. Aangezien de stad in teksten uit Babylon sporadisch wordt genoemd, moet Mardaman gedurende het tweede millennium v.Chr. voorspoed hebben gekend. Waarschijnlijk lag de stad aan handelsroutes, want een aantal van de spijkerschrifttabletten waarop Mardaman wordt vermeld, is commercieel van aard.

In pakweg de eerste honderd jaar dat hedendaagse wetenschappers wisten van het bestaan van Mardaman, bleef zijn exacte locatie nog een mysterie. Dat maakte het een van een tiental regionale steden waarvan

Vaak worden spijkerschrifttabletten in fragmenten gevonden, waarbij een deel van de tekst is beschadigd. Het is een tijdrovende klus om de informatie op deze tabletten te reconstrueren. Dat verklaart waarom veel tabletten nog altijd niet zijn ontcijferd.

we weten dat ze voortbestonden tot in de klassieke oudheid, maar die daarna spoorloos uit de historische bronnen verdwenen.

Het lijkt er echter op dat iemand bijna dertig eeuwen geleden de bewuste beslissing nam om de nalatenschap van Mardaman voor toekomstige generaties te bewaren. Belangrijke archiefstukken werden in een grote aardewerken pot gedaan, waarna die met een dikke laag klei werd bedekt en in de grond werd begraven. Uit archeologische aanwijzingen blijkt dat dit gebeurde vlak nadat de omliggende gebouwen werden verwoest. Misschien was de hoop dat de kleitabletten zouden worden blootgelegd wanneer er opnieuw zou worden gebouwd. In plaats daarvan bleven ze begraven liggen naast het verwoeste archief, terwijl de decennia zich aaneenregen tot eeuwen en millennia. Langzaam sijpelde de kennis over Mardaman weg uit het collectieve geheugen van de mens.

Raadselachtige ruïnes

In het negentiende-eeuwse Europa bloeide de belangstelling op voor de archeologische ontdekkingen in het antieke 'Nabije Oosten'. Daarmee werd het voor het Westen 'nabij' gelegen gebied aangeduid waar westerse archeologen in zwermen neerstreken om te graven naar schatten die ze thuis in musea konden neerzetten. Zeer gewild waren overblijfselen uit plekken die in de Bijbel voorkomen. Die konden immers de christelijke religie met bewezen feiten ondersteunen.

Het victoriaanse Engeland had bijzondere interesse in Assyrië. De ontdekking van een tot dusver grotendeels onbekende antieke beschaving prikkelde een volk dat zich laafde aan het idee dat het een eigen wereldorde vestigde. In Mesopotamië werden tal van nederzettingen ontdekt en opgegraven; andere werden in afwachting van toekomstig onderzoek alvast in kaart gebracht. Zo werd er terloops melding gemaakt van een potentiële vindplaats in het dorp Bassetki in het tegenwoordige Koerdisch Irak. Toch werd deze locatie in de negentiende en het grootste deel van de twintigste eeuw over het hoofd gezien.

Na de ontdekking van wat we het Bassetkibeeld noemen (een beeldhouwwerk van de Akkadische koning Naram-Sin) steeg het dorp flink op het archeologische to-dolijstje. Als gevolg van de turbulente regionale politieke situatie bleven opgravingen echter onmogelijk. Een paar bloedige oorlogen later maakte Bassetki ten slotte deel uit van het (in 2022) relatief stabiele autonome Koerdische deel van Irak.

Na 2010 werd er voor het eerst serieus gegraven in Bassetki. Hierbij kwam een omvangrijke stad uit de bronstijd aan het licht. Deze bevond zich aan een wegenknooppunt dat de plek tot een belangrijke handelsverbinding tussen Mesopotamië en Anatolië zal hebben gemaakt. Van lieverlee werden oudere stadslagen ontdekt, waardoor het ontstaan van de stad steeds verder terug werd gelegd. Totdat inderdaad was vastgesteld dat er op deze plek al sinds de vroege bronstijd mensen woonden.

Er werden een stadsmuur, een paleis en een woonwijk blootgelegd. Stuk voor stuk aanwijzingen voor een tamelijk belangrijke antieke stad, maar niemand wist hoe die stad heette. Totdat de zorgvuldig begraven archiefstukken werden gevonden.

De foto's van de verkruimelende kleitabletten werden opgestuurd naar dr. Betina Faist, een expert in de Assyrische taal van de universiteit van Heidelberg. Haar onderzoek bood een venster op de rijke geschiedenis van de stad. In 2019 bleek uiteindelijk dat het ging om de ruïnes van de verloren stad Mardaman.

Verovering, herovering en her-herovering

Inmiddels weten we veel over de stad. Mardaman kreeg veel tegenspoed te verduren en wisselde gedurende zijn bewogen geschiedenis goede en slechte tijden af. De stad hoorde in sommige perioden bij een rijk, en in andere perioden wist ze haar precaire onafhankelijkheid te bewaren tegenover de grootmachten die om de dominantie in de regio wedijverden.

Haar geschiedenis begon rond 2800 v.Chr., toen wat Mardaman zou worden zich ontwikkelde tot een pleisterplaats langs de handelsroutes

Nog een stad die sneuvelt: de Britse schilder John Martin schetst de ondergang van Nineve, een ander Assyrisch stadje in Mesopotamië. Het beeld is expressief, maar wel grotendeels ontsproten aan de verbeelding van de kunstenaar. De eerste opgravingen bij Nineve begonnen namelijk pas twaalf jaar later, in 1842.

die ontstonden tussen bijvoorbeeld het Mesopotamische Ur en steden in Anatolië. Tegen de tijd van de derde dynastie van Ur (ca. 2200-2000 v.Chr.) zien we dat de stad wordt vermeld als een handelsknooppunt.

Toen was Mardaman ook al voorzien van een stevige stadsmuur. Die kon de stad echter niet van de ondergang redden. De eerste keer dat de naam Mardaman opduikt in de geschreven bronnen is wanneer die door Naram-Sin werd verwoest – de koning dus wiens beeld in de moderne tijd de aandacht voor het eerst op Bassetki richtte.

Het lijkt erop dat de stad tegen deze tijd al onderdeel uitmaakte van het Akkadische Rijk, maar onder de heerser Duhsusu deelnam aan de zogenoemde Grote Opstand tegen de Akkadische overheersing. Mardaman wilde onafhankelijk zijn. Naram-Sin verpletterde echter zowel de opstand als Mardaman.

De stad werd heropgebouwd. Na de val van Akkad lijkt ze onderdeel te zijn geworden van het koninkrijk van Mittani, dat werd geregeerd door de vrij onbekende Hurrieten. Vanaf dat moment kreeg de stad bescherming van Shuwala, al blijkt uit het bewijs uit de tijd daarna dat de godin faalde in haar taak.

We vernemen weer over Mardaman toen het opnieuw werd veroverd, ditmaal door de Assyrische koning Shamshi-Adad I, die de stad

Het spijkerschrift werd geschreven door met een driehoekige punt in de natte klei te drukken. Zodra de klei was gebakken kon die weliswaar barsten, maar niet worden vernietigd. Dit fragment prijkt naast een terracottafiguur uit de Mittani-periode van de stad (1600-1350 v.Chr.).

in 1786 v.Chr. kortstondig bij zijn rijk inlijfde. Toen de Assyrische macht tijdelijk afnam, probeerde Mardaman het opnieuw als onafhankelijk koninkrijk. Prompt kreeg de stad het aan de stok met het nabijgelegen Mari. De bronnen vertellen dat Mardaman wederom werd veroverd, ditmaal door Mari's bondgenoten.

De strijdlustige Turukku daalden enige tijd later af uit het nabijgelegen Zagrosgebergte en maakten de stad met de grond gelijk. Tegelijk met het Assyrische Rijk richtte Mardaman zich toch weer op. In 1250 v.Chr. was Mardaman een provinciehoofdstad en werd het bestuurd door de Assyrische gouverneur Assur-nasir. Met betrekking tot deze periode beschikken we over bijzonder goede bronnen, aangezien de herontdekte tabletten een generatie voorafgaand aan de volgende verwoesting van de stad – in 1200 v.Chr. – het leven in Mardaman boekstaven. Op dat moment werden de kleitabletten die vertelden over de stadsgeschiedenis begraven.

We weten niet wie Mardaman deze keer verwoestte, noch waarom, want hier eindigen de geschreven bronnen. Archeologen hebben echter vastgesteld dat deze niet klein te krijgen stad in de Neo-Assyrische tijd toch nog een keer van zich liet spreken. Tussen 900 en 600 v.Chr. kende Mardaman een laatste bloeitijd. Opnieuw was zijn lot verbonden met dat van het Assyrische Rijk. Toen Assyrië als gevolg van een opstand en burgeroorlog te gronde ging, gold datzelfde voor Mardaman. Inmiddels hadden de handelsroutes zich verplaatst. In de ijzertijd volgden de nieuwe generaties goederen andere wegen naar de markt. Daardoor was er ditmaal geen reden meer om de antieke stad op te bouwen. De ruïnes werden verlaten. De handel deed uiteindelijk wat een hele rits aan veroveraars niet was gelukt en veegde Mardaman van de kaart.

Mardaman vandaag de dag

Aangezien er weinig is dat een archeoloog zo opwindt als een herontdekte verdwenen stad, wordt op deze locatie tegenwoordig enthousiast gegraven. Maar anders dan hun negentiende-eeuwse tegenhangers – vaak veredelde schatjagers – zoeken hedendaagse archeologen langzaam en methodisch naar informatie, niet naar rijkdom. Deze locatie bevindt zich in een gebied waar alleen de onverschrokkenste toerist zich waagt. De geschiedenis en geografie van deze pas onlangs herontdekte stad zullen voor de gewone toerist de komende decennia nog wel een mysterie blijven.

Ca. 3500 v.Chr.-100 n.Chr.
Thebe
De trots van Egypte

Het Egyptische Thebe, waar de huizen vol zijn van schatten.
Homerus, *Ilias* IX.382

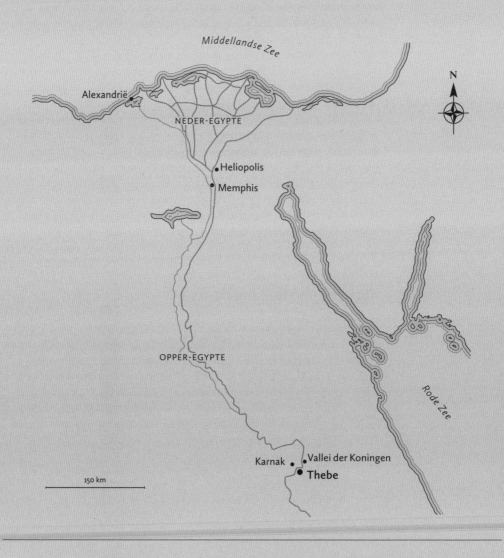

Toen Waset voor het eerst door Grieken werd bezocht, was het in Egypte al meer dan duizend jaar een politiek en religieus centrum. Waarschijnlijk gebeurde dit in het Myceense tijdperk (1700-1050 v.Chr.). De bezoekers waren diep onder de indruk van het stedelijke tempelcomplex in Karnak, dat honderden jaren eerder was gesticht. Om die reden verwezen de Grieken naar de stad als 'De tempel': *Thebai*. In de westerse cultuur hield deze verkeerde identificatie hardnekkig stand, zodat de verdwenen Egyptische stad doorgaans nog altijd 'Thebe' wordt genoemd, in plaats van bij haar eigenlijke Egyptische naam 'Waset'.

Er bestaat wat onenigheid over de herkomst van de naam Waset, onder meer omdat de stad was gesticht voordat het Egyptisch als taal werd gestandaardiseerd. Niemand die precies weet wat 'Waset' in het oorspronkelijke lokale dialect betekende. Er is gespeculeerd dat de naam verwijst naar de *was*, de scepter die de farao van oudsher bij zich droeg, maar dan zouden de inwoners uit de tijd van voor de farao's in de toekomst hebben kunnen kijken. Oorspronkelijk werd de nederzetting

namelijk gesticht rond 3500 v.Chr., toen Egypte nog geen eenheid was en niet door een enkele koning werd geregeerd.

Zonder twijfel was Waset een van de allereerste Egyptische steden. De stad lag in de alluviale vlakte die ontstond door het slib dat in een bocht van de Nijl werd afgezet. Waarschijnlijk groeiden daar verschillende dorpen tot een geheel. Op achthonderd kilometer ten zuiden van de Nijldelta bestond dit gebied uit vruchtbaar akkerland. Als gevolg van deze ligging groeide de stad ook als vanzelfsprekend uit tot het handelsknooppunt waar de stammen uit het zuiden en het meer sedentaire noorden elkaar troffen.

De eerste geschreven bronnen van de stad zijn hiëroglyfen uit circa 2600 v.Chr. Tegen die tijd hadden de heersers van Thebe hun gebied al aanzienlijk uitgebreid. Een van de eersten die wordt genoemd was Intef I, die eind twintigste eeuw v.Chr. over Thebe regeerde. Intef was geen Egyptische farao in de latere traditionele zin, maar lijkt over een aanzienlijk territorium te hebben geregeerd, van Aswan, in het verre zuiden, tot aan de stad Coptos, zo'n 43 kilometer ten noorden van Thebe.

Het toenemende belang van Thebe ging samen op met de verhoging van de status van de belangrijkste god van de stad, Amon. Aan het begin van het tweede millennium v.Chr. werd Amon gezien als de zonnegod Ra en als zodanig in het grootste deel van Egypte erkend als de oppergod. Daardoor nam het belang van Thebe nog verder toe. De stad was immers het centrum van Amons verering. De tempelcomplexen op de westelijke oever kregen een nationale rol. Dankzij de Bijbel (bv. SV

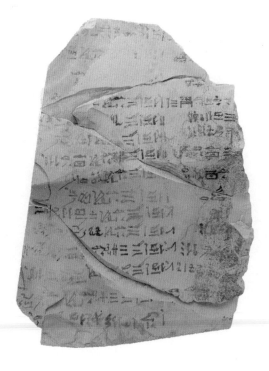

In de antieke wereld werden aardewerkscherven, of *ostraca*, gebruikt om berichten door te geven en om aantekeningen op te maken. Dit voorbeeld stamt uit het Egypte van de 20e dynastie (ca. 1100 v.Chr.).

Ezechiël 30:14) weten we dat de Hebreeën Thebe 'No-[Amon]' noemden: de stad van Amon.

Rond 1700-1550 v.Chr. blies de wind vanuit het noorden en in de zeilen van de mysterieuze Hyksos. Waar dit volk vandaan kwam is nog altijd onduidelijk, maar in ieder geval beschikten ze over superieure militaire technologie. Geleidelijk brachten ze het noordelijke deel van het land onder hun bewind.

Deze tegenspoed voor Egypte betekende goed nieuws voor Thebe. Dat groeide weldra uit tot de grote verzetshaard tegen de indringers. Thebe werd de hoofdstad van de heersers van de 13e dynastie (eerder was het kortstondig de hoofdstad van Intefs 11e dynastie geweest, voordat het zwaartepunt van de macht zich noordwaarts verplaatste). Het kostte de in Thebe gevestigde heersers generaties om de Hyksos te verdrijven. Toen dat eindelijk lukte, was Thebe onbetwist de belangrijkste Egyptische stad. Tegen die tijd zou Thebe met zijn zestigduizend inwoners weleens de grootste stad ter wereld kunnen zijn geweest.

Inmiddels werd er niet alleen via de Nijl handelgedreven, maar ook via de woestijn. Met goederen beladen karavanen kwamen vanuit India en Poent (dat hoofdzakelijk het kustgebied van het huidige Ethiopië besloeg). Later werd er in Myos Hormos (het tegenwoordige El Quseir) aan de Rode Zee een haven aangelegd ter verwerking van al dit verkeer, dat de geograaf Strabo op meer dan honderd schepen per dag schatte. In deze periode kwam ook de handel op gang met het noordelijke volk van de Hellenen, dat veel van hun cultuur, die een snelle ontwikkeling doormaakte, op het Egyptische model zou baseren.

Onder farao Ramses II (1279-1213 v.Chr.) bereikte Egypte het toppunt van zijn macht. De echte hoogtijdagen van Thebe lagen inmiddels achter de rug, aangezien Ramses zijn hoofdstad noordwaarts verplaatste, naar een speciaal gebouwde stad in de Nijldelta. De nieuwe locatie maakte het voor Ramses makkelijker om zijn oorlogen in het Middellandse Zeegebied te voeren. Als religieus centrum bleef het Thebe voor de wind gaan, niet in de laatste plaats dankzij de aanhoudende bescherming van Ramses, die de tempels van de stad op grotere, luisterrijkere schaal liet herbouwen.

Toen Homerus in de achtste eeuw v.Chr. in de *Ilias* schreef over 'het Egyptische Thebe, waar de huizen vol zijn van schatten', verbleekte het andere, Griekse Thebe daarbij. De Grieken zelf maakten onderscheid tussen het Egyptische 'Thebe van de Honderd Poorten' en het 'Zevenpoortige Thebe' in Boeotië. De bereisde historicus Herodotus (ca. 484-420 v.Chr.) zei dat hij Thebe in Egypte had bezocht, waar de priesters hem vertelden over de Thebaanse oorsprong van Dodona, een beroemd orakel van Zeus in het noordwesten van Griekenland.

Maar inmiddels liepen de gloriedagen van het Egyptische Thebe ten einde. Die zuidelijke ligging die de stad had beschermd tegen de Hyksos, maakte Thebe kwetsbaar voor de Koesjieten, die van de andere kant aanvielen (vanuit het huidige Sudan).

De herdenkingstempel van Hatsjepsoet (ca. 1425 v.Chr.) bestaat uit drie enorme terrassen. Hatsjepsoet, een van de weinige vrouwelijke farao's van Egypte, liet veel gebouwen optrekken. Deze tempel wordt doorgaans beschouwd als haar meesterwerk.

De Koesjitische veroveraars zouden de 25e dynastie van Egypte vormen (747-656 v.Chr.). Voor het eerst werd het hele land onder buitenlandse heerschappij gebracht. Dat was in de noordelijke beschavingen niet onopgemerkt voorbijgegaan. In 663 v.Chr. lanceerde Assurbanipal van Assyrië een verwoestende invasie die Thebe nooit echt meer te boven kwam. Later zou Assurbanipal opscheppen dat hij er 'de rijkdom van de paleizen, stoffen, linnen en edelstenen' had geroofd, evenals twee obelisken van elektrum die 2500 talenten wogen (grofweg een verbluffende 62.500 kilo, al kennen we niet de exacte gewichtsmaat van een Assyrische talent). Meer veroveringen zouden volgen. Eerst vielen de Perzen aan. In 525 v.Chr. lijfden ze Egypte in bij hun rijk. Vervolgens nam Alexander de Grote het op tegen de Perzen en werd Egypte onder het bewind van de Ptolemaeïsche (Griekse) heersers gebracht, van wie Cleopatra VII de laatste was.

De herinnering aan de vroegere glorietijd maakte van Thebe een halsstarrige nationalistische rivaal voor de Griekse hoofdstad in Egypte, Alexandrië. Verschillende opstanden tegen de Ptolemaeïsche heerschappij begonnen dan ook in Thebe. De Ptolemaeën reageerden hierop door meer macht en autonomie te verlenen aan de priesterlijke kaste in Thebe, maar dat kon de neergang van de stad niet stoppen. Toen de Romeinen in 30 v.Chr. Cleopatra versloegen en van Egypte een Romeinse provincie maakten, was het ooit zo machtige Thebe geen schim meer van zijn voormalige zelf. De bevolking voorzag in haar onderhoud door middel van de landbouw en door de Romeinse toeristen te entertainen die de beroemde ruïnes kwamen bezichtigen. Een van hen berichtte: 'De stad is verlaten. Er zijn verschillende tempels, maar ook de meeste daarvan zijn zwaargehavend (...) en nu is Thebe nog slechts een verzameling dorpen' (Strabo, *Geografika* 17.1.46).

Thebe vandaag de dag

Stèle uit Thebe. In de antieke tijd werden deze stenen plakkaten gebruikt om mensen of speciale gebeurtenissen te herdenken. Deze stèle werd besteld door een zekere Luef-er-bak, 'bewaker van de opslagplaats van de Tempel van Amon'. Op de ingekerfde beeltenis zien we hem (rechts) met zijn vrouw en volwassen kinderen.

Het tegenwoordig Luxor geheten Thebe is weer opgeleefd, mede met dank aan het florerende toerisme. Deze plek omvat zoveel monumenten en tempels dat het regelmatig en terecht wordt beschreven als 's werelds eerste museum. Onder deze attracties zijn het tempelcomplex in Karnak, de beroemde tombes in de Vallei der Koningen en de imposante tempels van het Ramesseum en van koningin Hatsjepsoet in Deir el-Bahari. Zoals zoveel antieke steden prijkt ook het voormalige Thebe op de Werelderfgoedlijst van de Unesco.

Keizer Constantius II (bewind 337-361 n.Chr.) nam een Thebaanse obelisk mee om die in het Romeinse Circus Maximus als decoratiestuk te laten dienen. De omgevallen fragmenten werden in de zestiende eeuw gerestaureerd en staan nu fier voor het Lateraans Paleis. Met zijn hoogte van 25 meter is de Thebaanse obelisk hoger dan zijn beroemdere rivaal uit Heliopolis, die zich tegenwoordig verheft bij de toegang tot het Sint-Pietersplein in Vaticaanstad.

Ca. 3500-300 v.Chr.
Phaistos
De tweede stad van het Minoïsche Kreta

De stad bezat weliswaar geen labyrint of Minotaurus,
maar had andere troeven.

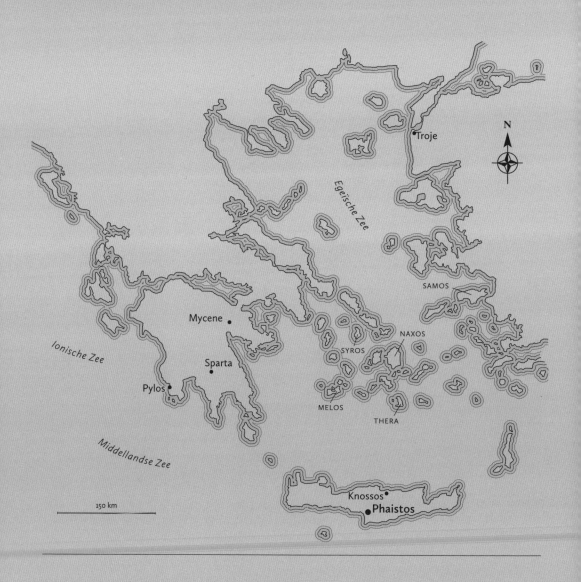

De zogenoemde Minoïsche beschaving op Kreta begon rond 5000 v.Chr. Daaruit blijkt meteen dat de aanname van de oude Grieken niet klopte dat koning Minos de vader van de Kretenzische beschaving was (Minos leefde namelijk rond 1300 v.Chr., drie generaties voor de Oorlog om Troje losbarstte). Ook ontkracht deze datering de Griekse theorie dat Phaistos, een van de eerste Minoïsche steden, was gesticht door Rhadamanthus, de broer van Minos.

Phaistos bevond zich op 96 kilometer van het paleis van koning Minos in Knossos. De stad bezat weliswaar geen labyrint of Minotaurus, maar had andere troeven. Phaistos bevond zich namelijk in het midden van Kreta, zo'n vijf kilometer van zee, waar een hoge bergketen de Messaravlakte scheidde van de Debakivlakte aan de kust. De ware stichter van Phaistos koos deze locatie hoogstwaarschijnlijk niet alleen vanwege het mooie uitzicht, maar omdat deze plek de vruchtbare landbouwgronden en de rivier de Geropotamos overzag.

Dat laat onverlet dat je vanuit Phaistos waarschijnlijk een van de spectaculairste uitzichten over heel Kreta had. Bovendien zorgden de paleisarchitecten voor dramatische doorkijkjes op de Messaravlakte, die wordt ingekaderd door de bergketen van Asterousia en het Lasithi-plateau.

Phaistos bood een paar van de mooiste uitzichten van heel Kreta. Dit perspectief op de omgeving laat zien hoe Phaistos dankzij zijn strategische ligging de landbouwgronden in het dal overzag.

De berucht cryptische Discus van Phaistos. Het is nog altijd niet gelukt om de hiëroglyfen op de discus te vertalen, wat sommigen er niet van heeft weerhouden om er een slag naar te slaan. In werkelijkheid weten we niet eens of we in het midden of aan de rand met lezen moeten beginnen.

Op deze plek dateren de vroegste gebouwen van circa 3500 v.Chr., in het late neolithicum. De spectaculaire opmars van de stad begon zo'n vijfhonderd jaar later. Nadien moest Phaistos qua welvaart en luister waarschijnlijk alleen in Knossos zijn meerdere erkennen.

De huidige naam van de stad is een vergriekste versie van de oorspronkelijke Minoïsche naam, en tevens een gevolg van de Griekse associatie van de stad met Phaistos, een kleinzoon van Hercules. Waarschijnlijk staat de oorspronkelijke naam op een van de fragmenten die door archeologen in de ruïnes zijn opgegraven, maar dat schrift komt in twee vormen: Lineair A, dat niet is ontcijferd, en de Kretenzische hiëroglyfen, vergeleken waarmee het Lineair A makkelijk lijkt.

Zodra Phaistos was uitgegroeid tot een van de prominentste steden van de toonaangevende beschaving ten westen van Egypte, begon een onbekende heerser en architect aan de bouw van een paleiscomplex dat de status van de stad waardig was. In de bouw ging enorm veel werk zitten. Hoog op de heuvel werden drie enorme terrassen uitgehakt, zodat het paleis over de stad uitkeek waar de gewone burgers woonden. (Deze stad trekt pas sinds kort de aandacht van archeologen.)

De Grieken van de Myceense en Archaïsche tijd waren vertrouwd met Phaistos. Homerus verwijst meermaals naar de stad, die hij beschrijft als 'goed gelegen'. Ook zegt hij dat de inwoners van Phaistos schepen leverden voor de vloot die naar Troje voer; tien jaar later liep een deel van de terugkeerde vloot op de klippen aan de zuidkust van Kreta, dicht bij Phaistos.

In de Trojaanse Oorlog stond Phaistos aan de Griekse kant, net als Poseidon, de god van aardbevingen en de zee. En toch was Poseidon de stad nooit gunstig gezind. Rond 1700 v.Chr. werd het schitterende paleiscomplex getroffen door twee aardbevingen die vlak op elkaar volgden. Bij de wederopbouw van het paleis werd een aantal van de overgebleven oorspronkelijke gebouwdelen in het nieuwe gebouw opgenomen, maar het resultaat was lang zo mooi niet als het origineel.

Niettemin wisten de bouwers gebruik te maken van de Geropotamos. Ze integreerden het riviertje in de afvoer van het paleis, waardoor het complex een rioleringsstelsel kreeg waar de middeleeuwse kastelen die 2500 jaar later werden gebouwd alleen maar jaloers op konden zijn. Doordat er ook waterreservoirs diep onder de grond in het paleis werden gebouwd, was de watertoevoer voor de inwoners gewaarborgd.

Ook tegenwoordig maken de restanten van het paleis nog grote indruk. Zo is er een groot theater dat plaats bood aan vierhonderd mensen (vijfhonderd als iedereen wilde inschikken). Al zal het schitterende uitzicht vanaf de zitplekken menig toeschouwer hebben afgeleid van het toneelspel. Ook had het paleis omvangrijke opslagruimten, waar zich de grote oliekruiken bevonden die zo kenmerkend zijn voor de Minoïsche paleizen. Een andere typische soort voorwerpen die we in Phaistos aantreffen is het aardewerk dat 'Kamares-keramiek' wordt genoemd. De Kamares-kommen en -kruiken zijn wit, oranje en rood gekleurd, en vertonen meestal zee- of bloemmotieven. Het aardewerk is delicater en dunner dan gewoonlijk; sommige kopjes zijn nauwelijks dikker dan een eierschaal. Interessant genoeg is er geen Kamares-aardewerk aangetroffen buiten de Minoïsche paleizen, wat doet vermoeden dat het echt alleen door de elite werd gebruikt.

Maar helaas was Poseidon nog niet klaar met het paleis in Phaistos. In 1600 v.Chr. raakte het paleis tijdens een aardbeving opnieuw zo ernstig beschadigd dat de bouwers weer van voren af aan konden beginnen. Dat was het overigens wel waard, want dankzij de voordelige ligging van de stad in Midden-Kreta bleef Phaistos een van de toonaangevende steden van het eiland – al zijn er aanwijzingen voor de reeds bestaande wrijving met het steeds machtiger wordende Gortyn, een nabijgelegen stadstaatje. Inmiddels was er ook de Myceense nederzetting Agia Triada, dat als eerste de dominantie van Phaistos betwistte én overnam.

Rond 1400 namen de zaken een wending ten kwade toen de oorlogszuchtige (Griekse) Acheanen Knossos aanvielen, de belangrijkste Minoïsche stad. Ook plunderden ze het paleis in Phaistos. Ditmaal werd het paleis niet heropgebouwd, hoewel de benedenstad bewoond zou blijven. De stad Phaistos bloeide in de zevende eeuw v.Chr. zelfs nog op, waarna het nog vierhonderd jaar relatieve voorspoed zou kennen. Op munten die waarschijnlijk in de stad zijn geslagen, prijken mythologische figuren als Zeus, Hercules en Europa, terwijl op de achterkant de stadsnaam staat.

Tegen die tijd was Phaistos echter niet langer de macht van voorheen. Uiteindelijk bezweek de stad aan de steeds gewelddadigere oorlogen tussen de steden onderling die het eiland verscheurden. Het was Gortyn, van oudsher de rivaal van de stad, die in de derde eeuw v.Chr. de genadeklap uitdeelde. De antieke geograaf Strabo vat het kort en bondig samen: 'Phaestus [Phaistos] werd door de Gortyniërs met de grond gelijkgemaakt, en het land wordt nu bezet door degenen die de stad verwoesttten' (*Geografika* 10.4.14).

Phaistos vandaag de dag

Eind negentiende eeuw werd Phaistos herontdekt door ontdekkingsreizigers die aan de hand van Strabo's aanwijzingen de ruïnes opspoorden. De opgravingen begonnen nog voordat archeologen zich richtten op het beroemdere Knossos, waar ze de tot dan toe voor de moderne wereld verloren Minoïsche cultuur zouden blootleggen.

De wellicht intrigerendste vondst in Phaistos is die van een klein tablet van zo'n zestien centimeter breed. Deze schijf of discus is schertsend weleens beschreven als ''s werelds eerste cd-rom'. Net als op echte cd's is de informatie opgeslagen in spiraalvorm, al blijft in dit geval onduidelijk of we de spiraal moeten lezen van het midden naar de rand of juist andersom. Deze discus is geschreven in het notoir onleesbare Minoïsche schrift. Hij bevat honderden symbolen die met minizegels in het oppervlak zijn gedrukt. We zien bijvoorbeeld krokussen, bijlen, dierenhuiden en dolfijnen.

Over wat de discus zegt en hoe we die zouden moeten lezen worden verhitte academische debatten gevoerd. Afgaand op het weinige dat we van de taal weten, is de waarschijnlijkste interpretatie dat het een gebed is voor de 'Grote Godin'. Maar de werkelijke inhoud zou zo spectaculair kunnen zijn als een profetie over het nakende einde van de wereld of zo banaal als een lijstje met wasgoed. Totdat de taal is ontsloten zal de Discus van Phaistos een van de prikkelendste raadsels van deze verloren stad zijn.

Onder toeristen is Phaistos minder populair dan Knossos, maar dat biedt ook voordelen. Terwijl de grote toeloop er in Knossos toe noopt om delen af te zetten teneinde ze te conserveren, zijn de ruïnes van Phaistos veel toegankelijker.

Op deze weelderige aardewerken kelk in Kamares-stijl van ongeveer 1800 v.Chr. pronken narcissen of lelies. Waarschijnlijk werd deze kelk in een aristocratisch huis in Phaistos gebruikt tijdens formele gelegenheden of banketten.

DEEL 2
Van Troje tot Rome

Al ver voor het begin van de Romeinse tijd wemelde het in de antieke wereld van steden die om de een of andere reden waren verlaten. Bewoning van plekken als het Mesopotamische Ur was door een veranderend klimaat onaantrekkelijk geworden. Dramatischer rampen, zoals overstromingen en aardbevingen, hadden elders hetzelfde effect. Sporadisch verloor een stad simpelweg haar doel en zorgden verlegde handelsroutes of de nabije aanwezigheid van een aantrekkelijkere stad ervoor dat de bevolking gaandeweg vertrok. In Europa zou de nakende ijzertijd nog meer drastische veranderingen met zich meebrengen.

Reeds vierduizend jaar geleden, toen de mensheid zo'n 0,06% vertegenwoordigde van haar huidige aantal, veroorzaakte overbevolking al problemen. Overbevolking is dan ook geen probleem van absolute aantallen mensen, maar een dat ontstaat uit een scheve verhouding tussen de beschikbare hulpbronnen en de bevolkingsomvang. Aangezien de antieke wereld een stuk minder efficiënt hulpbronnen ontgon, exploiteerde en deelde, was schaarste in die tijd schering en inslag.

Voor schaarste bestonden meerdere oplossingen. Een daarvan was handel, waarbij mensen ruilden wat ze hadden voor dat wat ze wilden hebben. Hadden ze weinig natuurlijke hulpbronnen om te verhandelen, dan zetten ze maakproducten in als ruilmiddel. Dit was een nieuwe aanjager van de verstedelijking, aangezien producten markten nodig hebben, zowel om grondstoffen te kopen als om eindproducten af te zetten.

Schaarste kon je ook oplossen door van de kwetsbaren te stelen. De mensheid organiseerde zich dan ook voor de oorlogsvoering – de samenlevingen die zich daar niet op toelegden, dolven algauw het onderspit tegenover samenlevingen die dat wel hadden gedaan. Opnieuw moesten steden zich aanpassen, wat vaak betekende dat ze gingen deelnemen aan deze regressieve menselijke ontwikkeling.

In dit tijdperk volstond het niet langer als een stad zich bevond in een vruchtbare streek of aan een drukke handelsroute (of beide, als het even kon). Voortaan moest een stad verdedigbaar zijn. Tussen het eind van de bronstijd en het tijdperk van het keizerlijke Rome neemt de stedengeschiedenis deels de vorm aan van een wapenwedloop tussen hen die ernaar streefden om steden te versterken en te fortificeren, en hen die de wapens en technologieën ontwikkelden om die vestingwerken te veroveren. Sommige steden in deze periode stroomden niet leeg als gevolg van klimaatverandering of veranderende handelspatronen, maar omdat ze simpelweg niet langer in staat waren zich te verweren tegen een grotere en machtigere rivaal.

De dageraad van het rijk

De steden en staten van deze tijd weerspiegelen ook een andere transitie van de mensheid, te weten die van de *civil society* naar de *enterprise society*. Cru gesteld is het doel van eerstgenoemde 'burgersamenleving' om grote groepen mensen te laten samenleven zonder dat ze elkaar de kop inslaan.

Een 'ondernemende samenleving' ontstaat bij stap twee, namelijk wanneer genoeg mensen binnen de 'civil society' besluiten dat ze hun collectieve eenheid moeten inzetten om iets te dóén. Dat kan gaan om de verering van goden, de bouw van piramiden of een grote muur, of – vaak het populairst – de verovering en/of uitschakeling van hun buren. De collectief georganiseerde steden hadden de pakhuizen, werkkrachten, krijgers en het bestuursapparaat om deze doelen te verwezenlijken.

Dat had zeker ook positieve aspecten. De voordelen van verstedelijking en de statelijke soevereiniteit betekenden dat meer mensen langere, vreedzamere en soms ook veel gevarieerdere levens leefden dan voorheen. Steden waren culturele centra met theaters en sportstadions, en met een klasse van kunstenaars, beeldhouwers, toneelschrijvers en dichters. Kunstenaars hebben behoefte aan mecenassen en gelegenheden om hun werk te exposeren, performers hebben een publiek nodig. De antieke dichters en toneelschrijvers mogen het bucolische bestaan dan vaak verheerlijken, ze waren toch echt een overwegend stedelijk verschijnsel.

In de vroegklassieke tijd wemelde het in het Middellandse Zeegebied van de stedelijke culturen: naast de Grieken waren er de Feniciërs, Etrusken, Hebreeën en Galliërs (laatstgenoemden verstedelijkten snel in de laatste twee eeuwen van hun onafhankelijke bestaan). Hun steden waren echter 'standalone'-entiteiten: misschien voelden de stedelingen zich wel deel van een land, maar ze ervoeren niet de noodzaak om zich politiek te organiseren. Binnenlandse oorlogsvoering was zelfs een kenmerk van de vroegklassieke tijd (kijk alleen maar naar de Grieken).

Eerder lagen de enige grote rijken met meerdere steden – van de Egyptenaren, Hettieten, Assyriërs en ten slotte de Perzen – in het oosten. De steden van deze oostelijke rijken wisselden weliswaar geregeld van heerser, maar werden hoogstzelden vernietigd. Maar toen de expansionistische, zéér ondernemende cultuur van de Romeinen zich het concept van het rijk eigen maakte, werden steden

zoals Carthago en Numantia, die tegen de stroom in zwommen, fluks overweldigd.

Zowel de Perzen in het oosten als de Romeinen in het westen zagen de voordelen van een uitgebreid wegennetwerk tussen hun steden. Hoewel deze wegen in eerste instantie waren bedoeld om legers snel tussen steden te kunnen verplaatsen, hadden ze niet toevallig ook als voordeel dat ze handelsnetwerken verder versterkten. Hulpbronnen konden snel tussen zowel steden als rijken worden verplaatst. Dit was de tijd van de enorme groei van het netwerk aan handelsroutes dat tegenwoordig doorgaat voor de 'Zijderoute', en van de daarmee samenhangende opkomst van karavaansteden. Die laatste boden niet alleen faciliteiten aan de handelaren die hun goederen naar het westen brachten, maar ook markten waar de goederen konden worden verkocht – weinig handelaren begeleidden hun waren helemaal van start tot finish. De meeste goederen werden doorverkocht, waarbij de steden onderweg profiteerden van de over elke verkoop geheven belasting.

Of een stad bloeide of in verval raakte, hing voortaan niet alleen af van haar eigen situatie, maar ook van haar rol in de politieke samenhang waarvan ze onderdeel was. Het Romeinse Rijk breidde zich snel uit en de Romeinse cultuur was overwegend stedelijk (al woonden de meesten mensen nog altijd op het platteland). Tijdens de Romeinse expansie werden dan ook meer steden gesticht dan vernietigd.

Ca. 3000-1150 v.Chr.
Troje
Een vertelling van negen steden

Het koninkrijk Troje zal herrijzen.
Volhard en wacht op betere tijden.
Vergilius, *Aeneas* 1.205

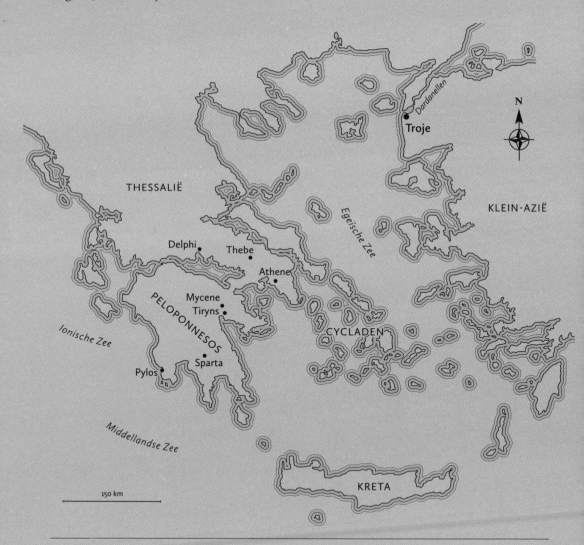

Geen verloren stad is zo beroemd als Troje. Niet omdat Troje groter of rijker was dan andere steden, maar omdat het de plaats van handeling bood van een van de belangrijkste boeken uit de westerse literatuur, de *Ilias* van Homerus.

De *Ilias* vertelt over twee woelige weken tijdens het tien jaar durende Griekse beleg van Troje, dat ten slotte uitmondde in de plundering en vernietiging van de stad. Hoewel de ene generatie na de andere het verhaal over de Trojaanse Oorlog las, zakte de werkelijke locatie van Troje geleidelijk weg in de vergetelheid. Tot op het punt dat Troje, net als de helden en goden die voor zijn muren strijd hadden geleverd, voor een mythisch verzinsel werd gehouden.

Eind negentiende eeuw kondigde amateurarcheoloog Heinrich Schliemann aan dat Troje een echt bestaande stad in het huidige Turkije was én dat hij haar had gevonden. Sindsdien werd deze vindplaats zeer grondig door archeologen onderzocht. Hun constatering luidde: er was niet één Troje, maar ten minste negen. Bovendien bleek Schliemanns Troje niet het Troje uit de *Ilias* van Homerus.

In de klassieke oudheid brachten toeristen als Alexander de Grote en (in 124 n.Chr.) de Romeinse keizer Hadrianus een bezoek aan Troje. Laatstgenoemde renoveerde ter plekke het Odeon (hier te zien) en heeft er misschien zijn eigen gedichten zitten lezen (Hadrianus was een niet onverdienstelijk dichter).

De eerste Trojes

Panorama met de ontvoering van Helena te midden van de wonderen van de antieke wereld, Maerten van Heemskerck, 1535. Dit schilderij is eigenlijk een soort beeldpuzzel die de kijker uitdaagt op zoek te gaan naar klassieke plekken en verwijzingen. Zo staat de regenboog op de achtergrond voor de godin Iris, die het nieuws over Helena's ontvoering bekendmaakte aan haar echtgenoot.

Troje bestond al ver voor de Trojaanse Oorlog. Zo'n vijfduizend jaar geleden vestigden de eerste mensen zich op deze plek. Daartoe kozen ze de westelijkste punt van een verhoging in een vruchtbare vlakte tussen twee rivieren, die nu de Skamandros en de Dümruk Su heten. Dit was rond de tijd dat in Mesopotamië de eerste stadstaten werden georganiseerd en dat zich in Egypte uit een allegaartje aan kleinere koninkrijken pas net één enkele staat had gevormd.

Troje I was een kleine nederzetting van zo'n twintig huizen die werden omringd door een verdedigingsmuur van grove natuursteen. De totale bevolking was ongetwijfeld groter dan je op basis van deze beschrijving zou denken, want 'Troje' was een citadel waarin de plattelandsbevolking die op de omliggende velden werkte in tijden van gevaar haar toevlucht zocht. Over deze eerste Trojanen is weinig bekend, behalve dat hun aardewerk en metaalbewerking leken op die van hun tijdgenoten in Noord-Anatolië en de kusteilanden.

Hoe en waarom deze eerste nederzetting werd verlaten of verwoest is onduidelijk. Hoe dan ook werd de plek vrijwel onmiddellijk weer bewoond. De nieuwe bewoners verwijderden de ruïnes van de oude stad niet, maar effenden simpelweg de resten en bouwden daar bovenop. Dat procedé zou keer op keer worden herhaald. Ook werden soms afzonderlijke gebouwen vervangen, en dus niet de hele stad. Met als gevolg dat sommige delen van Troje maar liefst vijfenveertig nederzettingslagen kennen.

Troje in zijn hoogtijdagen

De vroegste bewoners zullen zijn aangetrokken door de vruchtbare vlakte, maar naarmate de menselijke beschaving zich ontwikkelde werd ook duidelijk dat Troje als handelscentrum uitstekend was gelegen. De stad werd een belangrijke tussenstop op de handelsroute van Anatolië naar de Europese kant van de Dardanellen. Haar ligging op het smalste punt van de Dardanellen bood de stad een dominante positie over de zeeroute tussen de Egeïsche Zee en wat we tegenwoordig de Zwarte Zee noemen.

De Trojanen stonden bekend als goede paardenfokkers, zo wordt Hektor in de *Ilias* vaak de 'paarden temmende Hektor' genoemd. Archeologische vondsten bevestigden deze mythe: in en rond Troje zijn heel veel paardenbotten gevonden.

Tegen 2500 v.Chr. was Troje een belangrijke stad in de bronstijd-beschaving van het Middellandse Zeegebied. Inmiddels waren de verdedigingswerken van de stad aanzienlijk versterkt. Het fort had nu een muur die bestond uit grote blokken op elkaar aangesloten steen die werden gestut door gebakken kleistenen. Daarin leek de stad op veel andere steden binnen de vroeg-Myceense Griekse cultuur; het gebied rondom de vesting bestond daarnaast uit gebouwen in de 'megaron'-stijl, die bijvoorbeeld ook in Mycene werden aangetroffen.

Toch is ons enige bewijsstuk over wie er destijds in Troje woonde een klein tekstje op een vijf centimeter brede zegel. Die is geschreven in het Luwisch, dat Troje verbindt met het Hettitische Rijk, dat rond 1750 v.Chr. floreerde. In Hettitische bronnen komt de stad Wilusa voor, vrijwel zeker is dat Troje. Er bestaat namelijk een duidelijk etymologisch verband tussen de namen Wilusa en 'Ilium', zoals de vroege Grieken Troje noemden (en wat meteen verklaart waarom het epos van Homerus de *Ilias* heet). Bovendien waren de verdedigingstorens van het fort vierkant. Die bouwstijl lijkt sterk op wat archeologen in Hettitische steden aantroffen.

Deze versie van Troje werd rond 1300 v.Chr. verwoest tijdens een aardbeving of, voor wie de voorkeur geeft aan de kleurrijkere mythe, door een vergramde Hercules die door een Trojaanse koning niet voor geleverde diensten werd betaald. De stad werd vrijwel onmiddellijk weer herbouwd (volgens de mythe door Apollo en Poseidon). De stad herrees groter, beter en met nog robuustere verdedigingswerken.

Het Troje van de *Ilias*

Waarschijnlijk lijkt het zesde Troje (Troje I-V waren aan branden en aardbevingen te gronde gegaan) het meest op het legendarische Troje uit de mythe. In ieder geval komen de archeologische restanten overeen met de beschrijving van Homerus van het 'sterk gebouwde' en 'goed ommuurde' Troje, hoewel zijn fabelachtige 'eindeloze torens' in werkelijkheid een nog altijd indrukwekkende twaalf meter hoog waren. Gebouwd op de sowieso hoge stadsmuren moeten deze torens uitstekend zicht op de Trojaanse vlakte hebben geboden. Van een van deze torens schoot Paris de vergiftigde pijl die Achilles in zijn hiel trof en doodde.

Hoewel we geen contemporain verslag hebben van het beroemde beleg van Troje (het epos van Homerus is vijfhonderd jaar na dato geschreven), maken de geschreven bronnen uit die tijd wel melding van aanzienlijke spanningen en soms openlijke oorlog tussen de Grieken en de Hettieten. Ook is duidelijk dat een bepaald volk zich rond 1250 v.Chr. sterk genoeg voelde om een aanzienlijk aantal bronzen speerpunten, pijlpunten en stenen ballen van katapulten af te schieten op de bakstenen muren van Troje – dat niet veel later werd vernietigd.

Grote kleien potten die tot aan hun hals in de grond werden begraven, moesten graan bewaren en wijzen er wellicht op dat de vesting zich op een beleg voorbereidde. De skeletten die onbegraven in de straten lagen, maken echter duidelijk dat de verdediging weinig succesvol was. Kortom, er zijn dus aanwijzingen dat niet alleen de locatie van Troje, maar ook het verhaal van de *Ilias* op feiten is gebaseerd.

De Olympische goden waren diep begaan met het lot van Troje. Hermes en Athene steunden de Grieken bij hun beleg, terwijl Artemis (midden) de Trojaanse kant koos. Zwartfigurige vaas, ca. 600 v.Chr.

De aankomst van Helena in Troje van de zogenoemde Siënese meester, ca. 1430. De thuisreis van Helena en Paris werd vertraagd door slecht weer, dat hen naar Egypte en elders bracht. Al zullen ze in werkelijkheid ook weer niet zo vertraagd zijn dat ze, zoals hier afgebeeld, arriveerden in renaissancistische kledij en type schepen.

Na Achilles

Vlak na deze laatste woelingen werd Troje alweer heropgebouwd. We hebben aanwijzingen dat de stad rond 1200 v.Chr. opnieuw werd aangevallen. Maar dit keer waarschijnlijk niet door de Myceense Grieken, wier beschaving zich inmiddels in een vrije val bevond. Aannemelijker is dat Troje ten prooi viel aan dezelfde aanvallers die Mycene en ook Anatolische steden verwoestten. Dat betrof mensen die als gevolg van de woelingen van het einde van de bronstijd van hun eigen grond werden verdreven en hun eigen onheil wilden delen met anderen die iets te plunderen hadden.

Daarna werd Troje verlaten, totdat de beschaving in de Griekse Archaïsche periode weer opbloeide. De nieuwe bewoners noemden de stad Ilion, al was die vanaf dat moment eeuwenlang weinig meer dan een dorp. Maar de naam Troje had een belangrijke plek in het bewustzijn van de Grieken en later de Romeinen, ook omdat die laatsten zichzelf ervan overtuigd hadden dat ze afstamden van de Trojaanse held Aeneas. Met als gevolg dat Troje zich ontpopte tot een van 's werelds eerste toeristische economieën. Een tijdlang floreerde de stad zelfs als nooit tevoren.

In het latere Romeinse Rijk werd Troje even overwogen als de locatie voor een 'Nieuw Rome', maar de Romeinse ingenieurs hadden hun twijfels over de kwijnende haven en kozen in plaats daarvan voor

Constantinopel. (Verstandige keuze: naarmate de kustlijn veranderde, slibde de Trojaanse haven dicht. Tegenwoordig ligt de stad vijf kilometer van zee.) Een reeks aardbevingen verwoestte een groot deel van de resterende stad.

In de vroegmiddeleeuwse tijd was Troje een dorp. Daarna werd het achtereenvolgens een verlaten ruïne, een legende en ten slotte een mythe. Wat overbleef was de verhoging in het landschap waarop opeenvolgende generaties hun muren hadden opgetrokken. Plaatselijke inwoners noemden die Hisarlık.

Troje vandaag de dag

Troje werd herontdekt door een lokale boer die zijn mythen kende. Het was hem opgevallen dat de berg Ida net zo over Hisarlık uitkeek als de berg die over Troje zou uitkijken, en ook dat de plek lag tussen twee rivieren die weleens de Skamandros en de Simoeis uit de *Ilias* konden zijn.

Voor de genoemde amateurarcheoloog Heinrich Schliemann waren deze observaties voldoende aanleiding om de plek vanaf 1870 te onderzoeken. Schliemann groef onbezwaard dwars door de laag van Troje VI, die door hedendaagse onderzoekers voor de stad uit de *Ilias* wordt gehouden, en vond een schat aan wapens, goud en sieraden van duizend jaar eerder. Die duidde hij abusievelijk aan als 'de schat van Priamus'.

Sindsdien groeide Troje opnieuw uit tot een belangrijke toeristische trekpleister en tevens een archeologische vindplaats. De geschatte stadsomvang werd sterk vergroot na de ontdekking van een benedenstad aan de landinwaartse zijde van het fort. Dit stadsdeel herbergde het grootste deel van de bevolking en werd omgeven door een defensieve geul, precies zoals Homerus had geschreven.

In Troje, dat op Unesco's Werelderfgoedlijst staat, bevindt zich sinds 2018 een museum dat elke dag honderden mensen tijdens hun bezoek aan de ruïnes begeleidt. Pal buiten de vindplaats staat een (ietwat kitscherig) houten paard van twaalf meter hoog. Vooralsnog heeft niemand geopperd het paard binnen de muren te halen.

1200-200 v.Chr.
Thonis
De stad die zichzelf tot zinken bracht

*Naar deze haven kwam een weggelopen stel – Paris en
Helena van Troje – dat door de wind zuidwaarts was geblazen.*

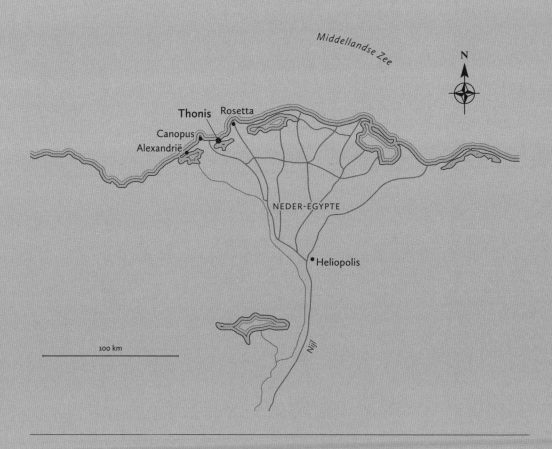

Soms wordt de oude Griekse schrijver Herodotus (ca. 484-420 v.Chr.) 'de vader van de geschiedschrijving' genoemd, maar vanwege zijn hebbelijkheid om de tijdens zijn reizen opgepikte fantasievolle verhalen na te vertellen wordt hij evengoed weleens 'de vader van leugens' genoemd. Hiervan vinden we twee voorbeelden terug in zijn berichten over Egypte, een land waar de Grieken van meet af aan vertrouwd mee waren.

Ten eerste verwijst hij naar het type vrachtboot dat hij een *baris* noemt. Die bestond uit planken van acaciahout die elkaar op de romp overlapten, net zoals je bakstenen zou metselen. Maar aangezien er onder de vele scheepswrakken uit die tijd nooit zo'n soort boot werd gevonden, concludeerden maritieme archeologen dat Herodotus het bij het verkeerde eind moest hebben gehad.

Ten tweede maakt Herodotus melding van een 'mythische' haven aan de monding van de Nijl. Hij beweerde dat 'daar aan de kust een tempel van Heracles [Hercules] stond' (*Historiën* 2.113). Naar deze haven kwam een weggelopen stel – Paris en Helena van Troje – dat tijdens hun vlucht uit Griekenland door de wind zuidwaarts was geblazen. De

Onderwater-Osiris. Dit beeldje, gemaakt ergens tussen de vierde en tweede eeuw v.Chr., staat op de zeebodem. Eromheen ligt een verdwenen stad.

'beheerder van de Nijlmonding, die Thonis heette', wist niet goed wat hij met het koppel aan moest. Uiteindelijk werd besloten dat de Egyptenaren zich beter niet met deze Griekse zaken konden bemoeien en er vooral voor moesten zorgen dat de handel tussen beide landen soepel doorgang vond. Lange tijd werd aangenomen dat Thonis en zijn haven een van Herodotus' verzinsels waren. Als je dan toch bezig bent over Helena van Troje, wat maakt één mythisch detail meer of minder dan nog uit?

Het echte Thonis

Maar de havenstad was echt, en handel was haar levensbloed. De Grieken noemden haar Herakleion, naar de beroemde lokale tempel van Hercules, terwijl de Egyptenaren de inheemse naam Thonis gebruikten. Deze dubbele naam paste bij een stad die bijna net zo Grieks als Egyptisch was. De Egyptenaren hadden het liefst dat de handel met de Grieken zich concentreerde in de daartoe aangewezen havens van Naucratis en Thonis, en niet in het binnenland.

Tijdens de vierde eeuw v.Chr. legde de farao Nectanebo I (bewind 380-362 v.Chr.) een importheffing op aan alle Griekse goederen die Thonis binnenkwamen. De opbrengsten vielen toe aan de tempel. Op een inscriptie op de Nectanebo-stèle staat: 'Laat een tiende van het goud, het zilver, het timmerhout, het bewerkte hout en al het andere dat komt van over de zee van de Hau-Nebut [de Middellandse Zee] worden geofferd aan mijn goddelijke moeder Neith.'

Uit het bewijs van Naucratis weten we dat de Grieken niet alleen timmerhout verkochten aan de Egyptenaren, maar ook zilver, koper, wijn en olijfolie. Op hun beurt kochten ze in Egypte papyrus, kruiden en het verfijnde Egyptische aardewerk met zijn kenmerkende faience-glazuur. Thonis zelf was het Venetië van zijn tijd, een reeks eilanden die door bruggen met elkaar werden verbonden en door kanalen werden opgedeeld. Op het belangrijkste eilandje aan de noordkant stond de tempel van Hercules. Daarnaast waren er scheepswerven, pontons over de riviermonding en een breed kanaal dat het eilandje doorsneed. Soms braken scheepsankers af of gooiden kapiteins ze in hun haast overboord, als gevolg waarvan latere archeologen honderden daarvan in het rivierslib zouden terugvinden.

De bodem van de haven was bezaaid met meer dan zeventig scheepswrakken, die dateerden van tussen de zesde en tweede eeuw v.Chr. Op zijn minst een aantal hiervan werd opzettelijk tot zinken gebracht: als verdedigingsmaatregel, onderdeel van een ritueel of gewoon omdat de havenautoriteiten ze wilden gebruiken als fundament om meer land te winnen om op te bouwen.

Thonis was in de vierde eeuw v.Chr. de belangrijkste haven in Egypte. De stad was de handeldrijvende tegenhanger van het nabijgelegen

Een standbeeld van waarschijnlijk een Ptolemaeïsche koningin
en een volledig ongeschonden
stèle met een koninklijk decreet
uit 380 v.Chr. Hierop begunstigt
Nectanebo I, de eerste farao van
de 30e dynastie, de tempel van
Neith.

Canopus (dat toen reeds de reputatie van losbandig en wellustig leven ontwikkelde die de stad tot ver in de Romeinse keizertijd zou houden).

De gedoemde metropool

Maar het succes van de havenstad Thonis berustte letterlijk op een wankele basis. De eilanden waarop de stad was gebouwd, bestonden uit harde klei die gedurende duizenden jaren door de Nijl was meege- voerd. Toen de stad floreerde, werden er steeds meer en steeds grotere gebouwen opgetrokken, waardoor het gewicht van honderden tonnen steen de klei almaar meer indikte.

De omstandigheden waren ideaal voor zogeheten bodemvervloei- ing. Dit proces treedt op wanneer gesatureerde klei wordt ingedikt en vervolgens hevige opschudding krijgt te verduren, zoals tijdens een aardbeving. Wanneer dit gebeurt, verandert de klei van vast in vloeibaar, met alle rampzalige gevolgen van dien voor de gebouwen erbovenop.

Je krijgt bijna het gevoel dat de goden samenspanden tegen de in- woners van Thonis. Niet alleen verdwenen verschillende eilandjes even abrupt als angstaanjagend ten gevolge van een aardbeving, ook werd de wederopbouw bemoeilijkt door de economische krimp die plaatsvond in de nasleep van de verovering van Egypte door Alexander de Grote in 332 v.Chr. Na de bouw van Alexandrië trok deze nieuwe Egyptische wereldstad onmiddellijk de Middellandse Zeehandel weg van Thonis.

Ondertussen had het veranderende zeewaterpeil voor de Egyp- tische kust desastreuze gevolgen voor de steden in de Nijldelta. De haven van Pelusium werd afgesneden van de zee; waar ooit de haven was geweest, ontstond nu een moeras. Thonis kampte met het tegen- overgestelde probleem, want het stijgende zeewater slokte beetje bij beetje de eilanden op die de seismische schok hadden overleefd. Dat werd verergerd doordat een teveel aan bebouwing zorgde voor bodem- verzakking: terwijl het water steeg, zakte het land. Na een laatste aard- beving in de achtste eeuw n.Chr. overstroomde de ooit zo bedrijvige havenstad Thonis helemaal, waarna het in de Baai van Aboukir wegzak- te tot op zo'n tien meter diepte.

Herontdekking

Eeuwenlang werden Thonis en Herakleion beschouwd als twee ver- schillende, maar evenzeer mythische steden. Het was wachten tot de eenentwintigste eeuw voordat ze konden worden herontdekt, want toen pas beschikten onderwaterarcheologen over de instrumenten om de gezonken steden in de Baai van Aboukir te verkennen. In de jaren negentig van de vorige eeuw begon het European Institute for Under- water Archeology (IEASM), onder leiding van Franck Goddio, aan hun zoektocht. Hun speciaal voor deze doeleinden ontwikkelde apparatuur (een kernspinresonantiemeter, multi-beam bathymetrie, side-scan sonar, sub-bottom profiler en satellietnavigatiesysteem) leidde in 2000 uiteindelijk tot de ontdekking van Thonis/Herakleion. De locatie is ongeveer twee keer zo groot als Pompeï; het zal zeker meer dan een eeuw vergen om deze plek helemaal in kaart te brengen.

Thonis vandaag de dag

De resultaten van de onderwateronderzoeken van het IEASM waren ronduit spectaculair. Om te beginnen bleek Herodotus gelijk te hebben over het bestaan van Thonis, dat wel degelijk dezelfde stad als Herakleion was. De tot dusver blootgelegde standbeelden, tempels en inscripties hadden grote impact op het historische perspectief op de Grieks-Egyptische relaties. Hoewel nog geen vijf procent van de locatie is verkend, leverde Thonis nu al een schat op aan beelden, hiëroglyfeninscripties, munten en juwelen, evenals meer alledaagse gebruiksvoorwerpen die heel veel onthullen over het dagelijks leven in het toenmalige Egypte.

De grootste verrassing volgde misschien in 2010 toen de overblijfselen werden ontdekt van een *baris*, de rivierboot die van planken van acaciahout was gemaakt. Het wrak, dat werd aangetroffen onder een verzonken werf in Thonis, zond schokgolven van verrassing door de wereld van de onderwaterarcheologie. Het ontwerp en de constructie van het schip waren exact zoals Herodotus had beschreven. Dat betekent dat zowel het mythische schip als de zogenaamd verzonnen rivierboot onweerlegbaar de overgang hebben kunnen maken naar de wereld van de naakte harde feiten. Ongetwijfeld zit ergens tussen de schimmen in de onderwereld een oude historicus in zijn vuistje te lachen.

Ca. 1650-468 v.Chr.
Mycene
Een legendarisch begin, een mysterieus einde

Hier zag ik het gezicht van Agamemnon.
Heinrich Schliemann

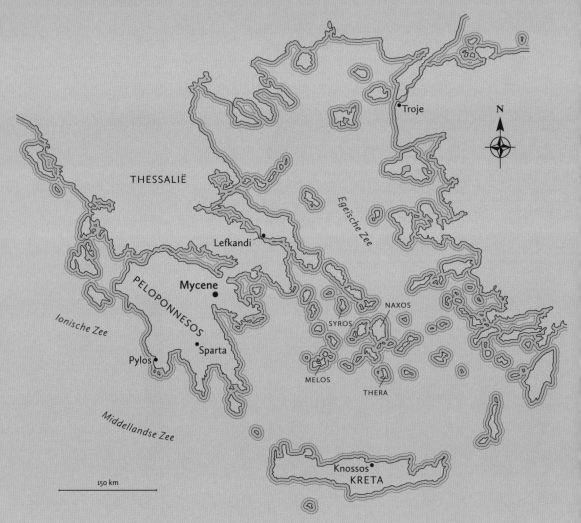

Een antieke reiziger die de stad Mycene wilde vinden, begon zijn zoektocht in de stad Nemea, nabij de kloof waar Hercules de Nemeïsche Leeuw velde. Zijn redenering was dat aangezien Eurystheus, de opdrachtgever van Hercules, de koning was van Mycene, de stad daar niet ver uit de buurt kon zijn.

Hij had gelijk: daar lag de stad, ter linkerzijde van de weg naar Argos, een reeks verlaten ruïnes boven op een circa tweehonderd meter hoge heuvel boven de Argolische vlakte. In zijn verslag vertelt Pausanias – die hiermee de eerste beschrijving biedt van een bezoek aan de ruïnes van Mycene – hoe hij door de vervallen stadsmuren liep en hij de Leeuwenpoort vond (*Beschrijving van Griekenland* 2.15.2-2.18.3). Tegenwoordig wordt deze poort beschouwd als het levensechtste overblijfsel van de geruïneerde stad en de beschaving die eromheen vorm kreeg. Eeuwen geleden maakte de poort een al even krachtige indruk op Pausanias, die eerste ontdekkingsreiziger, die de locatie opnam in zijn in 160 n.Chr. geschreven gids voor Romeinse toeristen.

Tot dat moment bevonden de ruïnes van Mycene zich in het schemergebied tussen verdwenen en vergeten. Beroemde figuren als Alexander de Grote en de Romeinse keizer Nero waren deze locatie gepasseerd en hadden daarbij waarschijnlijk dezelfde weg genomen als Pausanias. Hadden ze geweten wat daar in de buurt lag, dan zouden beide mannen ongetwijfeld een bezoek hebben willen brengen aan het huis van Agamemnon, de veroveraar van Troje. Maar geen enkele bron maakt hiervan gewag. Zonder twijfel zagen ze de ruïnes op de heuveltop liggen, maar ook in die tijd kende Griekenland geen gebrek aan ruïnes. Het lijkt erop dat de ruïnes van het legendarische Mycene, totdat

Het zogenoemde Gezicht van Agamemnon is in werkelijkheid een gouden dodenmasker van een onbekende persoon uit de zestiende eeuw v.Chr. Het werd opgegraven uit Grafcirkel A in Mycene.

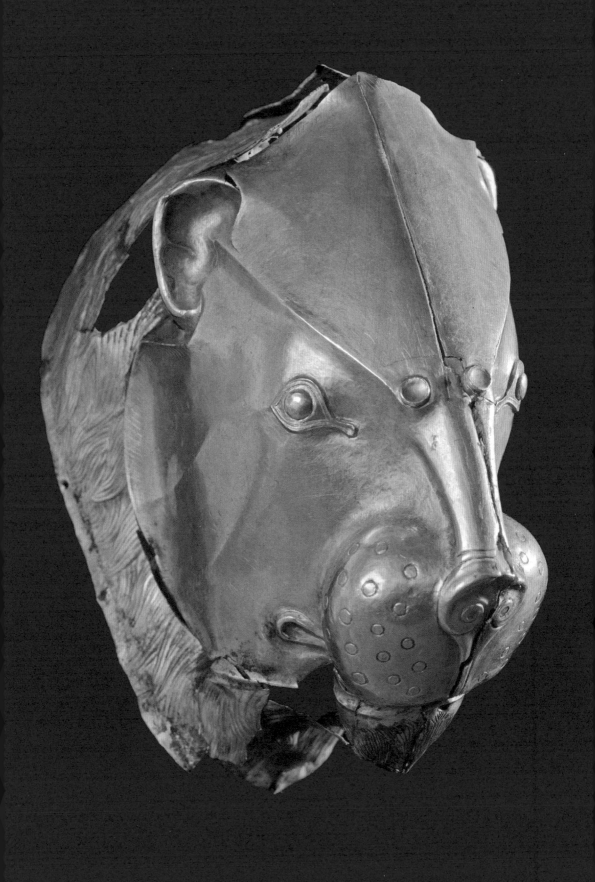

Pausanias de plek identificeerde, in de vergetelheid lagen te vergaan en alleen bekend waren bij de lokale herders en de schimmen van degenen die de stad in haar hoogtijdagen hadden gekend.

Ooit was Mycene 'groots' geweest. In de *Ilias* noemt Homerus de stad het 'Gouden Mycene'. Hij prees de brede straten van de 'goed ontworpen' citadel. Mycene had destijds zo'n dertigduizend inwoners en dreef handel met Anatolië, de Kaukasus, Egypte en Syrië. De Myceense koopvaardijschepen doorkliefden de wateren van de Egeïsche Zee en hun oorlogsschepen vervoerden de helden die het beleg om Troje sloegen. In andere omstandigheden waren diezelfde vaartuigen gevreesde piratenschepen die de eilandengroep van de Cycladen onveilig maakten. We hebben aanwijzingen dat de krijgers op deze schepen ook als huurlingen meevochten in de vele oorlogen van de late bronstijd.

In de periode 1650-1050 v.Chr. was Mycene zo dominant dat we deze periode tegenwoordig aanduiden als de Myceense tijd van Griekenland. Maar hoewel de stad heerste over de noordelijke Peloponnesos, Attica (120 kilometer naar het noordoosten) en zelfs over Knossos op Kreta, was Mycene nooit het centrum van een rijk, laat staan een uitgestrekt koninkrijk. De Griekse geografie werd zozeer onderbroken door gebergten, dat de weinig ontwikkelde communicatietechnieken en zwakke bestuurssystemen van die tijd een gecentraliseerd gezag over een groot gebied simpelweg niet mogelijk maakten. In plaats daarvan was Mycene de eerste onder gelijken, een hegemone macht die zo sterk domineerde over de andere Griekse koninkrijken dat vele daarvan tot de status van vazallen waren gereduceerd.

Nog lang nadat de stad haar macht had verloren, hield de legende van Mycene stand. De stichter, zo werd geclaimd, was niemand minder dan de mythische held Perseus, die vanuit het naar hem vernoemde sterrenbeeld nog altijd op ons neerkijkt. In een van de verhalen hield de held halt bij een bron, waar hij de kop van een grote paddenstoel afbrak om als beker te gebruiken. Terwijl hij slokjes van het koele water nam, keek Perseus uit over de vruchtbare Argolische vlakte en besefte hij dat dit een uitstekende locatie voor een stad was. Deze bron wordt tegenwoordig de Perseia genoemd, en de stad zou haar naam aan die paddenstoel ontlenen: μύκης of *mycos* in het Grieks.

Hedendaagse archeologen wijzen er fijntjes op dat als dit verhaal klopt, de legende van Perseus onwaarschijnlijk oud zou zijn. De locatie van Mycene werd ten minste achtduizend jaar geleden voor het eerst bewoond door een neolithisch volk. Dat liet weinig sporen achter, behalve hun kenmerkende 'Regenboog'-keramiek (dat in werkelijkheid alleen zwart en rood is). De rest van hun archeologische erfgoed moest wijken voor de ambitieuze bouwprojecten van latere koningen.

Rond 1350 v.Chr. werd de citadel gebouwd. Haar muren waren zo massief dat latere generaties ze 'cyclopisch' zouden noemen. Ze geloofden namelijk dat die alleen gebouwd konden zijn door het ras van de eenogige Cyclopen, de reusachtige ambachtslieden. Sommige lateien

en poortstijlen zijn gebouwd met blokken steen die meer dan twintig ton wegen. Het indrukwekkende ondergrondse reservoir en de graanschuren zorgden ervoor dat Mycene een beleg vrijwel oneindig had kunnen uitzingen. Andere constructies, zoals dammen en kanalen, wijzen op een zorgvuldig beheer van de watervoorraad van de versterking.

Veel van de Myceense heersers kennen we uit de legenden. De afstammelingen van de held Perseus vormden de dynastie van de Perseïden, die uitstierven met Eurystheus en Hercules. Daarop volgde de Atreïsche dynastie. De wederwaardigheden van de vervloekte leden van het huis Atreus kunnen een eigen boek vullen, maar hier laten we het bij de vaststelling dat een van de indrukwekkendste overgebleven gebouwen in Mycene het vermeende graf van een van de laatste Myceense koningen is: Agamemnon, de Griekse aanvoerder in Homerus' *Ilias*.

Dit bijenkorfvormige graf in 'tholos'-stijl, dat tegenwoordig ook wel de 'Schatkamer van Atreus' wordt genoemd, staat boven op de Panagitsa-heuvel. Zelfs naar Myceense maatstaven is dit bouwwerk imposant: alleen al de stenen latei boven de ingang weegt 109 ton. Ook de koningshal, het zogeheten Megaron, blijft ondanks zijn vervallen staat indrukwekkend. Ooit sierden kleurrijke mozaïeken de vloer en verfraaiden levendige fresco's de gepleisterde muren. Een van de decoratieve elementen die ter plekke werd gevonden is een scarabee. Deze werd in 1360 v.Chr. geschonken door Amenhotep III van Egypte, die de stad kende bij haar Egyptische naam: 'Mwkanu'.

Een versierde glazen hanger uit Mycene. Onbekend is of het patroon een bepaalde betekenis had of louter decoratief was bedoeld.

Over de gewone inwoners van Mycene weten we veel minder. De nieuwe bewoners die in de hellenistische tijd deze plek betrokken, waren zo onachtzaam om veel van de sporen van de huizen uit de grote bloeitijd van de stad te vernietigen. Er resteren nog wel een paar huizen, voornamelijk bijgebouwen van het paleis die zich dicht opeengepakt rond de troonzaal bevonden. Vandaag dragen ze namen zoals het 'Huis van de Schilden', het 'Huis van de Oliehandelaar', en het 'Huis van de Sfinxen'. De gebouwen wijzen erop dat Mycene zowel een geavanceerde administratie kende als vele handelaren en ambachtslieden. In Egypte, Syrië en de Levant worden regelmatig Myceense producten gevonden.

Hoe de Myceners hun goden vereerden is onduidelijk. In fragmenten Lineair B, het schrift dat destijds in Griekenland werd gebruikt, duiken weliswaar bekende namen op, maar soms is de context anders. Poseidon verschijnt als een paardengod, Dionysus als vruchtbaarheidsgod. Athene (Menvra) was de beschermer van de *wanax*, zoals de koning werd genoemd.

Misschien was het een vloek van de goden die ertoe leidde dat niet alleen de stad Mycene, maar heel de Myceense beschaving met een grote klap ten onder ging. De oorzaken van deze 'ineenstorting aan het einde van de bronstijd' blijven in nevelen gehuld. Uit de archeologische bevindingen blijkt dat een ramp de stad aanzienlijk beschadigde. Daarna vonden herstelwerkzaamheden plaats en werden ingestorte muren

op primitieve wijze gerepareerd, waarna de stad bij een volgende aanval helemaal werd vernietigd. Te zien aan de verbrande granen en groenten in de opslagplaatsen had de stad de middelen om een beleg te weerstaan; blijkbaar ontbeerde ze de mankracht. Wie Mycene aanviel en waarom de stad werd vernietigd, zijn twee van de raadsels die blijven kleven aan het einde van het Myceense Griekenland.

Toen Griekenland zich langzaam ontworstelde aan de donkere tijden die volgden, werd een poging gedaan om Mycene opnieuw op te bouwen. Maar haar oude luister zou de stad nooit meer terugkrijgen. Het zwaartepunt van de macht was verschoven naar andere centra. Rond 468 v.Chr. verwoestten hoplieten uit Argos het nieuwe Mycene en verdreven ze de bevolking. Nadien resteerden alleen de ruïnes en een geschiedenis die algauw vervaagde tot een mythe.

Mycene vandaag de dag

In de achttiende eeuw werd Mycene (nogmaals) herontdekt door een zekere Francesco Vandeyk, die de tweeduizend jaar oude *Beschrijving van Griekenland* gebruikte om de locatie te vinden (wat Pausanias heel trots zal hebben gemaakt). Voor opgravingen was het echter wachten tot ruim een eeuw later, toen een aantal archeologen er de spade in de grond zette.

Onder hen was Heinrich Schliemann, de herontdekker van Troje. Vol enthousiasme had hij al een groot deel van de citadel opgegraven toen de autoriteiten doorkregen waar hij zonder toestemming mee bezig was en hem beletten om verder te gaan. Schliemanns belangrijkste ontdekking was misschien het prachtige dodenmasker, dat hij prompt het 'Gezicht van Agamemnon' doopte. Dit masker was geslagen uit één enkel blad goud. Sowieso maakte de overvloed aan goud die werd aangetroffen onder de begraven goederen duidelijk dat Homerus de stad met recht als 'gouden' had gekenmerkt.

In de daaropvolgende jaren werd op deze plek veel gegraven. Een recent geografisch onderzoek op de locatie leidde tot de ontdekking van een benedenstad. Deze wordt momenteel nog altijd onderzocht. Wie weet levert dat binnenkort meer wetenswaardigheden op over het leven van de gewone Myceners.

Mycene staat tegenwoordig op de Werelderfgoedlijst van de Unesco. Een museum vertelt over de geschiedenis van de stad en toont een aantal van de interessantste artefacten. De nog altijd grotendeels intacte schatkamer en graven trekken veel toeristen, net als de gerestaureerde, iconische Leeuwenpoort. Vandaag de dag begeven bezoekers zich door dezelfde poort naar het Megaron, net zoals de bezoekers dat 3500 jaar geleden deden. Al is deze locatie tegenwoordig alleen open van zonsopgang tot zonsondergang en moet je een kleine entreeprijs betalen.

Gouden pinnen, zoals dit exemplaar uit Mycene, zijn verspreid over heel het Middellandse Zeegebied op vele bronstijdlocaties gevonden. Er is geopperd dat de 5,9 centimeter lange pin dankzij het gaatje aan de achterkant kon dienen als naald.

307 v.Chr.-164 n.Chr.
Seleucië aan de Tigris
De vampierenstad

De stad waardoorheen goederen afkomstig uit het Midden-Oosten
en China passeerden, werd een van de belangrijkste in de wereld.

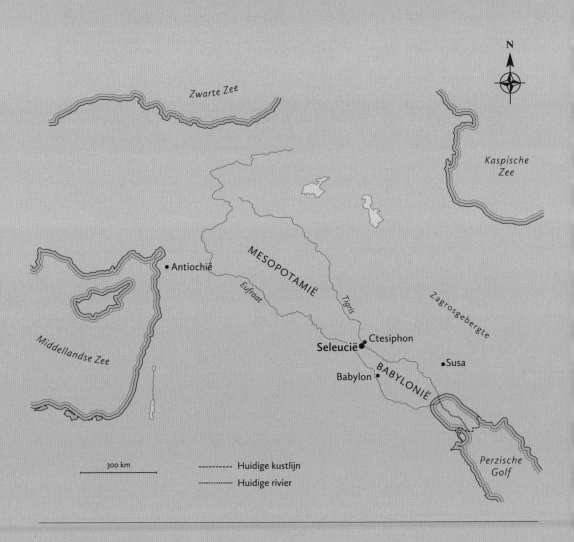

In 311 v.Chr. was Babylon al duizenden jaar oud. In haar glorietijd rivaliseerde de stad met het Assyrische Rijk. Zelfs na de Assyrische verovering bleef de stad het weerspannigste deel van dat rijk. De Babyloniërs waren trots op het antieke erfgoed van de stad en betoonden zich bereid om in opstand te komen tegen hun recentste buitenlandse overheerser, de Macedonische generaal Seleucus I. Hij was (na enige avonturen) heerser geworden over Babylon en Mesopotamië, nadat die onder Alexander de Grote op het Perzische Rijk waren veroverd.

Seleucus was een generaal van het bedachtzame type (het type dat je moest zijn om de meedogenloze machtsstrijd in de nasleep van Alexanders dood te overleven). Hij was zich bewust van de problemen die Babylon de Assyriërs had bezorgd. En dus wist hij dat het weinig zin had om de stad met de grond gelijk te maken. Dat was namelijk eerder geprobeerd, en telkens was Babylon als een feniks uit de as herrezen.

Bevolkingsimport

Seleucus besloot om in plaats daarvan Babylons levensbloed af te tappen: de handel en de agrarische rijkdom waarop de stad al duizenden jaren lang steunde. Dat deed hij door vlakbij, maar op een nog net iets gunstigere locatie, een nieuwe stad te bouwen. Dit was op zo'n 35

Seleucus I, bewind 305-281 v.Chr. Onder Alexander de Grote was Seleucus een relatief onbeduidende generaal, maar door zijn geslepenheid, diplomatieke vaardigheden en militaire talent wist hij de heerser te worden over een van de grootste rijken van de oudheid.

kilometer ten zuidoosten van het huidige Bagdad. De stad werd naar hem vernoemd: Seleucië. En toen het moest worden onderscheiden van andere steden met dezelfde naam (Seleucus stichtte er meerdere), werd het Seleucië aan de Tigris. De stad lag dus aan de Tigris, maar had tevens als troef dat ze via het Perzische Koninklijke Kanaal met de Eufraat was verbonden. Vlakbij lag al een andere stad, Opis, maar die werd weldra opgeslokt door de nieuwe megastad die Seleucus wilde laten uitgroeien tot de Mesopotamische hoofdstad van zijn enorme rijk.

Het werk begon tussen 309 en 301 v.Chr. De historicus Appianus noemt in *Syrische Oorlog* (12.58) het interessante detail dat de Babylonische astroloog-priesters opzettelijk het gunstigste uur om met het werk te beginnen verborgen hielden, maar dat bleek tevergeefs, want de soldaten van Seleucus kozen uit zichzelf het juiste moment om te gaan werken. De stad werd naar Grieks model opgezet door architecten die volgens een masterplan werkten, zodat de hoofdstraat, een dubbele boulevard, van begin tot eind kaarsrecht werd aangelegd. Er was een vrijstaand paleis en een bestuurswijk. De huizen werden in nette, rechthoekige blokken gebouwd. (Overigens haalden de bouwers hun neus niet op voor het recyclen van gebruikte materialen: een van de bakstenen die voor de stadsmuren werd gebruikt, vertoont een stempel die dateert van vijfhonderd jaar eerder.)

Munt van de Sassanidische koning Sjapoer I, bewind ca. 240-270 n.Chr., die werd gevonden in Seleucië aan de Tigris. De achterzijde van de munt toont een vuuraltaar, aangezien de Sassaniden vuur als heilig beschouwden.

Seleucus wilde Babylon laten wegkwijnen en liet daarom de stadsmuren ongemoeid (Pausanias, *Beschrijving van Griekenland* 1.16.3). Hij stimuleerde of dwong echter wel een groot deel van de bevolking om naar Seleucië te verhuizen. Zijn intentie was om Babylon te ontvolken op de priesters en andere tempelmedewerkers na. De bannelingen uit Babylon deelden Seleucië nu met een bevolking bestaande uit Macedoniërs en een aanzienlijk aantal Joden. Het enige onregelmatige kenmerk van deze netjes ontworpen nieuwe stad was dat de muren haar 550 hectare grote gebied omzoomden. De omtrek hiervan volgde de loop van de rivier, het kanaal en de lokale topografie. De Romeinse schrijver Plinius de Oudere vergeleek de stadsvorm met 'een adelaar die zijn vleugels spreidt' (*Naturalis Historia* 6.122).

Tussen oost en west

In de daaropvolgende eeuw werd de stad een van de belangrijkste ter wereld. Ze kon zich meten met Alexandrië in Egypte en was groter dan Antiochië, de westelijke hoofdstad van het Seleucidische Rijk. Net als Babylon eerder vormde Seleucië het knooppunt waarlangs de handel tussen Centraal-Azië, Mesopotamië, India, Afrika en Europa plaatsvond. Later zou dit handelsnetwerk zich uitbreiden tot China en andere oostelijke plekken langs die breed vertakte snelweg die we tegenwoordig de Zijderoute noemen.

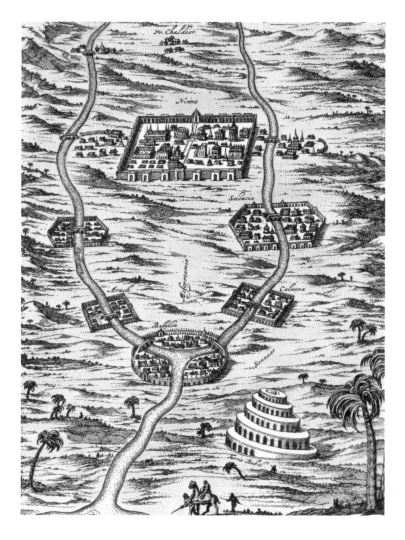

Deze gravure uit 1679, *De toren van Babel* van Athanasius Kircher, toont Mesopotamië. Weliswaar is de kaart vooral gefocust op het Bijbelverhaal, maar ze laat ook zien wat er in de zeventiende eeuw over Mesopotamië bekend was.

De stad zelf was een soort smeltkroes. Haar aardewerk vertoont een fascinerende vermenging van Griekse en andere stijlen. Het decoratieve pleisterwerk dat op allerlei gebouwen werd toegepast, vertoont zowel Griekse als Midden-Oosterse motieven. Ook zijn er lokale Mesopotamische invloeden, want ten minste een aantal mensen zette de antieke traditie voort om hun doden in hun eigen huizen te begraven.

Een nieuwe rivaal

Ook nadat het Seleucidische Rijk ineenstortte en de stad in 141 v.Chr. onder Parthische heerschappij kwam, bleef Seleucië dienen als een trefpunt tussen de oosterse en de westerse cultuur. Net als hun Babylo-

Detail van de Boog van Severus in Rome, dat de verovering van Seleucië aan de Tigris door Romeinen in 195 n.Chr. verbeeldt. De soldaten zouden na afloop van deze veldtocht de pest mee terug hebben gebracht, wat in het Romeinse Rijk voor groot onheil zorgde.

nische voorgangers kwamen de Macedonische inwoners van Seleucië enthousiast in opstand tegen buitenlandse heerschappij. Daarom probeerden de Parthische koningen, net als Seleucus, om de verzetshaard onder controle te krijgen door een rivaliserende stad te bouwen. Dat was de nieuwe Parthische hoofdstad Ctesiphon. De Parthen maakten er geen half werk van en stichtten ook Vologesocerta als rivaliserende haven.

Deze tactiek lijkt effect te hebben gesorteerd, maar dan wel heel langzaam. Het aardewerk uit Seleucië ging kwalitatief achteruit. Ook zijn er aanwijzingen dat de etnische spanningen toenamen, wat op een gegeven moment ontaardde in een pogrom tegen het Joodse deel van de bevolking. Volgens de Joodse historicus Flavius Josephus (*De oude geschiedenis van de Joden* 18.3.9) werden zo'n vijftigduizend Joden vermoord en vluchtte de rest naar Ctesiphon en elders.

Uiteindelijk waren het niet de Parthische heersers die Seleucië de genadeklap toebrachten, maar de Romeinen. Aan het begin van de tweede eeuw n.Chr., op het hoogtepunt van de macht van Rome, verlegde keizer Trajanus de Romeinse grenzen verder oostwaarts om de nieuwe (maar kortstondige) provincie Mesopotamië te creëren. In 116 n.Chr. werden Ctesiphon en Seleucië veroverd en geplunderd.

Toch bezweek de stad niet. Naar verluidt woonden er nog altijd 300.000 mensen toen de Romeinen in 165 n.Chr. terugkeerden. En ditmaal vernietigden ze Seleucië helemaal. Ironisch is dat Avidius Cassius, de betrokken Romeinse legeraanvoerder, claimde dat Seleucus een voorouder van hem was, de man die drie eeuwen eerder deze stad stichtte. Voor Seleucië volgde geen nieuwe comeback. Toen de Romeinen in 197 n.Chr. hun volgende campagne tegen Mesopotamië begonnen, troffen ze op de locatie van het ooit zo trotse Seleucië alleen nog ruïnes.

Seleucië vandaag de dag

Een deel van de begraven overblijfselen van Seleucië vormde een landschappelijke verhoging die lokaal als de Tell Umar bekendstond. Begin twintigste eeuw was de locatie van de stad helemaal vergeten, niet in de laatste plaats doordat de Tigris zijn loop had verlegd. Daardoor lag de tell (heuvel) nu twee kilometer van de rivier vandaan.

In 1927 begonnen westerse archeologen aan opgravingen op deze plek, waar ze de stad Opis vermoedden. In het daaropvolgende decennium werden de opgravingen sporadisch voortgezet. De ruïnes konden worden geïdentificeerd als de verdwenen stad Seleucië, mede dankzij de ontdekking van een bijzonder gebouw dat was gewijd aan de stichter van de stad, Seleucus. Duizenden artefacten werden gevonden. Sommige daarvan zijn Grieks, sommige Midden-Oosters, sommige vertonen een vermenging van stijlen – maar allemaal zijn het bewijsstukken van de rol die de stad vertolkte als culturele draaischijf tussen Parthië en de mediterrane wereld. Deze artefacten gaven historici een redelijk duidelijk beeld van hoe de stad functioneerde, al werd er helaas geen equivalent gevonden van het archief van spijkerschrifttabletten dat zoveel details onthulde over het stadsleven van de Mesopotamiërs die nog langer geleden leefden.

Zolang de situatie in Irak ongunstig blijft voor het toerisme, kunnen belangstellenden kiezen om via Turkije te reizen en een bezoek te brengen aan een kleiner Seleucië 'aan de zee', Seleucia Pieria. Deze stad werd eveneens door Seleucus gesticht en heeft als extra troef dat ze gelegen is bij het huidige kustplaatsje Çevlik en een fijn strand.

720 v.Chr.-ca. 700 n.Chr.
Sybaris
De drakenstad

*De Sybarieten ontwikkelden een voorliefde voor weelderige
religieuze festivals, stadsfeesten en privépartijtjes.*

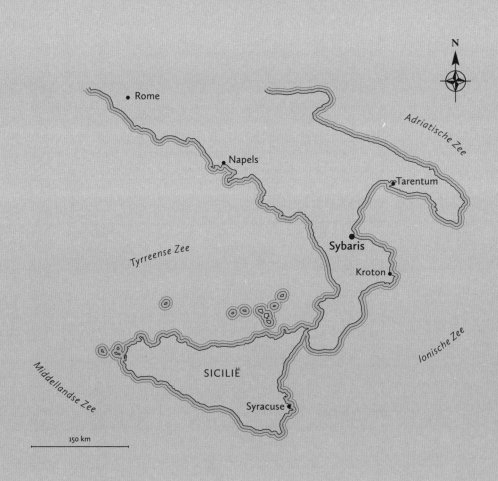

D e oorspronkelijke Sybaris was een monster, een draak met een on-verzadigbare eetlust die leefde in een grot vlak bij het Orakel van Delphi. Daaruit dook hij soms op om vee en mensen te grijpen. Maar zoals dat doorgaans ging met de monsters in de Griekse mythologie, stuitte Sybaris uiteindelijk op een held. In dit geval was dat Eurybaros. Hij sleurde Sybaris uit haar hol en smeet haar van de berg. De draak viel met haar kop op een rots en stierf, maar door de inslag ontstond een bron. Ter herinnering aan haar werd deze zoetwaterbron Sybaris genoemd.

De swastika had al een lange geschiedenis voordat de nazi's haar in de twintigste eeuw kaapten. Zo werd de swastika tot aan 1935 gebruikt door de Boy Scouts, was ze in India een religieus symbool en kwam ze in de zesde eeuw v.Chr. in Sybaris terug als een vloermo-tief.

In latere jaren ontdekten Griekse zeevaarders langs de Italiaanse kust een vruchtbare vlakte op de oever bij de Golf van Tarente. Deze vlakte lag tussen twee rivieren in, waarvan ze de ene de Crathis en de andere de Sybaris noemden. Waarschijnlijk kozen ze deze naam om dezelfde reden dat er een Theems door de Amerikaanse staat Connecticut stroomt: in een onbekend landschap plegen mensen namen te geven aan geografische elementen die hen aan thuis doen denken.

De locatie was ideaal voor een nederzetting. Rond 720 v.Chr. arriveerde dan ook een golf aan Griekse kolonisten. De kolonisten ver-

Zilveren stater uit Sybaris, ca. 520 v.Chr. Hoewel zijn doorsnede nog geen drie centimeter is, vertegenwoordigde deze munt voor een geschoolde arbeider het loon van zo'n drie dagen werk.

dreven de oorspronkelijke inwoners, die ter plekke al een necropolis en een religieus heiligdom hadden gebouwd, en bouwden hun eigen stad op een lage berghelling nabij de kust. Ze bewerkten de vruchtbare grond tussen de rivieren. De legende wil dat de stichter van de stad een zekere Sagaris van Helike was, een onheilspellende voorbode. (Later zou Helike worden getroffen door een aardbeving en vervolgens overspoeld door een tsunami die de inwoners doodde. En de afgunstige goden waren nog niet klaar met Helike: deze onlangs blootgelegde locatie is ten gevolge van klimaatverandering een van de meest bedreigde archeologische vindplaatsen ter wereld.)

Sybaris was zeker niet de eerste stad die in Zuid-Italië werd gesticht. Sterker nog: er waren zoveel Griekse koloniën in de regio dat ze in latere tijden Magna Graecia werd genoemd: 'Groter Griekenland'. Veel van deze steden waren machtiger dan die in Griekenland zelf. De voormalige Griekse nederzettingen in Tarentum (Tarente), Napels en Syracuse zijn nu nog altijd grote steden. Rond de tijd dat Sybaris werd gesticht, ontstond iets verderop langs de kust ook een andere kolonie: de stad Kroton.

Een van de belangrijkste redenen dat de Grieken nooit een rijk ontwikkelden zoals dat van de Assyriërs en de Romeinen, was dat ze weliswaar bereid waren om slag te leveren met inheemse stammen en de Feniciërs, met wie ze van oudsher in een venijnige handelsconcurrentie waren verwikkeld, maar hun diepste afkeer reserveerden ze voor de inwoners van andere Griekse steden. Dat gold ook voor Kroton en Sybaris.

Wat niet hielp was dat beide steden een volstrekt verschillende leefstijl ontwikkelden. Dankzij de overvloed afkomstig van de vruchtbare akkers, ging het Sybaris voor de wind. De stad groeide uit tot een van de machtigste steden van Magna Graecia. De Griekse historicus Diodoros van Sicilië (*Bibliotheca Historica* 12.9) schat dat Sybaris rond 510 v.Chr. 300.000 inwoners telde, evenveel als het toenmalige Athene. De Sybarieten ontwikkelden een voorliefde voor weelderige religieuze festivals, stadsfeesten en privépartijtjes. Deze hang naar het goede leven was zelfs van dien aard dat we nu nog altijd het adjectief 'sybaritisch' kennen voor een luxe, naar het decadente zwemende leven.

De inwoners van Kroton, wier levensstijl meer naar het spartaanse neigde, alhoewel met meer aandacht voor de kunsten, keken met groot dedain naar deze opgewekte genotzucht. De filosoof en wiskundige Pythagoras woonde en werkte aanvankelijk in Kroton, dat tevens bekendstond om zijn goede artsen.

Anders dan de wat ingekeerde Krotonieten (die de ideeën van Pythagoras uiteindelijk toch wat veel van het goede vonden en hem verbanden), verwelkomden de Sybarieten immigranten. Ze verleenden het burgerschap zelfs aan zoveel nieuwkomers, dat het verzet in de hand werkte. Het leidde tot een *statis*, interne twisten die de ondergang inluidden van zoveel Griekse steden in de klassieke tijd. Uiteindelijk moest een grote groep immigranten vluchten voor hun leven. Ze kwamen terecht in Kroton. De Sybarieten stuurden onmiddellijk gezanten naar Kroton, die eisten dat de vluchtelingen werden uitgeleverd. Of anders...

Volgens Diodoros wilden de inwoners van Kroton hun machtigere buur niet tegen de haren in strijken en waren ze geneigd de asielzoekers uit te leveren. Maar Pythagoras sprak de algemene vergadering toe en overtuigde de leden om de Sybaritische eisen naast zich neer te leggen. Ook al betekende dat oorlog.

Hedendaagse historici vermoeden dat dit incident het conflict definitief kan hebben ontketend, maar dat het waarschijnlijk al langere tijd sluimerde. De steden waren naast buren ook concurrenten in de handel tussen het Italiaanse achterland en andere mediterrane culturen. Gegeven de neiging van de Griekse steden om hun geschillen op het slagveld te beslechten, leek een militair conflict onvermijdelijk.

Hoe dat verliep weten we niet. Wel wat de uitkomst was. In weerwil van hun overmacht werden de Sybarieten verpletterend verslagen. 'In hun razernij namen de Krotonieten geen gevangenen. Ze doodden iedereen op wie ze de hand konden leggen. De meerderheid van de inwoners van Sybaris stierf op deze manier. Vervolgens stortten ze [de hoplieten van Kroton] zich op de stad Sybaris en vernietigden haar volkomen' (Diodoros, *Bibliotheca Historica* 12.10). Volgens sommige berichten zat de haat van de inwoners van Kroton jegens hun buren zo diep, dat ze de loop van de Crathis verlegden, zodat de rivier de verwoeste stad overstroomde, maar uit modern onderzoek blijkt dat dit buitengewoon onpraktisch zou zijn geweest.

Sybaris bleef een halve eeuw verlaten, maar de locatie was gewoonweg te gunstig om nooit meer te worden bewoond. De nieuwe kolonisten kwamen uit Thessalië, maar kregen niet bepaald een hartelijk welkom van de inwoners van Kroton, die de ruïnes van Sybaris graag

Een *terracotta arula* (klein altaar) uit Sybaris waarop leeuwen een varken doden, zesde eeuw v.Chr.

Het amfitheater in Sybaris. Volgens een klassieke schrijver (Aelianus, *De Natura Animalium* 16) werden de Sybaritische paarden getraind om op dit soort locaties te dansen. Toen de Sybaritische cavalerie de aanval wilde inzetten, zouden de Krotonieten muziek hebben gespeeld, om vervolgens in de tegenaanval te gaan tegen de dansende paarden en hun beduusde ruiters.

wilden houden zoals ze waren. De nieuwe bevolking van Sybaris riep de Atheners om hulp, wier de macht op dat moment groeide en leidde tot een verbond van eilandstaatjes. De Atheners van die periode waren inventief, bedrijvig en ambitieus, maar vertoonden soms tamelijk laakbaar gedrag. Ze hielpen de Sybarieten niet, maar gooiden ze uit hun eigen stad. In 444 v.Chr. doopten de Atheners de stad om tot Thurii.

De ontheemde Sybarieten vestigden zich mokkend verder naar het zuiden, waar ze op de rivieroever van de Traeis een nieuwe stad stichtten. Deze vierde versie van Sybaris was echter een kort leven beschoren, want ergens na 350 v.Chr. werd de stad verwoest door de Brutti, een inheems Italiaans volk.

Gedurende de Romeinse tijd vertegenwoordigde Thurii enig belang. Keizer Augustus droeg oorspronkelijk zelfs de naam 'Thurinus', omdat zijn vader in deze omgeving een kleine overwinning had geboekt. Tijdens de middeleeuwen verplaatste de rivierdelta zich echter en scheidden modderbanken de stad steeds meer van de zee. Thurii werd verlaten en zou uiteindelijk worden begraven onder het slib van de rivieren. Eindelijk had de draak Sybaris wraak kunnen nemen.

Sybaris vandaag de dag

Sybaris is eigenlijk nog altijd een verloren stad, want de archeologen weten absoluut niet zeker of ze het nu wel of niet hebben gevonden. Misschien is Sybaris de reeks ruïnes naast de Romeinse restanten van de stad Thurii, vlak bij het huidige stadje Sibari (waarvan de inwoners geen zichtbare tekenen van decadentie vertonen). De ontdekking van de ruïnes in 1968 ging gepaard met nogal wat tamtam, maar sluitend bewijs is nog altijd niet geleverd.

Kroton heeft de eeuwen daarentegen goed doorstaan. Dit is het tegenwoordige Crotone, een grote stad in Calabrië.

Op de vermeende locatie van Sybaris is momenteel actief onderzoek gaande. Langzaam groeven archeologen zich door de lagen die dateren van de late oudheid en de Romeinse tijd. Pas in 2022 bereikten ze de Griekse periode. Tot dusver kwamen een theater en de restanten van een straat met zuilenrij aan het licht. Veel van deze ontdekkingen worden bewaard in het nabijgelegen Nationale Archeologische Museum van Sibaritide. Zowel het museum als de vindplaats is open voor bezoek.

Ca. 1250 v.Chr.-ca. 1400 n.Chr.
Plataeae
Het stadje dat het flikte

De locatie van de epische veldslag die Griekenland
van het Perzische juk bevrijdde.

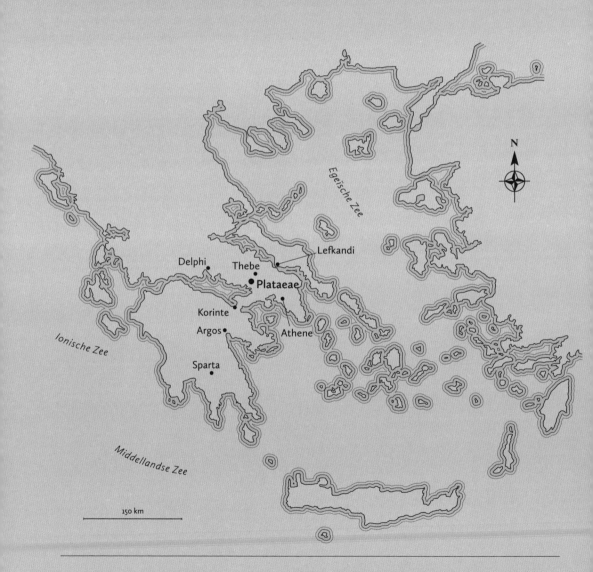

Voor zo'n klein bergstadje speelde Plataeae een opvallend grote rol in de geschiedenis van het oude Griekenland. In veel opzichten belichaamt de stad het toenmalige Griekse karakter. De burgers waren energiek, heldhaftig en vindingrijk, maar konden niet voorkomen dat hun stad (herhaaldelijk) werd verwoest ten gevolge van de disfunctionele politiek van hun land. Maar elke keer dat Plataeae werd vernietigd, bouwden de inwoners de stad koppig weer op.

Zelfs in de oudheid bestond er al de nodige discussie over wie Plataeae stichtte, en wanneer. De nabij wonende Thebanen claimden dat zij de stichters waren van het stadje dat lag op een omvangrijk plateau op de berg Cithaeron, dat uitkeek over de Boeotische vlakte. De inwoners zelf wezen de suggestie dat hun voorouders Thebaanse kolonisten zouden zijn geweest verontwaardigd van de hand. Ze beweerden daarentegen dat ze afstamden van hun naamgenote Plataeae, een waternimf en de dochter van Asopus, de god van de nabijgelegen rivier.

Hedendaagse archeologen doken vrij letterlijk in het debat en lijken geneigd de Thebanen gelijk te geven. Het ontbreekt namelijk aan aanwijzingen dat Plataeae werd bewoond voorafgaand aan de 'paleisperiode' van de Myceense tijd (1400-1200 v.Chr.), en de Thebanen uit die tijd hadden alle reden om de locatie te bewonen. Het fort dat later uitgroeide tot Plataeae bevond zich op tien kilometer van Thebe en lag op een strategisch punt aan de cruciale weg naar Korinte.

De klassieke stad Plataeae, zoals die werd voorgesteld in deze achttiende-eeuwse houtsnede uit *Histoire de Polybe* van Chevalier de Folard.

Aristides, de aanvoerder van
de Atheense troepen tijdens
de Slag bij Plataeae, brengt
een offer ter ere van de
geesten van de gesneuvelde
strijders uit Plataeae.

Tegen Thebe en Perzië

In de historische bronnen doet Plataeae zo'n vijfhonderd jaar na zijn stichting voor het eerst van zich spreken. In de tussenliggende periode was het niet meer dan een fort-in-geval-van-nood voor de boeren die de vruchtbare grond rondom de Asopus bewerkten. Terwijl de Griekse beschaving na de ineenstorting aan het einde van de bronstijd weer opkrabbelde, probeerden de Thebanen opnieuw hun heerschappij over Plataeae te vestigen. Plataeae klopte voor hulp aan bij de Spartanen, indertijd de geduchtste militaire macht van Griekenland.

Maar de Spartanen stonden erom bekend dat ze met hun leger liever niet buiten de Peloponnesos opereerden en stelden voor dat Plataeae in plaats daarvan Atheense hulp inschakelde. De historicus Herodotus (geen groot Spartafan) beweert dat de Spartanen het vuurtje tussen Athene en Thebe wilden oppoken. In ieder geval is dat wat er gebeurde. Toen de Thebanen Plataeae wilden dwingen zich bij hun verbond te voegen, bracht een Atheens leger hun een zware nederlaag toe. Daarna werd de Asopus de grens tussen Thebe en Plataeae. De inwoners van laatstgenoemde stad waren de Atheners eeuwig dankbaar.

In 490 v.Chr. stond Athene op de vlakte van Marathon, ten noordoosten van Athene, in zijn eentje tegenover het machtige Perzische leger. De Spartanen hadden, tot hun latere schaamte, geweigerd Athene te helpen. Vervolgens zagen de Atheners verontrust dat er nieuwe troepen bij het slagveld aankwamen. Aangezien niemand Athene wilde helpen, moesten de nieuwkomers wel vijanden zijn. Maar niets bleek minder waar: het waren versterkingen uit Plataeae. Dit contingent was weliswaar klein, maar bestond uit elke gezonde man uit Plataeae die zich in een wapenuitrusting had kunnen hijsen.

De Perzen werden verslagen. Terwijl de Atheners dankbaar terugdachten aan de hulp van Plataeae, deden de Perzen datzelfde vol wrok. Tien jaar later rukten de Perzen opnieuw op naar Griekenland. Hun verbeterde invasiemacht versloeg eerst de Spartanen bij Thermopylae en maakte vervolgens zowel Athene als Plataeae met de grond gelijk. In 479 v.Chr. volgde het culminatiepunt van de Perzische Oorlogen. Tijdens een hevige slag vlak bij de ruïnes van Plataeae versloeg een gecombineerde Griekse troepenmacht de Perzen (en Thebanen). Eindelijk werden de Perzen uit Griekenland verdreven. Plataeae werd heropgebouwd door een dankbaar land en de inwoners zouden in Athene extra voorrechten genieten.

Tegen Sparta

Helaas was de eensgezindheid die de Grieken vertoonden dankzij de Perzische dreiging van korte duur. Athene onderdrukte zijn voormalige bondgenoten en dwong hen in de rol van onwillige onderdanen van het groeiende Atheense rijk. Dit alarmeerde Sparta, dat zich met Korinte verenigde in een anti-Atheens bondgenootschap. Ook Thebe voegde zich daarbij, waardoor Plataeae in het Atheense kamp terechtkwam.

Toen de vijandigheid uitmondde in openlijke oorlogsvoering probeerden de Thebanen Plataeae uit te schakelen via een verrassingsaanval die als doel had de stad in te nemen. Maar toen de Plataeaeërs eenmaal in de gaten hadden dat de Thebaanse voorhoede slechts uit een paar honderd man bestond, richtten ze een bloedbad aan onder de indringers en bereidden ze zich voor op een beleg. Aangezien de strategische locatie van Plataeae aanvallen op Athene ernstig hinderde, probeerden de Spartanen de plek uit alle macht in te nemen.

De frontale aanvallen op de muren mislukten. Een helling die tegen de stadsmuur werd aangebouwd bleek niet de oplossing, aangezien de Plataeaeërs tunnels onder hun eigen muren hadden gegraven en de aarde onder de helling even snel weer weggroeven als de Spartanen die konden verhogen. Het plan van een naast de muur gebouwde toren mislukte doordat de Plataeaeërs hun muur sneller ophoogden dan de Spartanen hun toren. En een vindingrijke poging om de poorten te vernietigen door middel van een vuurspuwend apparaat mislukte toen door de veranderende windrichting het Spartaanse kamp zelf bijna in lichterlaaie werd gezet.

Uiteindelijk kozen de Spartanen voor de beproefde belegeringstactiek om buiten de muren te wachten totdat de stedelingen waren verhongerd. De inwoners van Plataeae ondernamen nog wel een uitbraakpoging waarbij een groot deel van de bevolking ontkwam, maar in 427 v.Chr. zagen de laatste verdedigers zich als gevolg van de honger genoodzaakt de stad op te geven. De verbolgen Spartanen moordden het garnizoen uit en Plataeae werd wederom vernietigd.

Opnieuw Thebe, en toen als keizerlijk bezit

Op de plek van Plataeae bouwden Thebanen een *katagogeion* (een soort gasthuis) en een grote tempel voor Hera. In de jaren zeventig van de vierde eeuw v.Chr., zodra de Peloponnesische Oorlog was afgelopen (Athene verloor), werd Plataeae weer heropgebouwd. De inwoners weigerden halsstarrig om zich aan te sluiten bij het door Thebe geleide verbond. Toen de heropgebouwde stad de nu aan Hera gewijde grond schond, grepen de Thebanen dat in 373 v.Chr. aan als excuus om Plataeae opnieuw te verwoesten.

Tot geluk van de Plataeaeërs overschatte Thebe zichzelf in zijn verzet tegen de opkomende Macedonische macht. Nadat de stad eerst nog een verbond had gesloten met de Macedonische koning Philippus II (die een deel van zijn jeugd in Thebe had doorgebracht), kwam Thebe in opstand tegen Philippus' zoon Alexander de Grote. Alexander maakte zijn gevoelens duidelijk door Thebe van de kaart te vegen en Plataeae ostentatief te herbouwen. Alexander stond op het punt om zijn offensief tegen Perzië te lanceren en wilde zich solidair betonen met het kleine stadje dat zich had verzet tegen zowel de macht van het Perzische Rijk als het Thebaanse gekoeioneer.

Onder het Macedonische en later Romeinse bewind gedijde Plataeae, ook al verloor de stad als onderdeel van een groter rijk haar strategische belang. Dat was eigenlijk wel zo prettig, want het ontnam andere machten de reden om Plataeae te vernietigen. Gedurende heel de Romeinse en daarna Byzantijnse tijd bleef Plataeae bewoond. Na de val van het Byzantijnse Rijk lijkt Plataeae definitief te zijn verlaten.

Plataeae vandaag de dag

Tegenwoordig is het antieke Plataeae weliswaar geen bijzonder spectaculaire ruïne, maar de restanten worden toch vaak bezocht door toeristen met belangstelling voor militaire geschiedenis. Zij willen met eigen ogen de locatie zien waar zich de epische veldslag bij Plataeae voltrok die Griekenland van het Perzische juk bevrijdde.

Een paar kilometer verderop is een dorp ontstaan dat Plataies heet. Sinds een bestuurlijke hervorming in 2011 valt het dorp onder de gemeente Thebe. En dus heeft Thebe, na een bewogen 2500 jaar, eindelijk zijn antieke doel bereikt en Plataeae onder zijn bewind gebracht.

Hoewel de Perzische boogschutters van afstand dodelijk waren, maakten ze in het man-tegen-mangevecht weinig kans tegen de Griekse hoplieten. Dat wordt grafisch verbeeld op deze roodfigurige vaas uit de tijd van de Perzische Oorlogen (ca. 470 v.Chr.).

Ca. 3000 v.Chr.-500 n.Chr.
Taxila
Een stad in drie termijnen

's Werelds eerste universiteit, waar werd lesgegeven in bijvoorbeeld geneeskunde, krijgskunst en rechten.

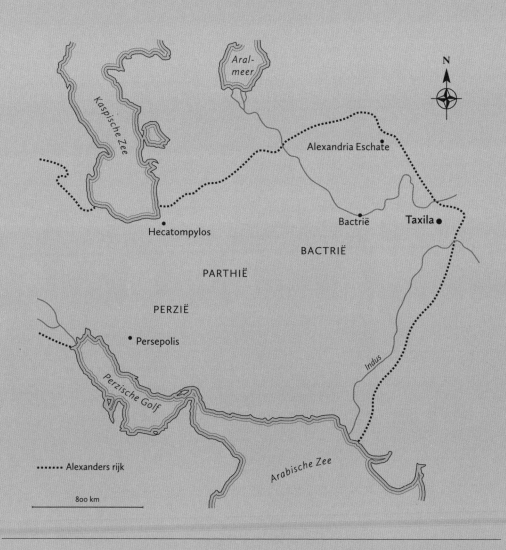

Zo'n 1500 jaar lang keek de stad Taxila vanaf een heuvel uit over de rivier de Tamra Nala, 32 kilometer ten noordwesten van de huidige Pakistaanse hoofdstad Islamabad. Deze locatie maakte van Taxila bij uitstek een stad waar de verschillende Euraziatische beschavingen elkaar troffen, onderling handeldreven en oorlog voerden. Taxila werd in de eerste eeuw n.Chr. bezocht door de Griekse filosoof Apollonius van Tyana, en in de zevende eeuw door de Chinese monnik Xuanzang. Onder degenen die in uiteenlopende tijden door de straten van de stad liepen, waren de Achaemenidische Perzen, de Griekse soldaten van het leger van Alexander de Grote, Indiërs van het Mauryarijk, Scythen, Parthen, Koesjieten en Hunnen.

Oorsprong

Dit reliëf uit de twee-de eeuw n.Chr. met daarop de Boeddha en monniken in de stoepa van Jaulian, in Taxila, vertoont een mix van Indiase, Griekse en Perzische artistieke stijlen.

De eerste landbouwdorpen in dit gebied ontstonden omstreeks 3500 v.Chr., rond de tijd dat in Mesopotamië, zo'n drieduizend kilometer naar het westen, de eerste steden vorm kregen. De eerste nederzetting in Taxila bevond zich op wat tegenwoordig de Saraikala Mound wordt genoemd. Van de steentijd tot de bronstijd bracht die plek artefacten

Op deze twee *paterae* uit Taxila zien we Cetus, een zeemonster uit de Griekse mythen. Op de linker wordt hij bereden door een onbekende held, op de rechter door een nereïde (zeenimf) en een cherub.

Een gevellijst met een reliëf van weelderig geklede mensen, mogelijk gelovigen.

Een man die de in de vorm van een olifant vormgegeven tuit van een kan berijdt. Eerste eeuw n.Chr.

voort, waaronder een aantal fascinerende gereedschappen waaraan je kunt zien hoe de ene periode overgaat in de andere. Degenen met een meer romantische inslag geloven misschien liever de mythe dat de stad werd gesticht door een zekere Taksa, de neef van de hindoegod Rama, die de stad naar zichzelf vernoemde: Takshashila.

Wat buiten kijf staat is dat de stad altijd al Taxila heette, al betekent die naam volgens een andere etymologische verklaring 'de uit steen gehouwen stad'. Hoe dan ook maakte de ineenstorting van de Indus-beschaving een einde aan deze versie van Taxila. Toen de stad rond 700 v.Chr. nieuw leven werd ingeblazen, bevond ze zich op een net iets andere locatie, de tegenwoordige Bhir Mound.

Waarschijnlijk waren het de Achaemenidische Perzen die zagen dat het nuttig zou zijn om op dit steeds belangrijkere handelsknooppunt een stad te stichten. Uit archeologische opgravingen blijkt dat de stad begon als handelspost en zich op organische wijze uitbreidde: eerst tot een groot emporium (handelscentrum) en vervolgens tot een volwaardige stad. Een lange straat – vermoedelijk de weg waarlangs de eerste gebouwen werden opgetrokken – liep van de ene naar de andere kant van deze versie van Taxila. Later werden er winkels en huizen gebouwd aan de straten en lanen die haaks hierop liepen.

In de stad bevond zich echter een geavanceerd waterafvoersysteem met 'sijpelputten' (een vroege versie van septic tanks) voor het rioolwater. Anders dan veel van de vroege stadstaten in de mediterrane wereld ontstond Taxila binnen een georganiseerd rijk, zodat er geen aanleiding lijkt te zijn geweest om verdedigingsmuren te bouwen. De stad lijkt in eerste instantie tot het Perzische Rijk te hebben behoord, en later onder bewind te hebben gestaan van de rivaliserende Indiase machten in het zuiden. In de tussenfase waarin die staten niet sterk genoeg waren om Taxila te overheersen, bestond Taxila als een onafhankelijke stad.

Taxila was onafhankelijk toen in 326 v.Chr., ten tijde van het bewind van een zekere koning Omphis (Ambhi), het leger van Alexander de Grote ten tonele verscheen. De stad bood geen verzet en voegde zich onmiddellijk bij het Macedonische Rijk. Dat werd gevierd met offers, paardrijwedstrijden en atletiek. Wat hielp was dat Alexander een zucht had naar kennis en geleerdheid en dat Taxila bekendstond om zijn wijzen – een reputatie die in de eeuwen daarna alleen maar zou groeien. De historicus Arrianus (*Anabasis* 7.1.6) schrijft dat Alexander zo onder de indruk was van deze wijzen, dat hij probeerde om hen naar zijn koninklijk hof te halen.

Alexanders rijk was een kort leven beschoren. Zijn Seleucidische opvolgers hadden meer belangstelling voor de heerschappij over de delen van het rijk dichter bij Griekenland en het Middellandse Zeegebied. Zodoende bevond de stad zich tegen 317 v.Chr. opnieuw onder Indiaas bewind; het werd onderdeel van het door Chandragupta gestichte Mauryarijk. In India groeide de populariteit van het boeddhisme en Taxila werd een van de belangrijkste kenniscentra van die religie.

De 'Grote' of Dharmarajika-Stoepa in Taxila uit de
derde eeuw v.Chr. In de vijfde eeuw werd de plek
verwoest door indringers en vervolgens verlaten.

Studenten kwamen niet alleen naar Taxila om de boeddhistische religie te bestuderen, maar ook om kennis op te doen over bijvoorbeeld geneeskunde, krijgskunst en rechten. Sommige academici hebben betoogd dat 's werelds eerste universiteit dan ook in Taxila stond. Maar een vast curriculum ontbrak. Leraren gingen zelf over leerdoelen en de syllabus; iets zoals afstuderen bestond niet. Studenten kwamen vaak als tiener en vertrokken weer wanner hun leraar tevreden vaststelde dat ze genoeg hadden geleerd.

Alexanders rijk in het oosten was weliswaar ingestort, maar wat overbleef was het Bactrische koninkrijk, een fascinerende Indiaas-Griekse staat. Hoewel het van het westen werd gescheiden door het nieuwe Parthische Rijk, zou Bactrië de daaropvolgende eeuwen als staat floreren. Toen de Bactriërs het bewind over Taxila overnamen, zaten ze klaarblijkelijk in hun maag met de onverdedigbare aard van de stad. Ze verplaatsten de stad namelijk opnieuw naar een locatie aan de andere kant van de rivier, de plek die tegenwoordig de Sirkap Mound wordt genoemd. Deze dankzij haar ligging beter verdedigbare plek werd bovendien omringd door massieve stenen stadsmuren van zo'n vijf kilometer lang, waarin grote bastions waren gebouwd.

Mede dankzij haar aanzienlijke verdedigingswerken overleefde de stad de opkomst en neergang van de Bactrische macht door zelf te wisselen tussen de status van Bactrische stad en onafhankelijke stadstaat. De munten die het onafhankelijke Taxila liet slaan, laten een ronduit fascinerende mix van culturele invloeden zien, waarbij (bijvoorbeeld) Griekse legenden in Indiase stijl werden afgebeeld. De stad zelf vertoont duidelijk Griekse invloeden, want deze versie van de stad werd aangelegd volgens de stedenbouwkundige principes van de Griek Hippodamus. Niettemin hadden boeddhistische invloeden de overhand.

Het latere Taxila

Toen begin eerste eeuw v.Chr. de laatste Bactrische koning door de Indo-Scythen uit het zadel werd gewipt, kreeg Taxila nieuwe heersers. Wellicht was het rond die tijd dat de Romeinse schrijver Strabo berichten kreeg over het oosten en in zijn *Geografika* (15.1.62) het volgende noteerde:

Een aantal merkwaardige gebruiken in Taxila:

Mensen die zich geen bruidsschat kunnen veroorloven voor hun dochters wanneer zij de huwbare leeftijd hebben bereikt, brengen hen naar het marktplein en roepen met trompetgeschal een menigte bijeen (...) als een man interesse toont, dan ontbloten ze haar achterste en vervolgens haar voorzijde tot aan haar schouders. Is de man tevreden en laat de vrouw zich overhalen, dan zijn ze getrouwd.

Op deze decoratieve stenen console uit Taxila staat een cherubachtige jongeman met een vliegenmepper.

Een bewerkte schijf-
steen uit Taxila uit de
eerste eeuw v.Chr.
Palmetten en lotus-
knoppen vormen samen
een esthetisch fraai
patroon.

De doden worden naar buiten gegooid, waar de gieren hen verslin-
den.

In de westerse antieke teksten vinden we ook bij Aelianus een vermelding van Taxila. In zijn *De Natura Animalium* (12.8) staat dat de olifanten in dit gebied gemiddeld groter zijn dan elders.

De neergang van het West-Romeinse Rijk leidde ook de neergang
in van Taxila, aangezien de handel over de Zijderoute sterk afnam. Na
nog meer wederwaardigheden werd Taxila in 450 n.Chr. veroverd door
een stam die verwant was aan de Hephthalieten (Witte Hunnen). Bij
daaropvolgende aanvallen werden de boeddhistische kloosters en
kenniscentra vernietigd. Hoewel restanten van de stad voortbestonden
binnen het kortstondige Hunse Rijk, was Taxila toen in feite een spook-
stad geworden. De laatste bezoeker van wie we weten, de Chinese
monnik Xuanzang, berichtte in 645 n.Chr. over grotendeels verlaten
ruïnes. De duizend jaar daarna was Taxila voor de mensheid verloren.

Taxila vandaag de dag

De huidige versie van Taxila – de vierde – ligt als hedendaagse stad
zodanig dicht bij de oorspronkelijke, in de jaren zestig van de negentiende eeuw herontdekte stad dat de antieke ruïnes worden aangetast
door industriële vervuiling, plunderingen en de nabijgelegen kalksteen-
groeven. Volgens de Unesco staat Taxila, een Werelderfgoedlocatie, op
het punt opnieuw te verdwijnen, ditmaal ten gevolge van kenmerkende
eenentwintigste-eeuwse bedreigingen.

Tegenwoordig worden veel van de artefacten uit Taxila opgeslagen
in een speciaal daartoe ingericht museum, dat een van de belangrijkste
collecties Grieks-Indiase boeddhistische sculpturen ter wereld herbergt.

83 v.Chr.-ca. 850 n.Chr.
Tigranocerta
De verloren hoofdstad van
een verloren rijk

Een van de weinige plekken waar de culturen
van oost en west vreedzaam samengingen.

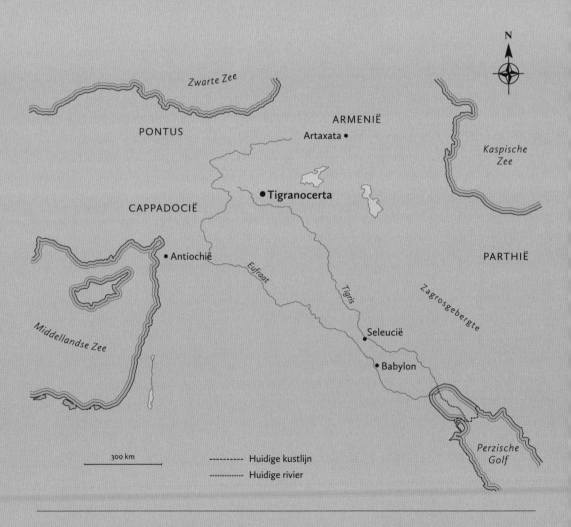

Het was de droom van Alexander de Grote om in het oosten een cultuur te creëren die de Griekse en de Perzische combineerde. Deze droom stierf samen met Alexander, want zijn chauvinistisch Macedonische generaals zagen geen reden om dat wat succes had te veranderen. Het gevolg hiervan was dat in de nieuwe nederzettingen in de door Alexander veroverde gebieden Griekse steden als het ware boven op de inheemse cultuur werden gebouwd, zonder dat beide zich echt vermengden. Om een idee te krijgen van wat had kunnen zijn wanneer Alexanders ambities waren verwezenlijkt, zullen we ons moeten wenden tot een latere koning die zijn nieuwe hoofdstad wél vormgaf op basis van Alexanders ideaal.

Het Armeense Rijk

Tegenwoordig associëren we Armenië niet zo snel met imperiale macht, maar tweeduizend jaar geleden strekte het Artaxidenrijk van Armenië zich uit van de Kaspische tot aan de Middellandse Zee. De heerser was Tigranes II, die vanwege zijn daden door hedendaagse historici – net als vroeger door sommige oude Grieken – 'Tigranes de Grote' wordt genoemd.

In de eerste eeuw v.Chr. maakte de Levant een periode van politieke chaos door. De macht van het Seleucidische Rijk taande snel

Tigranocerta Artsakh, in het huidige Azerbeidzjan, is een van een aantal steden met deze naam die werden gesticht door het Armeense rijk van de Artaxiden. De exacte locatie van de door Tigranes II ('de Grote') gestichte hoofdstad Tigranocerta is onbekend.

(Seleucus was een generaal van Alexander die de macht in handen had gekregen over het uitgestrekte gebied van Bactrië tot aan de Middellandse Zeekust) en de steden van het gebied keken uit naar een nieuwe beschermheer. In deze semi-anarchistische periode ging het Armenië voor de wind als een relatief veilige haven die door de bergen werd beschermd. Tigranes maakte handig gebruik van de natuurlijke voordelen van de ligging en bouwde aan een uitgestrekt multi-etnisch rijk. Dat wist hij vervolgens te handhaven dankzij een combinatie van militaire kracht en gewiekste politiek.

Een nieuwe hoofdstad

Het nieuwe rijk van Tigranes had een nieuwe hoofdstad nodig. De vorige Armeense hoofdstad, Artaxata, lag te diep in het Armeense achterland om goed bereikbaar te zijn voor de meeste inwoners van de nieuwe zuidelijke gebieden van Tigranes. En dus koos hij een nieuwe locatie. Die lag aan de beroemde 'Koninklijke Weg', die ooit de mediterrane gebieden van het Achaemenidische Perzische Rijk met hun Iraanse thuisland verbond.

Een tetradrachme met Tigranes II op de voorkant en Tyche (Fortuna) van Antiochië op de achterkant. Aangezien Antiochië deel uitmaakte van het imploderende Seleucidische Rijk, reflecteert deze munt de keizerlijke ambities van Tigranes.

Zoals zoveel heersers voor en na hem noemde Tigranes zijn nieuwe hoofdstad naar zichzelf: Tigranocerta, 'de door Tigranes gestichte stad'. In 83 v.Chr. werd met de bouw begonnen.

Aangezien deze stad een monument voor hemzelf moest worden, wilde Tigranes haar zo luisterrijk maken als de middelen van zijn aanzienlijke rijk toelieten. De koning werd als een man van zijn tijd beïnvloed door de Griekse, Perzische en zijn inheemse Armeense cultuur. Tigranocerta weerspiegelde het multiculturele perspectief van zijn monarch.

Waar Griekenland en Perzië samenkwamen

Van meet af aan kende Tigranocerta Griekse maatschappelijke voorzieningen. Tigranes was een groot bewonderaar van Griekse filosofen en toneelschrijvers. Daarom liet hij een groot theater voor de burgers bouwen, waarschijnlijk naast een agora en gymnasium in Griekse stijl. Buiten de stadsmuren trok hij voor zichzelf echter een paleis op in Perzische stijl, met inbegrip van een jachtterrein en lusthof (een 'paradijs' geheten, naar het in het Grieks overgenomen Avestische leenwoord *pairidaeza*, wat 'omheining' of 'park' betekent).

Toen had de stad alleen nog een bevolking nodig. Tigranes had wel een idee waar hij die vandaan kon halen. Dat hij naar de hellenistische cultuur neigde had onder meer te maken met zijn hellenistische vrouw, Cleopatra. (Oorspronkelijk was Cleopatra eerder een Griekse dan een Egyptische naam. In de Griekse mythologie kwam een vroege Cleopatra voor die de dochter was van Boreas, de noordenwind.) De vader van de Cleopatra van Tigranes was eveneens een ambitieuze en expansionistische monarch, namelijk Mithridates van Pontus, die in diezelfde tijd een fraai koninkrijk uitbouwde dat grote delen van Anatolië en de Krim besloeg.

De ambities van zowel Mithridates en Tigranes strekten zich uit tot Cappadocië, een groot maar slecht georganiseerd koninkrijk in Zuid-Anatolië. Het lijkt erop dat Tigranes en Mithridates niet hebben getwist over de buit, maar na onderling overleg tot een regeling kwamen: Mithridates zou een marionet in Cappadocië installeren en Tigranes kon een slordige 300.000 Cappadociërs naar Armenië halen. Die moesten zijn nieuwe hoofdstad bevolken.

De gedwongen migranten werden gevolgd door veel vrijwilligers. De biograaf Plutarchus meldt dat de burgertrots groot was. 'De plek wemelde van kostbaarheden. En iedereen, ongeacht of hij een prins of een gewone burger was, wedijverde met de koningen in het verfraaien en uitbouwen van de stad' (*Lucullus* 26.2). Hebreeën uit Palestina, Arameeërs uit Mesopotamië en Arabieren uit het zuiden droegen al snel bij aan het kosmopolitische leven van Tigranocerta.

De Romeinse catastrofe

De plundering van Cappadocië bezorgde Tigranes zowel rijkdom als problemen. Het koninkrijk dat Mithridates en hij zo nonchalant hadden leeggeroofd stond namelijk onder bescherming van de Romeinse Republiek. En in deze tijd was de Romeinse Republiek militaristisch en oorlogszuchtig. Bovendien werd ze geleid door politici die hunkerden naar glorie en tevens naar het geld dat nodig was om hun steeds duurdere aristocratische leven te bekostigen.

De Romeinen bonden de strijd aan met Mithridates met als bedoeling Pontus te plunderen. Dit verliep niet van een leien dakje, want Mithridates was allerminst een lijdzaam slachtoffer. Niet alleen sloeg hij de Romeinse aanval af, bovendien veroverde hij heel Klein-Azië en delen van Griekenland. En passant doodde hij tienduizenden Romeinen. Maar zoals altijd volhardde Rome. Uiteindelijk verdreven de legioenen Mithridates uit zijn koninkrijk en dwongen ze hem om zijn toevlucht te zoeken bij zijn schoonzoon in Tigranocerta.

Toen Tigranes weigerde om Mithridates aan de Romeinen uit te leveren, kwamen de Romeinen (mede voortgedreven door het vooruitzicht om de rijkdommen van het Armeense Rijk te kunnen roven) hem halen. Dit leidde in 69 v.Chr. tot een oneerlijke strijd die door Rome en Armenië werd uitgevochten net ten zuidwesten van de nog altijd niet helemaal afgebouwde muren van Tigranocerta. Tigranes had een leger van misschien wel honderdduizend manschappen, de Romeinse generaal Lucullus beschikte over misschien een tiende daarvan. Bij de aanblik van het meelijwekkend kleine Romeinse leger grapte Tigranes: 'Voor een diplomatieke missie is het te groot, voor een invasiemacht te klein.'

Een afbeelding van een veldslag tussen Romeinen en Armeniërs uit een in 1475 samengesteld manuscript. Hoewel bijna geen detail klopt, geeft deze illustratie een interessant idee van hoe men zich in dat latere tijdperk de oudheid voorstelde.

De val van Tigranocerta

Dat Romeinse leger mocht dan klein zijn, het bestond wel uit zeer ervaren en gemotiveerde legionairs die de strijd graag zo snel mogelijk achter de rug wilden hebben zodat ze eindelijk met verlof naar huis konden. Aangezien Tigranes' leger te groot was om frontaal aan te vallen, liet Lucullus zijn mannen naar een van de flanken van die logge macht zwenken. Vervolgens vochten ze zich door de gelederen van hun vijand naar het centrum.

Het gros van Tigranes' soldaten had sowieso geen trek in deze oorlog. Geconfronteerd met de meedogenloze Romeinse aanval stortte het moreel in. Tigranes moest vluchten, de weg naar de stad lag open. De Cappadocische bevolking van Tigranocerta maakte er geen geheim van aan wiens kant ze stond en juichte zelfs voorafgaand aan de slag al voor Lucullus. De stadsmuren waren weliswaar onvoltooid, maar toch twintig meter hoog en zo dik dat er stallen in waren gebouwd. Maar dat mocht allemaal niet baten, want de inwoners openden enthousiast de poorten en verwelkomden de invasiemacht.

Hoewel Tigranes zijn harem en een groot deel van de koninklijke schatkist wist te redden, plunderden de Romeinen naar schatting acht-duizend gouden talenten (1 talent woog zo'n 25 kilo). Lucullus gaf de Cappadocische bevolking de kans om terug te keren naar haar eigen land. Voor zijn eigen vertrek stak hij de stad in brand.

Het latere Tigranocerta

Tigranocerta herstelde zich weliswaar van de Romeinse plunderingen, maar zou zijn keizerlijke luister nooit meer terugkrijgen. Toen de Romeinse leider Pompeius de Grote een decennium later naar de streek kwam, wees hij Tigranocerta opnieuw aan als bestuurscentrum. De stad zou een rol spelen in de oorlogen tussen de Parthen en de Romeinen in de eerste eeuw n.Chr.: Armenië zat namelijk klem tussen de twee rivaliserende rijken en kon alleen via slimme diplomatie voorko-men dat het door de ene of de andere macht werd vermorzeld. In 83 n.Chr. werd Tigranocerta kortstondig opnieuw door de Romeinen be-zet, maar na succesvolle onderhandelingen vertrokken ze weer snel.

Nadien bleef Tigranocerta in de regio een belangrijke stad. In de vierde eeuw kwam Tigranocerta onder direct Romeins gezag te staan. Toen het Oost-Romeinse Rijk overging in het Byzantijnse Rijk, werd de stad ter ere van de christelijke martelaren omgedoopt tot Martyropolis. Nadat de stad in de zevende eeuw bij het Arabische kalifaat ging horen, kreeg ze opnieuw een andere naam, Mayarfarkin. Maar toen had de neergang al ingezet.

Geleidelijk veranderde de ooit trotse hoofdstad in een verlaten ruïne. In de middeleeuwen raakte haar locatie in de vergetelheid.

Tigranocerta vandaag de dag

De exacte locatie van de hoofdstad van Tigranes blijft een mysterie. Algemeen wordt aangenomen dat ze lag in de provincie Diyarbakır, in de Koerdische regio van het huidige Turkije, en aan de Tigris of de ri-vier de Batman, waarschijnlijk vlak bij Silvan. En toch liet Tigranocerta zich door archeologen vooralsnog niet lokaliseren. Daardoor blijft het voorlopig niet meer dan een symbool van de kortstondige Armeense periode als grootmacht en van een van de weinige historische momen-ten waarop de culturen van oost en west vreedzaam samengingen.

Ca. 510-330 v.Chr.
Persepolis
Een politiek symbool

*Persepolis werd gebouwd als een politiek symbool, en ook
zijn vernietiging was een symbolische politieke daad.*

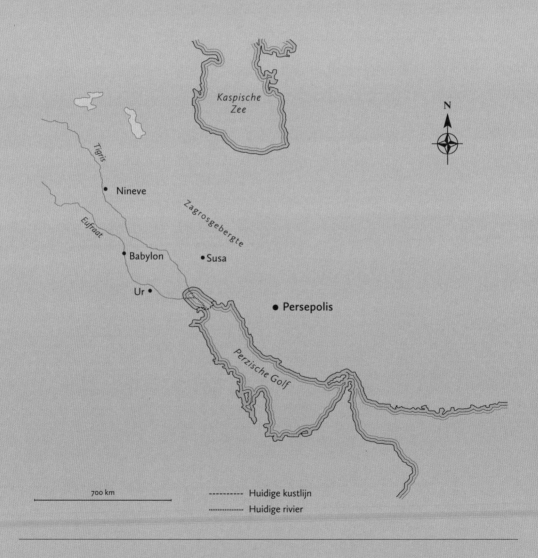

Kaspische Zee

Tigris

Nineve

Zagrosgebergte

Eufraat

Babylon

Susa

Ur

Persepolis

Perzische Golf

N

700 km

---------- Huidige kustlijn

·············· Huidige rivier

Steden heb je in allerlei soorten en maten. Niet alle steden zijn bedoeld om mensen te huisvesten. Hiervan was Persepolis een extreem voorbeeld, aangezien deze hoofdstad amper een bevolking had. Onderzoekers stelden zelfs dat de stad gedurende grote delen van het jaar nagenoeg was uitgestorven.

Gelegen aan de voet van de 'Berg van de Barmhartigheid' (Kuh-e Rahmat) vormde Persepolis ooit het hart van het qua grondgebied grootste keizerrijk uit de oudheid. Op zijn hoogtepunt strekte het Achaemenidische Perzische Rijk zich uit van de kusten van de Middellandse Zee en de zuidelijke cataracten van de Nijl tot aan de berghellingen van de Himalaya en de oevers van de Indus.

Dit was het rijk van Cyrus de Grote, wiens opvolgers de tempels van de Atheense Akropolis neerhaalden en bij Thermopylae de Spartanen afslachtten. De Perzische heerser werd de 'koning der koningen' genoemd. En dat was geen loze titel. Hij voerde het bewind over letterlijk honderden kleine en grote koninkrijken. Het Perzische Rijk was zo groot dat het onmogelijk rechtstreeks door één man viel te besturen.

Een van de eerste opvolgers van Cyrus, koning Darāyavauš (onder de Grieken beter bekend als Darius I, 'de Grote'), besefte dat het Perzische uitgestrekte en kosmopolitische rijk behoefte had aan een hoofdstad die de eenheid van regering en mensen symboliseerde. 'Ahura

De zeer kenmerkende Perzische kunst uit de Achaemenidische periode is uitermate gestileerd en toch uitermate krachtig. Hier zien we hoe een leeuw zich op zijn prooi stort, terwijl op de achtergrond een processie een trap oploopt.

Dankzij de details van dit reliëf uit de 'Hal van de Honderd Zuilen' herkennen we een Medische edelman: zie zijn ronde vilten kap en kenmerkende riem. Hij houdt de hand vast van iemand in een Perzisch gewaad, wat wellicht de vriendschap tussen de twee volkeren moest symboliseren.

Mazda [de Perzische oppergod] besloot dat deze vesting moest worden gebouwd, en alle andere goden stemden daarmee in. Ik bouwde haar, en bouwde haar veilig, functioneel en mooi.' Dat was de boodschap van Darius in de eerste steen aan latere generaties, die door hedendaagse archeologen zou worden herontdekt. Hij noemde de stad 'Parsa', wat de Grieken vertaalden als 'Persepolis'. Beide namen betekenen 'Stad van de Perzen'.

Rond 510 v.Chr. werd begonnen met de bouw van een enorm platform. Daarop moesten de belangrijkste gebouwen een plek krijgen. Tegenwoordig bestaat dit massieve terras nog steeds. Het is opgebouwd uit grote, zonder specie op elkaar geplaatste blokken steen. Vanaf de grond aan de oostkant loopt het terras de berghelling op, zodat het op zijn meest westelijke punt twaalf meter hoog is. De locatie beslaat in totaal 125.000 vierkante meter en kijkt uit over de weidse vlakte Marvdasht, een vruchtbaar gebied dat wordt gevoed door de samenloop van de rivieren de Pulvar en de Kor. (Vandaag de dag staat de regio bekend om de druiven die in de omgeving van Shiraz worden verbouwd en die een wijn produceren die in de smaak viel bij zowel Marco Polo als vele latere reizigers.)

Darius stichtte niet alleen Persepolis, maar herbouwde ook de steden Ecbatana en Susa als regionale hoofdsteden. Want in weerwil van zijn enorme belang als het ceremonieel centrum van het rijk, was Persepolis als bestuurlijk centrum niet ideaal gelegen. Het bevindt zich namelijk op weinig toegankelijk terrein op zo'n 850 kilometer van het huidige Teheran. In de wintermaanden moet de reis daarheen lastig zijn geweest.

Tegen de tijd dat Darius overleed was de stad al wel een verbluffend, maar zeker nog niet voltooid monument. Bijna twee eeuwen later waren zijn opvolgers nog steeds elementen aan het toevoegen. Wel was Persepolis inmiddels het zomerverblijf van de koning der koningen geworden, en tevens de plek waar lagere koningen hun trouw aan hun soeverein kwamen betonen. Die kennis danken we aan de bas-reliëfs op de nog altijd bestaande muur waarop 23 onderworpen volkeren zijn afgebeeld die hun eer komen bewijzen. De afbeeldingen zijn zo gedetailleerd dat we de meeste nationaliteiten kunnen identificeren. De gezanten brengen geschenken: gouden en zilveren vazen, sieraden, exotische dieren, zeldzame kruiden en verfijnde stoffen. Ondertussen kijken koninklijke wachters en Perzische edellieden toe.

Zulke evenementen waren op hun spectaculairst tijdens de lente-equinox, die het Perzisch nieuwjaar inluidde (en in het huidige Iran nog altijd wordt gevierd). Zij die hun trouw komen betonen arriveren via de hoofdpoort, waar in de westelijke muur de monumentale trap zo breed was uitgehouwen dat de koning die te paard kon beklimmen zonder dat zijn koninklijke voeten de grond hoefden te raken. Vervolgens wachtten de afgevaardigden in een kleine binnenplaats op toegang via wat tegenwoordig de Poort van Alle Volkeren wordt genoemd, en tot de enorm hoge deuren van de Apadana of ontvangsthal. Dit laatste gebouw was zo groot dat het plek bood aan duizenden mensen.

De Apadana was het grootste en meest grandioze van de gebouwen van Persepolis. Darius had het dan ook speciaal laten ontwerpen om bezoekers versteld te doen staan. Zelf zou hij de voltooiing niet meemaken, maar hij zou ongetwijfeld tevreden zijn geweest over het gebouw dat zijn opvolger Xerxes liet afronden. De muren waren ingelegd met marmer, al bestonden ze vooral uit inheems grijs kalksteen dat zo was gepolijst dat het spiegelde. Zelfs tegenwoordig maken de restanten van de Apadana grote indruk, ook al staan er nog maar dertien hoge zuilen overeind.

Deze zuilen zijn opvallend hoog en slank, een type dat uniek is voor het Perzische Rijk. Het verschil met Griekse zuilen is dat de ronde, gecanneleerde schachten nog steeds de kenmerken van het oorspronkelijke houten model te zien geven (die waren gemaakt van de hoge ceders uit het Libanongebergte) en dat de kapitelen die het dak ondersteunen de vorm hebben van twee dieren tegen elkaar aan. Dankzij dit ontwerp steunden de dakbalken direct op de dierenhoofden. Het resultaat is een kenmerkend Perzische stijl bestaande uit een combinatie van Griekse, Egyptische en Babylonische elementen. Het past uitstekend bij het uitgestrekte multiculturele rijk van Perzië.

Elke Perzische koning liet op het terras nieuwe gebouwen optrekken. Daaronder waren soms schitterende paleizen, soms woonvertrekken voor de koning en zijn hovelingen. Op afstand van het hoofdterras zijn bescheidener woonverblijven aangetroffen. Wellicht werden daarin de werklui ondergebracht die hier permanent woonden en hun carrière wijdden aan het continue bouwproject dat Persepolis was.

Naast de werklui waren de beheerders de andere semipermanente bewoners van de stad. Zij hadden er tot taak om alles in goede banen

'Geef de keizer...' Gezanten van onderworpen volkeren beklimmen de Grote Trap in Persepolis om ten teken van hun onderwerping hulde te brengen aan de Perzische koning.

te leiden. Hoewel het rijk vooral werd bestuurd vanuit de regionale hoofdsteden, hielden de klerken van Persepolis nauwkeurig bij welke goederen door de boeren werden aangeleverd en wie er nog voorraden graan, wijn of vee was verschuldigd. Andere bronnen beschrijven de locaties en logistieke mogelijkheden van dorpen, vestingen, steden en koninklijke domeinen in het bestuursdistrict van Persepolis.

Persepolis werd gebouwd als een politiek symbool, en ook zijn vernietiging was een symbolische politieke daad. De vernietiger was Alexander de Grote, die de stad in 331 v.Chr. verwoestte. Het ontoegankelijke karakter van de stad sorteerde overigens wel effect, want het kostte Alexanders leger veel moeite om over de bergen en langs de Perzische verdedigers te trekken.

Alexander wilde Persepolis graag innemen. En dan niet alleen vanwege de buit die in de koninklijke schatkamers lag te wachten. Door de Perzische hoofdstad te veroveren, kon Alexander zijn claim dat hij het Perzische Rijk had veroverd kracht bijzetten. Maar toen hij de stad eenmaal had veroverd, had hij een nieuw probleem. Want wat met Persepolis te doen? De stad symboliseerde als monument de grootsheid van de Perzische koningen. Een aantal van hen lag begraven in de indrukwekkende stenen tombes die waren uitgehakt in de berg die boven de stad uittorende.

Het laatste waar Alexander op zat te wachten was een permanente herinnering aan de glorie van de dynastie die hij had verslagen. En dus keerden hij en zijn gevolg in een dronken nacht terug om de stad tot de grond toe af te branden. De legende wil dat Alexander werd aangezet tot deze geïmproviseerde daad van vandalisme door een concubine die nog altijd verbitterd was over de Perzische plundering van haar geboortestad Athene 150 jaar eerder. Toch was het ook voor Alexander geen onlogische beslissing. Hij wilde Persepolis niet als zijn eigen hoofdstad gebruiken, en de stad had een symbool van Perzisch verzet kunnen worden. Door de trotse Stad van de Perzen af te branden, liet Alexander zien dat het definitief was afgelopen met de dynastie van Darius en dat het rijk nieuwe machthebbers had.

Opmerkelijk genoeg bleek deze daad van destructie ook een daad van behoud. In de koninklijke archieven werden duizenden kleitabletten door de hitte van het vuur tot keramiek gebakken. Door de gedeeltelijke instorting van de archiefmuur zouden deze bronnen de daaropvolgende 2200 jaar begraven liggen. De begin twintigste eeuw opgegraven tabletten boden een unieke momentopname van het bestuur van de provincies van het Perzische Rijk in de jaren voordat het werd verslagen.

Op dit schilderij van Georges-Antoine Rochegrosse zien we Macedoniërs brassen en feesten tegen de achtergrond van het brandende Persepolis. Hedendaagse historici denken dat de vernietiging geen onbezonnen dronken daad was, maar een gecalculeerde handeling van politieke symboliek.

Persepolis vandaag de dag

Persepolis prijkt tegenwoordig op de Werelderfgoedlijst van de Unesco. Na haar vernietiging veranderde er tot aan de huidige opgravingen vrijwel niets meer aan de stad. De gebouwen en artefacten op deze plek zijn dan ook oorspronkelijk en niet-gereconstrueerd. De Iraanse overheid is trots op haar Perzische erfgoed en treedt op als beschermer van de vindplaats, al staat ze wel toe dat in de nabijgelegen stad Marvdasht de landbouw en industrie oprukken.

Bezoekers aan Persepolis combineren een bezoek (een dagtrip vanuit de stad Shiraz) vaak met een bezichtiging van de indrukwekkende tombes die in Naqsh-e Rustam in de rotsen zijn uitgehakt. De vindplaats is toegankelijk na het betalen van een entreeprijs. Bovendien zijn er (gratis) gidsen beschikbaar die bezoekers vertellen over de geschiedenis van Persepolis.

Ca. 600-133 v.Chr.
Numantia
'Het Spaanse Massada'

Toen ook die vorm van voedsel op was, dienden de zwakkere inwoners als voedsel voor de sterkere.

Appianus, *Spaanse oorlogen*

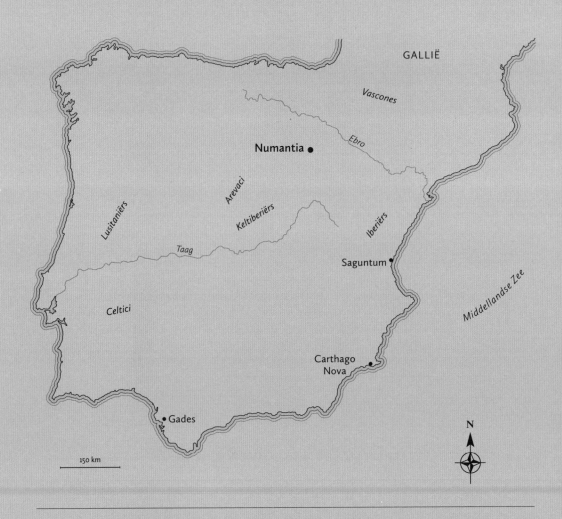

R ond 600 v.Chr. maakte op het Iberisch Schiereiland een nieuw volk zijn opwachting. Afgaand op hun taal en artefacten leken de nieuwkomers Kelten te zijn, maar hoe dan ook pasten ze zich snel aan aan hun nieuwe omgeving. Ze creëerden een eigen cultuur, die we tegenwoordig Keltiberisch noemen.

De woeste en krijgszuchtige Keltiberiërs verdreven algauw de eerdere bewoners van de hoogvlakten van Midden-Spanje (wat nog niet zo makkelijk was, aangezien ook de oorspronkelijke bewoners geharde krijgers waren). Rond 300 v.Chr. veroverden en betrokken de Keltiberiers een nederzetting dicht bij het huidige Soria.

Afbeelding van Numantia uit een manuscript uit 1727. De illustrator moest deze afbeelding reconstrueren uit antieke beschrijvingen, want de echte locatie van Numantia zou pas 133 jaar later worden ontdekt.

Deze nederzetting, op een heuvel die tegenwoordig de Cerro de la Muela heet ('Tandheuvel'), was uitstekend gelegen. Het gebied werd omgeven door dicht bos en door de naburige vallei stroomde een bevaarbare rivier (de Douro). Decoraties op contemporain aardewerk bieden een glimp van het rijke dierenleven van het gebied. We zien vogels zoals hoppen, reigers, adelaars, palmtortels en patrijzen.

De heuvel controleerde een antieke route waarover herders sinds mensenheugenis hun kudden leidden tussen de Ebrovallei en de velden

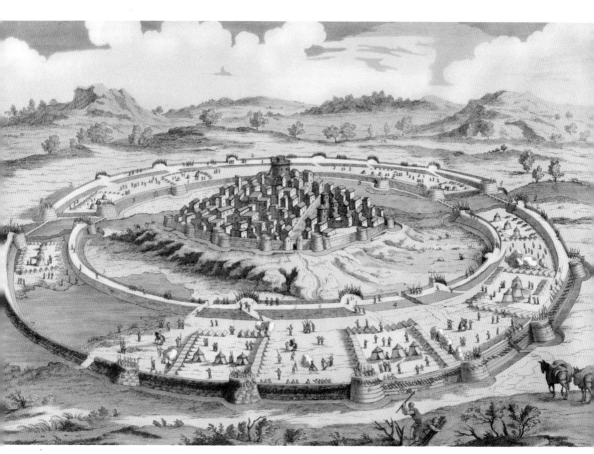

De daadwerkelijke locatie van Numantia na opgravingen in de moderne tijd. De vindplaats is tegenwoordig een nationaal monument; de heldhaftige verdedigers van de plek worden van oudsher in Spanje herdacht.

achter de Piqueraskloof. Deze locatie was zelfs zo aantrekkelijk dat hedendaagse archeologen aanwijzingen vonden dat de heuvel al in het late neolithicum voor het eerst werd bewoond, en dat ze in de woeligere vroege ijzertijd, begin 900 v.Chr., werd gefortificeerd. De laatste bewoners waren verwant aan de Keltiberiërs, de zogeheten Arevaci. Zij noemen hun stad Numantia.

Rome

De Keltiberiërs hadden hun nieuwe gebied verworven door de vorige inwoners te verdrijven, maar moesten het meteen weer verdedigen tegen een nieuw type indringer. Dit betrof een vijand die georganiseerder en meedogenlozer was dan enig andere vijand met wie ze eerder te maken hadden gehad: de senaat en het volk van Rome.

Tussen 205 en 142 v.Chr. hadden de Romeinen korte metten gemaakt met het machtige Carthago. Ook hadden ze de Macedonische opvolgers van Alexander de Grote verslagen. Je zou dus denken dat voor hen het veroveren van een paar dunbevolkte heuvelforten in het

Spaanse achterland weinig om het lijf had. Op dat moment zullen de Numantijnen hooguit vijf- tot achtduizend soldaten op de been hebben kunnen brengen, terwijl de Romeinse legionairs op zijn minst met tien keer zoveel waren. En toch bezorgden de Spaanse oorlogen de Romeinen knetterende hoofdpijn. De wrijving als gevolg van het conflict zou zelfs zorgen voor fundamentele veranderingen in hun samenleving.

Een van die veranderingen werkt nu nog altijd door. In het vroege Romeinse Rijk begon het jaar in maart wanneer de nieuwe consuls werden benoemd. Tot aan de laatste jaren van de Romeinse Republiek waren de consuls ook de legeraanvoerders. Halverwege de tweede eeuw v.Chr. was het een van hun taken als consul om een leger op de been te brengen en daarmee naar Iberië op te trekken, waarvan de verovering zich eindeloos voortsleepte – en pas onder keizer Augustus, anderhalve eeuw later, zou worden afgerond.

Aangezien het campagneseizoen grotendeels de lente en begin zomer besloeg (geen weldenkend mens vecht immers graag in de Spaanse augustushitte), arriveerden de consuls net op tijd om weer om te keren en naar huis te gaan. Daarom werd besloten om het begin van het nieuwe jaar naar voren te halen, en wel naar 1 januari. Dat gaf de consuls de tijd een leger op de been te brengen, naar Spanje te marcheren en dan ook nog een behoorlijke veldtocht te leiden.

Toch konden maar weinig consuls terugkeren van een succesvolle veldtocht. De Keltiberiërs en in het bijzonder de Numantijnen bleken een harde noot om te kraken. De toenmalige Romeinse militaire formaties waren niet geschikt voor de guerrillatactieken van hun tegenstanders op een terrein dat zich bij uitstek leende voor hinderlagen en waar bevoorradingslijnen kwetsbaar waren. In 136 v.Chr. probeerde de consul Mancinus meermaals om Numantia stormenderhand in te nemen, maar hij werd even vaak teruggeslagen.

Na een bijzonder rampzalig verlopen aanval zaten Mancinus en zijn leger zelf in de val. Een zekere Tiberius Gracchus, een jonge officier, wist via vaardige diplomatie de legioenen van de ondergang te redden en slaagde erin een billijke vrede uit te onderhandelen. De Romeinse senaat verwierp dit onderhandelingsresultaat echter meteen. Mancinus werd door de Romeinen verstoten en in ketenen afgeleverd bij de poorten van Numantia, maar de Numantijnen weigerden hem binnen te laten. Hierna verklaarde de gedesillusioneerde Tiberius Gracchus politiek de oorlog aan de navelstarende Romeinse politieke klasse. Aldus begon een chaotische eeuw die pas eindigde met de val van de Romeinse Republiek.

Oorlog tot de dood erop volgt

In 133 v.Chr. wilden de Romeinen voorgoed korte metten maken met Numantia. Voor de verandering kozen ze een competente generaal,

Scipio Aemilianus. Ook verschaften ze hem een aanzienlijk leger om deze klus te klaren. Scipio probeerde Numantia niet te bestormen. 'Vanwege de rivier, ravijnen en het omliggende dichte bos liet de plek zich lastig aanvallen', zo bericht de historicus Appianus (*Spaanse oorlogen* 16.76). 'Door het open landschap voerde slechts één weg. En die werd geblokkeerd door geulen en barricades. Zowel de infanteristen als de ruiters van de Numantijnen waren uitmuntende soldaten. Hoewel ze in totaal met slechts achtduizend man waren, bezorgden ze met hun moed de Romeinen aanzienlijke problemen.'

Uit hedendaagse opgravingen blijkt dat Numantia zich iets ten westen van de heuveltop bevond en daar een gebied besloeg van zo'n 25 hectare. Het geheel werd omwald door een natuurstenen muur die zo stevig was dat die op sommige plekken zelfs vandaag nog ruim twee meter hoog is. Slechts twee goed verdedigde poorten boden toegang tot de stad. Scipio besloot wijselijk om niet voor de frontale aanval te kiezen. In plaats daarvan bouwden de Romeinen een eigen muur, waarmee ze Numantia volledig afsloten. Zo wilden ze de inwoners laten verhongeren en tot overgave dwingen.

Numantia's laatste dagen moeten verschrikkelijk zijn geweest, want de mensen weigerden zich over te geven. Toen de voedselvoorraden waren uitgeput, aten ze eerst gekookt leer en daarna de lijken van de gesneuvelden. Toen ook die vorm van voedsel op was, dienden de zwakkere inwoners als voedsel voor de sterkere (schrijft Appianus, die hiermee impliceert dat de vrouwen en kinderen werden opgeofferd om de vechtende mannen te voeden).

De Romeinen die ten slotte Numantia innamen, trokken een vrijwel ontvolkte stad binnen. De uitgemergelde overlevenden waren verzwakt door honger en de pest. Op het eind pleegden velen liever zelfmoord dan dat ze in Romeinse handen vielen. De Romeinen hadden respect voor zulke moedige vijanden, maar namen ook ferme maatregelen om er zeker van te zijn dat ze nooit meer tegen ze hoefden te vechten. Numantia werd in de as gelegd en de senaat beval dat de stad nooit mocht worden herbouwd.

Op dit decoratieve element uit de necropolis van Numantia kijken tweelingpaarden van elkaar weg. Deze versiering prijkte boven op een staf en was misschien het symbool van een openbaar ambt.

Het Romeinse Numantia

En toch werd de stad herbouwd. De locatie was simpelweg te bruikbaar voor de Romeinen uit de keizerlijke tijd om haar onbenut te laten. Gedurende de rest van de geschiedenis van het Romeinse Rijk was Numantia een onopvallend Romeins stadje met de status van een *municipium* (een stad waarvan de inwoners de rechten en privileges van Romeinen hadden). De stad groeide uit de oorspronkelijke muren en breidde zich uit naar het westen en zuiden. In het centrum bevonden zich typisch Romeinse stadselementen: publieke baden (een voor de mannen, een voor de vrouwen), een monumentale boog en een zuilengalerij.

De val van Numantia van Alejo Vera, 1881. Hoe grimmig deze voorstelling ook mag zijn, de werkelijkheid was waarschijnlijk nog grimmiger. Veel van de vrouwen pleegden namelijk geen zelfmoord toen de Romeinse troepen de definitieve aanval inzetten, maar waren al gedood en opgegeten door de verdedigers van de stad.

Het Romeinse Numantia ging echter samen met het Romeinse Rijk ten onder. In de vierde eeuw werd de stad amper bewoond. Er zijn aanwijzingen dat de Visigotische veroveraars van Spanje de locatie in de zesde eeuw tijdelijk bewoonden, maar nadien werd Numantia toch echt definitief verlaten en vergeten.

Numantia vandaag de dag

Niettemin zou de herinnering aan Numantia en het wanhopige verzet van de inwoners voortleven. In de middeleeuwen werd Numantia een symbool van nationale eenheid dat door de monarchie in León werd bevorderd. Aanvankelijk werd gedacht dat de verdwenen stad zich had bevonden in Zamora in Castilië, maar de echte locatie werd in 1860 gevonden.

Tegenwoordig is deze locatie een nationaal monument dat wemelt van gedenktekens die op verschillende momenten in de moderne tijd werden neergezet ter ere van de verdediging van Numantia. Dat eerbetoon komt zelfs terug in de Spaanse taal: de uitdrukking een *defensa Numantina* verwijst naar een koppige, wanhopige verdediging en wordt bijvoorbeeld veel gebruikt door sportcommentatoren.

DEEL 3

Verspreid over het Romeinse Rijk

De hier beschreven steden van de Romeinse tijd vallen in twee categorieën uiteen: gestichte steden en verdwenen steden. Dat een groot aantal nederzettingen verdween, in het bijzonder in Noordwest-Europa, hoeft niet te verbazen. De Romeinen en de volkeren die ze overwonnen, bevonden zich in verschillende fasen van het zelf ook in ontwikkeling verkerende concept van urbanisme, en de Romeinen schrokken er niet voor terug om hun eigen ideeën over wat een stad zou moeten zijn aan hun nieuwe onderdanen op te dringen. Dat gebeurde onder meer door de bevolking te stimuleren om steden te verlaten die afweken van het Romeinse voorkeursmodel en te verkassen naar 'geschiktere', op maat gemaakte steden.

Dit beleid bleek uitermate succesvol. Zo succesvol zelfs, dat wij nu nog altijd in veel opzichten het Romeinse stadsconcept hanteren. Dat concept werd een fundamenteel onderdeel van de westerse cultuur, zoals we bijvoorbeeld kunnen vaststellen aan het aantal openbare gebouwen, van rechtbanken tot bibliotheken, die Romeinse architectonische invloeden vertonen. De Romeinen zagen hun rijk als een mozaïek van *civitates*: semiautonome bestuurlijke regio's opgebouwd rond een stad vanwaaruit de dorpen en boerderijen op het omliggende platteland werden belast en georganiseerd. (Deze organisatievorm gaat uiteindelijk terug op de onafhankelijke Griekse *poleis*, de stadstaten waaraan we onze term 'politiek' ontlenen.) Je zou kunnen zeggen dat de huidige, alhoewel afgezwakte equivalent van een 'civitas' een 'gewest' is.

Urbs et Orbis
Tot de criteria die een Romeinse stad een stad maakten, behoorde opvallend genoeg niét dat van een aanzienlijk bevolkingscijfer. Nee, een stad was het bestuurlijke centrum voor de directe omgeving. In Europa behoorde dit achterland vaak toe aan een bepaalde stam, en dus kun je zeggen dat de stad – soms een eerder bestaand tribaal centrum, soms een nieuwe nederzetting – de urbane gedaante van de stam was. Twee uitstekende, in de moderne wereld overgeleverde voorbeelden hiervan zijn de tribale centra van de Parisii en de Veneti.

Voor de doeleinden van het Romeinse bestuur waren bepaalde gebouwen noodzakelijk, waaronder in ieder geval een basilica waar recht werd gesproken en de administratie werd bijgehouden. Zij die nog altijd meenden dat de belangrijkste functie van een stad die van de verdediging was, werden vanzelf uit hun nauwe en tochtige heuvelforten gelokt door moderne stadsvoorzieningen, zoals riolering, fonteinen en badhuizen. (Wanneer de Romeinen een nieuwe stad uit de grond stampten, was een van de eerste zaken die ze aanlegden een goed wateraanvoer- en -afvoersysteem.)

Voor Rome was het een van de belangrijkste taken van een stad om een overwonnen volk in de Romeinse wereld te integreren. Over het algemeen was romanisering geen proces van culturele kolonisatie, maar van een minder dwangmatige toevoeging van Romeinse elementen aan een lokale cultuur. Een aspect van deze versmelting was de bouw van tempels die plaatselijke goden afschilderden als de manifestatievormen van Grieks-Romeinse goden. Dat nam niet weg dat constant werd benadrukt dat iemands niveau van 'beschaving' werd afgemeten aan de mate waarin hij of zij de Grieks-Romeinse idealen onderschreef. Om het beschavingsproces op gang te helpen, beschikten de door Romeinen gebouwde steden over theaters, bibliotheken en amfitheaters. Stadsmuren werden doorgaans evenzeer gebruikt voor het doel van bestuur als dat van verdediging, aangezien ze de autoriteiten in staat stelden om in de gaten te houden wie en wat de stad binnenging en verliet.

Dit model van stedelijke cultuur verspreidde zich over het hele rijk, en nergens meer dan in de steden die de Romeinen met nadruk 'koloniën' noemden. Een *colonia* was niet alleen een Romeinse buitenpost, maar werd beschouwd als een vertakking van de stad Rome zelf. Haar burgers genoten dezelfde rechten en plichten als zij die woonden in de schaduw van de Palatijn. Het gevolg van deze homogenisering van de stedelijke cultuur was dat een bezoeker uit bijvoorbeeld Timgad in het Noord-Afrikaanse binnenland zich net zozeer thuis kon voelen in Caesaraugusta (het Spaanse Zaragoza) als in Colonia Claudia Ara Agrippinensium (het Duitse Keulen) of Caesarea (het Israëlische Caesarea).

De wereld volgens Rome

In de Romeinse wereld vinden we dus een specifiek stadsconcept. Binnen dit concept groeiden steden niet organisch uit van een gehucht tot een dorp en dan een stad. Nee, een stad werd ontworpen op een locatie die zorgvuldig werd gekozen op basis van economische, militaire en/of culturele factoren. Deze steden leken dan ook opvallend veel op elkaar. Ze vertoonden veel overeenkomstige stadselementen, ongeacht waar in de Grieks-Romeinse wereld ze zich bevonden. Zolang het rijk bestond, was dit een uitermate succesvol model. Veel van deze door de Romeinen gestichte steden zijn nu nog altijd bloeiende steden. Maar tegen de vierde eeuw n.Chr. veranderde de wereld, en veel van de verdwenen en vergeten steden in het vierde en laatste deel van dit boek slaagden er niet in om mee te veranderen.

Ca. 600 v.Chr.-275 n.Chr.
Glanum
Heilige stad in Gallië

In het jaar 275 n.Chr. richtte de goddelijke toorn zich op de stad (...).

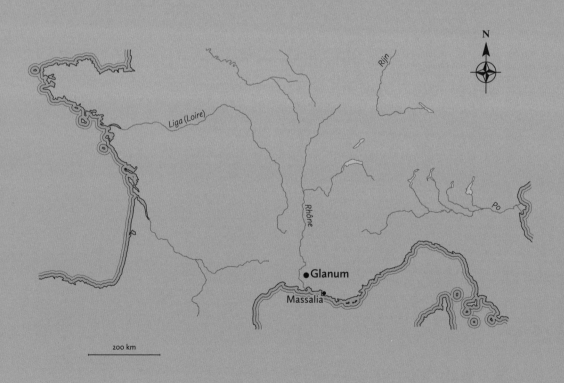

Toen rond 600 v.Chr., in de ijzertijd, de Gallische stam van de Salluviërs neerstreek op de locatie van Glanum, bevond zich hier al een heilige bron. Het was niet alleen het religieuze belang van de plek dat de stamleden aantrok, maar ook de nabijgelegen, uitstekend verdedigbare heuveltop. Wat hielp was dat de heuvel uitkeek over de vallei, nu de Notre-Dame-de-Laval geheten, waar de belangrijkste handelsroute liep van de kust naar het binnenland van wat tegenwoordig de Province in Zuid-Frankrijk is.

Langdurige inwerking van weersomstandigheden maakt het lastig om de hoofdpersonen op deze oorlogsvoorstelling op het Mausoleum van de Julii te onderscheiden. Het monument, dat eind eerste eeuw v.Chr. werd opgericht, eerde de voorouders van de opdrachtgevers, leden van de Julische familie.

Die gunstige economische omstandigheden werden ook opgemerkt door de onverbeterlijke kolonisten die de Grieken waren. Aangezien het volk van de Phocaea in Klein-Azië zich in deze periode bedreigd zag door het almaar uitbreidende rijk van de Achaemenidische Perzen, pakten velen hun boeltje om zich zo ver weg van Perzië als mogelijk te vestigen. Aan de kust stichtten ze Massalia (het latere Marseille) rond dezelfde tijd dat de Galliërs meer in het binnenland Glanum stichtten. Weldra trok een aantal ondernemende Grieken uit Massalia verder langs de handelsroute om zich in Glanum te vestigen. Voortaan zouden de geschiedenissen van beide steden – twee van de oudste in Frankrijk – onlosmakelijk met elkaar zijn verbonden.

De Gallisch-Griekse stad

Vorige twee pagina's Een luchtfoto van een straat in Glanum met daarop ook de steile berghellingen. De stad zou zo'n duizend jaar begraven liggen onder de modder en de afzettingen van deze hellingen.

Het Huis van de Antae in de woonwijk in Glanum. De zuilen in Toscaanse stijl vormen een peristilium rond een centraal atrium met een vijver.

In de stad ontstond een hellenistische wijk. De kooplui bouwden indrukwekkende villa's voor zichzelf, terwijl daaromheen ook gewone huizen in Griekse stijl werden opgetrokken. Een daarvan, het 'Huis van de Antae', vernoemd naar de zuilen die aan weerszijden van de hoofdingang stonden, is in een opmerkelijk goede staat behouden gebleven en getuigt van de vaardigheden van de architect. Het gebouw van twee verdiepingen was opgetrokken rond een natuurlijke vijver en werd voorzien van regenwater dat via het dak werd aangevoerd. In een ander huis bevindt zich nog altijd de kleurrijke mozaïekvloer waarop de gastheer ooit drankgelagen voor zijn medehandelaren zal hebben aangericht. Niettegenstaande deze vergrieksing bleven andere aspecten van Glanum zeer Gallisch. Uit een oppervlakkig onderzoek van het kookgerei dat op deze vindplaats werd gevonden, blijkt dat de inwoners hun groenten kookten (zoals noorderlingen nog altijd doen) en niet in olijfolie bakten, waaraan mediterrane volkeren de voorkeur gaven (en nog altijd geven).

De heilige bron bleef in de stad een belangrijke rol spelen. De stad ontleende namelijk haar naam aan de god die de bron beschermde, Glanis, en de drie daarmee verbonden moedergodinnen (de Glanicae). Er werden speciale baden aangelegd waarin pelgrims zich konden baden. Achter de muur die het heiligdom omheinde werd een groot altaar voor Glanis opgericht. Een trap van 37 treden leidde van een tempel

naar een twee meter brede bron van heilig water beneden. Waarschijnlijk bevatte de tempel votiefgaven en geloofsuitingen van degenen die hadden geprofiteerd van de genezende kracht van Glanis. In de tweede eeuw v.Chr. was Glanum zo welvarend dat de stad een eigen munteenheid in omloop bracht: zilveren munten met daarop een stier en een van de moedergodinnen.

Zo'n twintig hectare van de stad werd beschermd door een rondlopende muur. Die omsloot echter niet een andere antieke religieuze plek, een vroeg heiligdom uit de ijzertijd aan de zuidkant. De muren werden gebouwd met het in de omgeving in overvloed aanwezige kalksteen, dat ook het belangrijkste bouwmateriaal voor de huizen in de stad was.

Voor de stedelijke welvaart waren er twee grote dreigingen. De eerste heette Massalia, de stad die inmiddels wellicht afgunstig keek naar de toegenomen rijkdom van Glanum. De tweede was de groeiende macht van een volk dat nog nauwelijks had bestaan toen Glanum werd gesticht: de oorlogszuchtige en expansionistische Romeinen. De inwoners van Massalia bundelden de krachten met deze nieuwkomers en eind tweede eeuw v.Chr. leden de Salluviërs in gevecht met de Romeinen een verpletterende nederlaag. De stad werd ingenomen en veel van haar monumentale elementen werden verwoest.

Het Romeinse Glanum

In 90 v.Chr. kreeg Rome het aan de stok met zijn Italiaanse bondgenoten (de *socii*). Tijdens de zogenoemde *Bellum sociorum* dolf Rome bijna het onderspit. Hoe dan ook zagen de Salluviërs een kans om zich van het Romeinse juk te ontdoen. Maar hun opstand werd uiteindelijk neergeslagen door een Romeins leger, dat vervolgens Glanum bijna helemaal vernietigde. Maar dankzij de combinatie van haar geschikte ligging, overvloedige aanwezigheid van water en de heilige bron bleef de stad voortbestaan. Sterker nog: de handel bloeide weer op toen de Romeinse weg naar Gallia interior, de Via Domitia, door Glanum liep.

Aan het begin van de Romeinse keizertijd, in de eerste eeuw n.Chr., was Glanum opnieuw een florerend stadje. Naar Romeinse gewoonte werd de lokale god niet van zijn sokkel gestoten, maar gelijkgesteld aan vergelijkbare goden uit het Romeinse pantheon: Glanis werd Valetudo, die op haar beurt een nieuwe verschijningsvorm was van de Griekse godin Hygieia – de godin aan wie wij het hedendaagse concept hygiëne ontlenen. Thermale baden vervingen het badgedeelte naast de heilige bron.

De behoeften van de gegroeide bevolking werden vervuld door de aanleg van twee kleine aquaducten en een stenen boogdam, die het water naar de weelderige fonteinen van de stad dirigeerde. Het afvalwater werd weggeleid via een efficiënt stelsel van Romeinse goten en buizen. In het stadscentrum ontstond een nieuw forum. Dat werd aangelegd op – en deels met – de restanten van de hellenistische gebouwen en monumenten die daar ooit hadden gestaan.

De huizen uit deze periode, met hun rijke fresco's en mozaïeken, getuigen van een welvarende gemeenschap. Een dynamisch en door de handel gevoed marktcentrum bood een aanvulling op de gebruikelijke bedrijvigheid in een Romeinse stad, die diende als bestuurscentrum (*civitas*) voor de bewoners van het omliggende platteland. Tijdens de keizerlijke periode werden er nieuwe en nog indrukwekkendere monumenten gebouwd, waarvan sommige Romeinse keizers en hun vereringscultus herdachten. Rond de heilige bron stond inmiddels een U-vormig gebouw met een indrukwekkende zuilenrij.

De neergang

Het geluk van Glanum nam een wending toen het Romeinse Rijk christelijk werd. Daarna lijkt de heilige bron als vuilnisdump te zijn gebruikt. Mogelijk geërgerd over deze behandeling richtte de goddelijke wraak zich in 275 n.Chr. op de stad. Een horde plunderende Alemannische barbaren stortte zich op Glanum en verwoestte de stad.

Veel bewoners verhuisden naar een stadje dat een kilometer noordelijk lag, het tegenwoordige Saint-Rémy-de-Provence. Toen de mens er niets meer tegen ondernam, gleden de modder en het slib van de helling waar zich bijna duizend jaar eerder de eerste nederzetting had bevonden. In de loop van de eeuwen werd de verlaten Grieks-Romeinse stad Glanum geleidelijk begraven en grotendeels vergeten.

Glanum vandaag de dag

Tijdens de renaissance groeide de belangstelling voor de Griekse en Romeinse geschiedenis van Frankrijk. Glanum werd deels opgegraven door mensen die vooral op zoek waren naar interessante beelden en munten. Het serieuzere archeologische graafwerk begon in de negentiende eeuw en is sindsdien – afgezien van een onderbreking door een volgende Germaanse invasie in 1941 – niet meer gestopt.

Bezoekers kunnen het grootste deel van de antieke stad bezichtigen, waaronder een aantal indrukwekkende monumenten. Zoals het 'Mausoleum van de Julii', een goeddeels intacte, achttien meter lange cenotaaf die werd neergezet door de familie van een man die het Romeins burgerschap van Augustus had gekregen. Bij de noordpoort van de stad staat een triomfboog die toegang biedt aan de andere monumenten vlak bij het antieke forum.

Als extraatje kunnen toeristen in Saint-Rémy kiezen voor een verblijf in een hotel dat is gebouwd boven op vierde-eeuwse Romeinse baden. Dit hotel was ooit het familiehuis van de beruchtste oud-inwoner van de stad, de Markies de Sade.

241 v.Chr.-ca. 550 n.Chr.
Falerii Novi
In kaart gebracht zonder te zijn opgegraven

De opgravingen bij Falerii Novi tonen het nieuwste wat de archeologische wetenschap te bieden heeft.

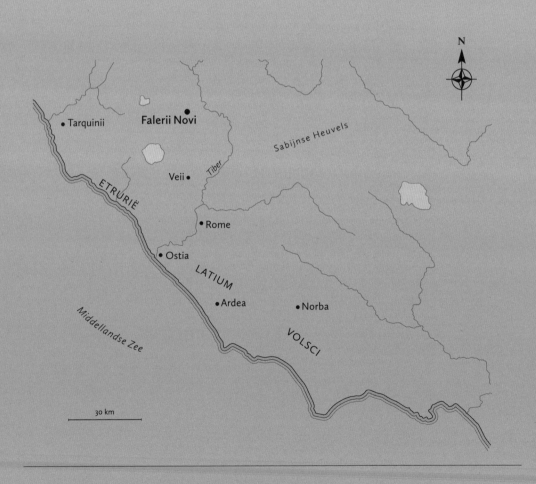

Terwijl de oorsprong van veel verloren steden is gehuld in de nevelen van de tijd, zijn we goed op de hoogte van het stichtingsjaar van Falerii Novi. De Romeinen stichtten namelijk deze stad, en zij waren uitermate nauwkeurig over dit soort aangelegenheden. (Als we mogen afgaan op de Romeinse voorstelling van de feiten – die door niemand is weerlegd – werd Rome zelf gesticht in 753 v.Chr., op 21 april, kort voor elf uur 's ochtends.)

Falerii Novi ('Nieuw Falerni') werd gesticht in de zomer van 241 v.Chr., op hetzelfde moment dat Falerii Veteres ('Oud Falerni') werd verlaten. Het verband tussen beide gebeurtenissen was een korte maar bloedige oorlog die werd uitgevochten tussen Faliscanen en de opkomende macht van Rome. De Faliscanen waren een Latijns volk dat op de grens met Etrurië woonde en nauwe banden onderhield met zijn Etruskische bondgenoten.

De historici Livius en Polybius berichtten dat de oorlog twee veldslagen en een belegering behelsde. De eerste slag eindigde in een

'Jupiters Poort'. In de sluitsteen boven de poortboog is het hoofd van een god uitgehouwen. Reizigers die in de oudheid hier arriveerden, troffen achter de poort een bedrijvige stad – tegenwoordig rust die stad ongestoord onder de bomen.

patstelling die vooral nadelig was voor de Romeinen, de tweede in een duidelijke Romeinse overwinning, en het driedaagse beleg in een Faliscaanse overgave. De Romeinen palmden de helft van het grondgebied van de Faliscanen in, maar bouwden voor hen bij wijze van genoegdoening wel een gloednieuwe stad. Die lag op de vlakte een paar kilometer verderop van de onherbergzame berguitloper waarop Falerii Veteres had gelegen.

De nieuwe stad

Dat de Romeinen voor de overwonnenen een nieuwe stad bouwden, was natuurlijk niet ingegeven door de goedheid van hun hart. De Faliscanen bevonden zich slechts vijftig kilometer ten noorden van Rome. Was de stam niet zo gedemoraliseerd geraakt door zijn nederlaag op het slagveld, dan had het beleg van Falerii Veteres ongetwijfeld meer om het lijf gehad. Falerii Novi was veel moeilijker te verdedigen, maar – zoals de Romeinen ongetwijfeld tegen de twijfelachtige bewoners zullen hebben benadrukt – je hebt geen vesting nodig als de Romeinse legioenen jouw verdediging op zich nemen.

Omdat het niettemin even kon duren voordat de legioenen arriveerden, bouwden de Romeinen een aanzienlijke stadsmuur van twee kilometer met daarin zo'n vijftig torentjes. Deze muur werd zo stevig gebouwd dat die ruim tweeduizend jaar zou blijven staan, zonder dat daar veel onderhoud voor nodig was.

De locatie waar Falerii Novi werd gebouwd, was overigens niet helemaal leeg. Op deze plek bevond zich al een grote tempel. Die was wellicht gewijd aan de god Dionysus, want een van de weinige artefacten die op deze plek werd opgegraven (en die zich nu in het Louvre bevindt) houdt verband met deze cultus. De Romeinen legden eerst methodisch wegen aan en installeerden waterbuizen. Vervolgens bouwden ze een marktterrein met daarachter een theater. Buiten de muren trokken ze een groter amfitheater op. Zodra de stad bewoonbaar was, werden de inwoners van Falerii Veteres in hun nieuwe onderkomen geïnstalleerd.

Het einde

Falerii Novi werd een doodgewoon Italiaans stadje waar de geschiedenis de volgende duizend jaar feitelijk aan voorbijging. De inwoners bewerkten de omliggende velden, handelden op de markt en recreëerden in het theater en de baden. Net als het Romeinse Rijk in zijn bloeitijd leek Falerii Novi welvarend en goeddeels tevreden. Maar het lot van de stad was verbonden aan dat van het rijk. Toen Rome ten onder ging, ging ook Falerii Novi ten onder.

De stad was met opzet op een slecht verdedigbare locatie gevestigd, dus toen de barbaarse hordes naderden maakten de inwoners zich uit de voeten. Opvallend genoeg namen ze hun toevlucht in Falerii Veteres. Daar wonen hun nazaten nu nog altijd in het dorp Città Castellana. De ruïnes van Falerii Novi werden aan de tand des tijds overgelaten. In de elfde eeuw werd nabij de westelijke stadspoort een benedictijnerabdij gesticht, deels met stenen afkomstig van de ruïnes. De rest van de solide stadsmuren dienden als een geweldig hek voor een boerderij. Tegenwoordig worden hier vijgen en maïs verbouwd.

De herontdekking van Falerii Novi

Aangezien de stadsmuren overleefden, hoefde je geen archeologie te hebben gestudeerd om te constateren dat zich hier ooit een stad heeft bevonden. In 1820 arriveerde de eerste van een hele rits amateurarcheologen. Het Vaticaan (dat een deel van het gebied bezat) vaardigde daarop een decreet uit dat gelastte dat vondsten uit Falerii Novi niet

Buste van een aristocratisch geklede vrouw. Misschien stelt ze Ariadne voor, de echtgenote van Bacchus. Dit beeld werd in 1829 in Falerii Novi ontdekt en bevindt zich nu in het Louvre in Parijs.

naar elders in Europa mochten worden overgebracht. Dat was de eerste wet op cultureel erfgoed, die sindsdien veel navolging heeft gekregen.

Meer recente opgravingen bij Falerii Novi tonen het nieuwste wat de archeologische wetenschap te bieden heeft. Een van de problemen met het opgraven van antieke ruïnes is dat er na blootlegging veel onderhoud is vereist om te voorkomen dat hun staat verslechtert. En aangezien onderhoud vaak niet de hoogste prioriteit heeft bij overheden die lijden aan chronisch geldgebrek, zou het voor veel antieke ruïnes eigenlijk beter zijn geweest als ze überhaupt nooit waren opgegraven.

Dat de vindplaats van Falerii Novi vlak is en er geen moderne gebouwen bovenop staan, maakt het een uitstekende proeflocatie voor niet-invasieve archeologische technieken. De eerste hiervan was luchtfotografie. Door bij aanwezigheid van de juiste lichtomstandigheden een vindplaats van bovenaf te observeren, komen er hobbels en holtes aan het licht die de contouren van begraven wegen en gebouwen verraden.

Vervolgens maakte de British School in Rome een scan van de hele locatie door middel van LIDAR (Light Detection and Ranging). Een paar jaar later gebruikten ze ook magnetometrie – destijds een unicum voor een vindplaats in Italië. Inmiddels was de locatie goed in kaart gebracht. De ligging van wegen en grote gebouwen was vastgesteld terwijl het maïsveld aan de oppervlakte er ongemoeid bij lag.

Nog recenter werd de locatie opnieuw gescand, ditmaal met be-

hulp van bodemradar en door onderzoekers van de universiteiten van Cambridge en Gent. Met behulp van deze techniek kunnen archeologen verschillende diepten scannen en zodoende laag voor laag de stadsgeschiedenis in kaart brengen. De baanbrekende technieken die werden toegepast op Falerii Novi hebben enorme gevolgen voor de archeologie. Hiermee kunnen ruïnes worden verkend zonder dat ze hoeven worden opgegraven, wat ook geldt voor de restanten van antieke steden waarbovenop de huidige steden zijn ontstaan (en waarvan de bewoners zich hinderlijk verzetten tegen archeologen die hun kelder willen omspitten).

Falerii Novi vandaag de dag

Veel Italiaanse vindplaatsen oefenen meer bekoring uit op de historisch geïnteresseerde toerist die niet per se zit te wachten op een wandelingetje door een landelijk maïsveld. Niettemin zijn de muren van Falerii Novi het bezichtigen waard, en dan vooral de twee goed bewaard gebleven poorten. Deze heten tegenwoordig de Ossenpoort en de Jupiterpoort, naar hun respectieve bas-reliëfs. (De beeltenis van Jupiter is een kopie van het origineel, dat zich nu veilig in een museum bevindt.)

Een vaas uit de vierde eeuw v.Chr. Deze werd voortgebracht door de bescheiden aardewerkindustrie in Falerii Veteres, waar vazen werden geproduceerd voor de huishoudens in de Tibervallei. Op deze vaas zien we een tafereel dat populair was tijdens Italiaanse feestelijke gelegenheden: maenaden die pret maken met saters.

630 v.Chr.-643 n.Chr.
Cyrene
Griekse stad op de Egyptische grens

Bestuurd door Cleopatra Selene, de dochter van
Cleopatra van Egypte en Marcus Antonius.

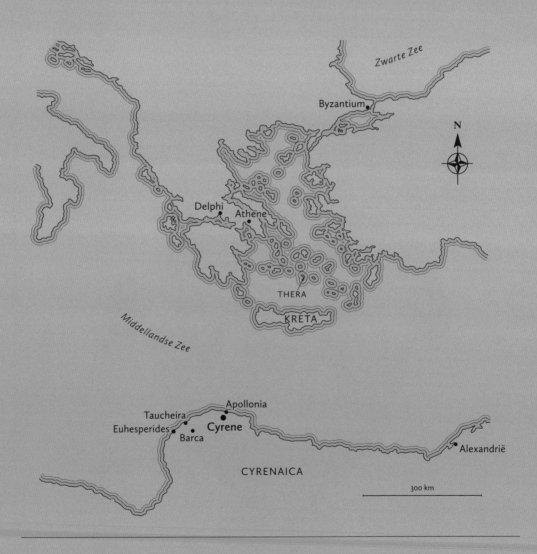

Rond 700 v.Chr. raadpleegde een inwoner van het Griekse eiland Thera het Orakel van Delphi. De vermaarde Pythia – de helderziende priesteres van Apollo – liet de man weten dat het dringend nodig was dat hij 'een stad in Libië stichtte'. Dit advies werd in de wind geslagen, zo bericht de historicus Herodotus (*Historiën* 4.150vv.), vooral omdat niemand op Thera enig idee had waar Libië lag.

Na een droogteperiode van zeven jaar werd men wat doortastender. Weldra trokken kolonisten eropuit om het gebied in het zuiden te verkennen. De oorspronkelijke Griekse nederzetting in Libië stemde niet tevreden, onder meer als gevolg van onenigheid met lokale inwoners. Na een vredesverdrag (dat zou stammen uit 630 v.Chr.) konden de Grieken zich vestigen in een weelderige vallei die tegenwoordig de Jebel Akhdar heet. Deze nederzetting bevond zich zo'n veertien kilometer van zee, wat niet ongebruikelijk was in tijden van piratenvloten die het speciaal hadden gemunt op kuststeden.

Net zoals Rome (dat deels om dezelfde redenen een stuk landinwaarts was gevestigd) Ostia had en Athene Piraeus, ontwikkelde ook de nieuwe nederzetting een haven. De inwoners noemden hem Apollonia ter ere van de god die hen naar deze plek had gedirigeerd. De landinwaarts gelegen stad noemde zichzelf waarschijnlijk naar de bron Keres, die door de Grieken onmiddellijk werd gewijd aan Apollo en de belangrijkste bron werd van de stedelijke watertoevoer. Latere mythologen voegden aan het verhaal over Apollo een geliefde genaamd Cyrene toe en besloten dat de stad naar haar was vernoemd.

Dit bronzen hoofd, dat zo'n 2300 jaar geleden is gegoten, lijkt een portret te zijn geweest van een jongeman uit Cyrene. De gelaatstrekken, de snor en het baardje doen vermoeden dat de man in kwestie van Berberse afkomst was.

Een florerende stad

'De stad bloeide dankzij de uitstekende grond en goede gewassen. De streek leende zich in het bijzonder voor het fokken van paarden', zo verklaarde de Romeinse geograaf Strabo (*Geografika* 17.3.21) later de snelle groei van Cyrene. Onder koning Battus III ('de Gelukkige') werd de kolonisatie doorgezet. Dat ging vooral ten koste van de lokale bevolking. Naast Cyrene kwamen er drie andere Griekse koloniën aan de kust: Euhesperides (het huidige Benghazi), Taucheira en Barca. In de oudheid was deze groep, met daarbij ook nog de havenstad Apollonia, bekend als de 'Cyreneïsche Pentapolis': de vijf steden van de regio Cyrene.

   Een van de oorzaken van de snelle regionale ontwikkeling was de ontdekking en intensieve teelt van de plant silphium. Deze plant bood een natuurlijk en relatief veilig vruchtafdrijvend middel, wat op zich al reden genoeg was om in de oudheid populair te zijn. Daarnaast was silphium geschikt voor andere medicinale toepassingen en kon je er een heerlijk groentegerecht mee bereiden. Er werden pogingen onder-

Mozaïekvloer van het huis van Jason Magnus, een priester van Apollo in Cyrene. De vrouwenbeelden op de achtergrond zijn gekleed in een peplos, een traditioneel gewaad van zwaar linnen.

nomen om silphium ook elders te verbouwen, maar de plant weigerde hardnekkig om ergens anders dan op eigen grond te bloeien. De export van dit gewas droeg dusdanig veel bij aan de stedelijke welvaart dat een afbeelding van een hartvormig silphiumzaadje op de munten van Cyrene werd gezet, net zoals op de Atheense munten de kenmerkende uilen prijken.

De voorspoed van Cyrene kan onder meer worden afgelezen aan de restanten van een enorme tempel van Zeus. Die werd opgetrokken aan de noordkant van de stad, vlak bij een andere imposante tempel voor Apollo, de god die de stad beschermde.

Al sinds de derde eeuw v.Chr. stond Cyrene ook bekend als een centrum van kennis en filosofie. De filosofische school was gesticht door een zekere Aristippus, een leerling van Socrates. De Cyreneïsche filosofen onderwezen dat het zoeken naar plezier op sociaal geaccepteerde manieren als het grootste goed moest worden beschouwd. Andere, meer praktisch ingestelde types richtten scholen op voor architectuur en geneeskunde.

Het hellenistische Cyrene

Doordat de macht en invloed van Cyrenaica toenamen, vestigde de regio automatisch ook de aandacht van het naburige Egypte op zich. Waarschijnlijk hadden de steden van de Pentapolis het geluk dat de Egyptenaren hun handen vol hadden aan de Perzen. Op hun beurt deden de Cyreneeërs er alles aan om met de Perzen op goede voet te staan. Zo behield de stad haar onafhankelijkheid, totdat de legers van Alexander de Grote daar een einde aan maakten.

De generaal Ophellas nam het bestuur van de stad over, formeel in naam van zijn Macedonische heren. Deze Ophellas besefte echter algauw dat de wanordelijke toestand van Alexanders veroveringen hem vrijwel totale autonomie gaf. Zijn opvolgers wisten deze autonomie uit te bouwen tot een onafhankelijke status. In 276 v.Chr. kroonde een zekere Magas zichzelf tot koning van Cyrenaica. Hij ging zelfs zover om (tevergeefs) Egypte binnen te vallen. Daarna heerste er een instabiele vrede tussen Cyrene en de Ptolemaeën, die op den duur de stad zouden domineren.

Een van de kleurrijke personages van de hellenistische tijd van Cyrene was koningin Berenice II. Ze trouwde met de Macedonische edelman Demetrius de Schone, die zo knap was dat Berenices moeder een affaire met hem begon. Berenice, van wie we weten dat ze zij aan zij met haar vader had gevochten, maakte bloederig korte metten met deze romance door haar echtgenoot in haar moeders slaapkamer te laten vermoorden terwijl ze zelf vanuit de deuropening kritisch toekeek of de klus naar tevredenheid werd geklaard. Later zou Berenice onderdeel uitmaken van een strijdwagenteam dat tijdens de Olympische Spelen in de prijzen viel (volgens een niet helemaal betrouwbaar bericht zou ze de wagen zelf hebben bestuurd). Uiteindelijk trouwde ze met Ptolemaeus III van Egypte.

De beroemdste wetenschappers uit Cyrene in deze tijd was een zekere Eratosthenes, een wiskundige en vriend van Archimedes, die later in de Bibliotheek van Alexandrië zou werken. Hij is tegenwoordig vooral bekend vanwege zijn berekening van de omtrek van de aarde. Hij kwam uit op 250.000 stadiën. Afhankelijk van de maat van een stadie die hij hanteerde, zat hij er tussen de 160 en 1600 kilometer naast. Het verschil wordt ten dele verklaard door het feit dat de aarde geen perfecte bol is, maar iets dikker is rond de evenaar. Daarnaast werden er in de oudheid verschillende maten gehanteerd voor een stadie; het is onduidelijk welke Eratosthenes bij zijn berekeningen gebruikte.

Het Romeinse Cyrene

In 96 v.Chr. overleed de laatste koning van Cyrene, Ptolemaeus Apion, zonder erfgenaam. Hij liet zijn koninkrijk na aan Rome. (Een dergelijk legaat was niet uniek; het kon een koning met een onzekere positie beschermen tegen moordaanslagen door toekomstige opvolgers.) Tijdens de Romeinse burgeroorlogen die volgden op de opstand van en moord op Julius Caesar, zou Cyrene kortstondig opnieuw onafhankelijk zijn. Dat was onder het bewind van Cleopatra Selene, de dochter van Cleopatra van Egypte en haar geliefde Marcus Antonius.

In de vroege Romeinse keizertijd had de neergang van Cyrene eigenlijk al ingezet. Door klimaatverandering en te intensieve landbouw was de silphiumplant uitgestorven. (Een van de laatste exemplaren werd als een curiosum aan keizer Nero geschonken.) De stad had een grote Joodse bevolking, die betrokken raakte bij de wijdverbreide opstanden tegen Rome in 70 en 117 n.Chr. In Cyrene maakten de Romeinen met het nodige bloedvergieten een einde aan de onrust. In de Bijbel wordt ook verhaald over een andere Cyreneïsche Jood, Simon van Cyrene, die vanwege Pesach in Jeruzalem verbleef toen hij onder druk werd gezet om Jezus te helpen om zijn kruis naar Golgota te dragen.

Zonder de troef van de silphium kon Cyrene als handelshaven niet op tegen Carthago en Alexandrië. De economische neergang van de stad zette in. In de derde eeuw werd Cyrene bovendien getroffen door een reeks verwoestende aardbevingen, waarna de ontmoedigde bevolking weinig moeite meer deed om de stad opnieuw op te bouwen. De historicus Ammianus Marcellinus kenmerkte de stad ten tijde van het late Romeinse keizerrijk als verlaten.

En toch bleef een restant van de ooit zo welvarende stad bestaan tot aan 643 n.Chr., toen de stad tijdens de verwarring ten gevolge van de Arabische veroveringen werd aangevallen door woestijnnomaden. Daarna zou Cyrene niet meer worden bewoond.

De Apollo van Cyrene. Het beeld van Apollo, herkenbaar aan de slang en zijn kithara-lier, werd gereconstrueerd uit de 120 fragmenten die rond de oorspronkelijke sokkel werden gevonden. Een arm ontbreekt.

Cyrene vandaag de dag

De ruïnes van de antieke stad bevinden zich gedeeltelijk onder de huidige nederzetting Shahhat. Een groot deel van die restanten verkeert in slechte staat doordat zowel plunderaars als negentiende-eeuwse archeologen er hun slag sloegen (voor zover je onderscheid tussen beide kunt maken). Bevorderlijk voor het behoud van de antieke ruïnes was evenmin de gewelddadige Libische factiestrijd die op het moment van schrijven nog altijd doorettert.

Dat laat onverlet dat er tussen de ruïnes een aantal schitterende Grieks-Romeinse beelden is opgegraven. In recente decennia werd er vooruitgang geboekt bij het blootleggen van deze vindplaats. De Unesco maakte er een Werelderfgoedlocatie van, al loopt de plek dus nog altijd gevaar. Maar zodra het weer kan, zullen onderzoekers zonder twijfel terugkeren naar Cyrene, waarna een van de ooit rijkste steden van het Middellandse Zeegebied hopelijk meer van haar geheimen zal prijsgeven.

Ca. 850 v.Chr.-700 n.Chr.
Tipasa
Kosmopolitisch handelscentrum

De kades moeten vol hebben gestaan met ladingen olijven, ivoor en exotische dieren in kooien.

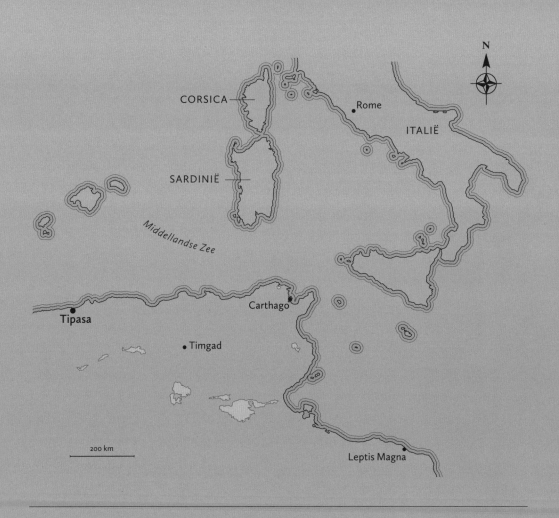

D e schoonheid van de locatie van Tipasa die kolonisten drieduizend jaar geleden aantrok is grotendeels intact gebleven. De gouden stranden van de baai strekken zich uit tussen de blauwe zee en de golvende, met sparren bedekte heuvels. De eerste kolonisten legden algauw olijfboomgaarden aan, en die zijn er nu nog altijd.

Oorspronkelijk was Tipasa een handelspost. De locatie op de huidige Algerijnse kust kwam goed uit voor de handelaren die de heersende winden aangrepen om met hun schepen naar Sicilië, Spanje en Italië te zeilen. Ook was Tipasa een handig vertrekpunt voor hen die op doorreis waren naar het destijds welvarende koninkrijk Mauretania, verder naar het westen. Deze ligging op een knooppunt van de vroege Middellandse Zeehandel is dan ook waar Tipasa zijn naam aan ontleent. Die betekent namelijk 'doorgangsplaats'.

Het Fenicische en hellenistische Tipasa

Het eerste volk dat thuis was in Tipasa was dat van de Feniciërs, hetzelfde volk dat verder oostwaarts aan de kust Carthago stichtte. (De relatief recente stichting van Carthago blijkt uit zijn naam, die 'Nieuwe

De ruïne van de Basiliek van de H. Salsa, die uitkijkt op zee. Sint-Salsa (de heilige en de dans ontlenen hun naam aan het Latijnse woord voor 'saus') was een tienermeisje dat de martelaarsdood stierf nadat ze een van de vereerde heidense monumenten van de stad had verwoest.

Tipasa's fraaie ligging aan de kust was een van zijn grote troeven, maar nu dreigen het hoogtij en de stormen de overblijfselen op deze locatie te verwoesten.

Stad' betekent.) De huizen van lokale honingkleurige steen werden gebouwd op een lage klif die uitkeek over een beschutte ankerplaats in de baai. Vervolgens kon Tipasa in bedrijf worden genomen. De stad fungeerde niet alleen als tussenstop voor reizigers afkomstig uit heel het Middellandse Zeegebied, maar groeide algauw uit tot de locatie waar plaatselijke handelaren hun inheemse goederen probeerden af te zetten op een grotere markt.

Tegenwoordig weten we van deze eerste kolonisten dankzij hun graven. Tipasa had namelijk een van de oudste en grootste Fenicische begraafplaatsen van heel het westelijke Middellandse Zeegebied. De zeelieden en kooplui die hier werden begraven, hadden verschillende soorten tombes en begrafenispraktijken, die invloeden verraden uit Griekenland, Italië, Iberië en zelfs uit de grote Mesopotamische beschavingen – naast natuurlijk uit de lokale Noord-Afrikaanse cultuur.

Toen de Fenicische steden in de Levant rond 330 v.Chr. werden opgenomen in het rijk van Alexander de Grote, kwam Tipasa onder invloed te staan van hellenistische kolonisten. Hiermee werd een snufje Griekse cultuur toegevoegd aan de Semitische teneur van de oorspronkelijke handelspost – die sowieso sterk lokaal getint was. Deze multiculturele mix blijkt bij uitstek uit de zonder meer indrukwekkende tombe van een van de laatste Ptolemaeïsche koninginnen, Cleopatra Selene, de dochter van Cleopatra VII en de Romeinse triumvir Marcus Antonius.

In 20 v.Chr. trouwde Cleopatra Selene met koning Juba II van Numidië teneinde een diplomatiek bondgenootschap te smeden tussen Egypte en dit deel van Noord-Afrika. Het koningspaar moet veel tijd hebben doorgebracht in Tipasa, want ze kozen deze plek uit om begraven te worden. Interessant is dat hun mausoleum niet alleen lijkt op graven op andere begraafplaatsen in het antieke Numidië, maar ook grote overeenkomsten vertoont met het mausoleum dat Augustus in Rome voor zichzelf ontwierp. Aangezien we weten dat Juba Augustus in Rome heeft opgezocht, bestaat de intrigerende mogelijkheid dat de twee over hun respectieve begrafenissen hebben gesproken.

De tombe in Tipasa is bovendien prominent aanwezig. Het 30 meter hoge bouwwerk verheft zich namelijk op een heuvel zo'n 250 meter boven het strand. Het gebouw heeft al tweeduizend jaar verwering doorstaan, maar veel van het huidige verval is te wijten aan de mens. Plunderaars hebben het vernield op zoek naar verborgen schatten. Toen alles van waarde was geroofd (met inbegrip van de marmeren zuilen die ooit de voet omringden), lijkt het gebouw als gezinswoning te hebben gediend. Waren Juba en Cleopatra hier inderdaad begraven, dan zullen hun stoffelijke overschotten zijn verwijderd om ruimte voor de levenden te maken. Hun graf is nu leeg.

Het Romeinse Tipasa

Volgende twee pagina's
De imposante overblijfselen van het koninklijke mausoleum. Dit gebouw werd opgetrokken voor koning Juba, een vriend van keizer Augustus, en Cleopatra Selene, dochter van Cleopatra van Egypte. Het is niet duidelijk of het werd ontworpen als een graf of als herdenkingsplek.

Toen het groeiende Romeinse Rijk de Noord-Afrikaanse kuststreek innam, werd er een nieuwe culturele laag toegevoegd aan de toch al kosmopolitische structuur van Tipasa. Er werden kenmerkende Romeinse gebouwen neergezet, zoals openbare baden, een basilica en een amfitheater ter vermaak van een bevolking die toen waarschijnlijk zo'n twintigduizend zielen telde. De stad bleef een belangrijke schakel van de internationale zeeroutes, maar de Romeinen maakten van Tipasa ook een knooppunt in het wegennetwerk dat ze in dat deel van Afrika aanlegden.

Dankzij die wegen werd het makkelijk om plaatselijke goederen naar de markt te brengen, en in de Romeinse tijd werd in de directe omgeving

van de stad op grote schaal landbouw bedreven. Ook werden vele Romeinse villa's gebouwd. De stad groeide terwijl het Romeinse Rijk floreerde. Haar hoogtijdagen lagen in de tweede en derde eeuw n.Chr. Om dit belangrijke handelscentrum te beschermen tegen Berberse invallen, werd een ruim twee kilometer lange verdedigingsmuur opgetrokken.

Inmiddels was Tipasa een Romeinse kolonie. De inwoners van deze Colonia Aelia Augusta Tipasensium, zoals de volledige Romeinse naam luidde die de stad halverwege de Antonijnse periode (117-161 n.Chr.) had gekregen, waren volwaardige Romeinse burgers. In dezelfde tijd gaf de opvolger van Hadrianus, Antoninus Pius, opdracht om Tipasa's muren op grotere schaal te herbouwen.

Op de ankerplaats bij het strand zal het hebben gewemeld van handelaren, en de kades moeten vol hebben gestaan met ladingen olijven, ivoor en exotische dieren in kooien. Op de markt op het forum krioelde het van kamelen, ezels en boerderijdieren, zoals geiten en kippen, die veelal aan boord van schepen door hongerige zeelieden zouden worden opgegeten. De zeelieden zelf zullen Noord-Afrikaans, Grieks, Syrisch, Gallisch en Italiaans zijn geweest. De ommuurde stad lag grotendeels op de centrale klif; het geheel besloeg meer dan zeventig hectare.

Het latere Tipasa

Een nieuwe generatie gebouwen wijst op de komst van het christendom in het late Romeinse Rijk. De eerste christelijke inscripties dateren van 238 n.Chr. Een van de nieuwe gebouwen was een grote basilica met een geplaveide mozaïekvloer. Voor het overige resteert er weinig van de basilica, aangezien het gebouw, zoals zoveel Romeinse restanten, door latere inwoners als bron van bouwmaterialen werd gebruikt. De trots van het christelijke Tipasa was de heilige Salsa, die als martelares stierf in de handen van woedende stedelingen: ze had namelijk niet alleen geprotesteerd tegen de riten waarmee de lokale god werd vereerd, maar ook het vereerde standbeeld in zee gesmeten.

Toen de *Pax Romana* wegkwijnde, werden de muren van Tipasa op de proef gesteld door een lokale opstandeling wiens troepen een aantal nabijgelegen steden innamen – waaronder ook het zo'n zeventig kilometer verderop gelegen Icosium, waaruit het huidige Algiers zou ontstaan. De Romeinen gebruikten Tipasa als uitvalsbasis toen ze de opstand onderdrukten. In 430, weer een halve eeuw later, veroverden de barbaarse Vandalen de stad en kwam er een bruut einde aan Tipasa's voorspoed.

De Byzantijnen heroverden weliswaar het grootste deel van Noord-Afrika, maar besteedden weinig aandacht aan Tipasa. De weinige Byzantijnse stadsgebouwen wachtten weldra hetzelfde lot als de rest van de stad. Van lieverlee raakten ze als verwaarloosde ruïnes bedolven onder het puin en het zand. Toen de moslims in 1100 de streek veroverden, werd Tipasa amper nog herinnerd.

De basilica van Tipasa werd gebruikt voor de handel, het bestuur en de rechtspraak. Die laatste rol was waarschijnlijk de inspiratiebron voor deze mozaiekvloer uit de tweede eeuw n.Chr. Het is alleen niet bekend wie de negen personen rond de centrale voorstelling van deze zogeheten 'Mozaïek van de Gevangenen' zouden kunnen zijn.

Tipasa vandaag de dag

In de jaren vijftig van de negentiende eeuw werd Tipasa als dorp weer tot leven gewekt. Tegenwoordig bevindt zich hier de stad Tipaza. Hoewel veel van de ruïnes van de oude stad in de loop van die vele eeuwen werden beschermd door een dikke laag puin van maximaal vier meter, heeft het stijgende zeewater een aantal plekken dicht bij de vroegere kustlijn aangetast. De restanten worden bedreigd door de hevige stormen die kenmerkend zijn voor een steeds extremer klimaat.

In de eerste jaren dat Tipasa weer werd bewoond, rukten de nieuwe huizen steeds verder op richting de antieke ruïnes. Dit probleem werd versterkt door de eerste westerse toeristen, die misbruik maakten van de onbeperkte toegang tot de plek om zichzelf aan souvenirs te helpen.

Zoals zoveel herontdekte steden prijkt Tipasa inmiddels op Unesco's Werelderfgoedlijst. Twee archeologische parken beschermen het merendeel van de overblijfselen. Helaas zou het weleens lastiger kunnen blijken om de golven van een steeds verwoestender zee tegen te houden. De prachtige kustlocatie die drieduizend jaar geleden de aanleiding bood voor Tipasa's stichting, zou nu weleens de ondergang van de stad tot gevolg kunnen hebben.

Ca. 500 v.Chr.-500 n.Chr.
Baiae
Sin City

Het ontaarde Baiae, waarvan de stranden (...) zoveel
fatsoenlijke meisjes in het verderf hebben gestort.

Propertius, *Elegieën* 1.11 r.27

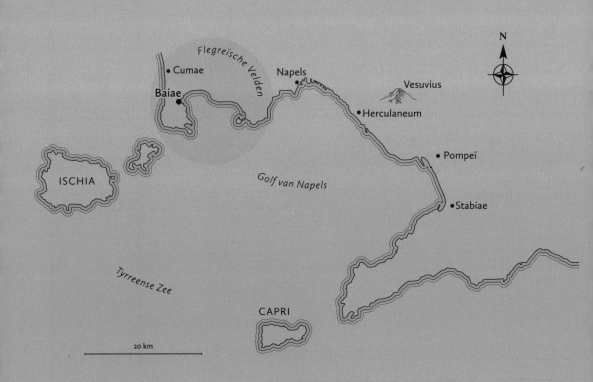

De dichter Propertius was dan misschien geen groot fan van Baiae, maar veel Romeinen waren dat wel degelijk. Caesar had er een verblijf, net als Pompeius, Marius en eigenlijk vrijwel iedereen die er in de late jaren van de Republiek toe deed. Het was het soort plek, zo schreef de Romeinse satiricus Martialis in zijn *Epigrammen* (1.62), waar een vrouw arriveerde als een Penelope (de echtgenote van Odysseus die beroemd was om haar echtelijke trouw) en vertrok als een Helena (de overspelige vrouw van Menelaüs die met haar geliefde de wijk nam naar Troje).

Mercurius waakte over degenen die in de Baden van Sosandra het water in gingen. In de loop van de eeuwen dat dit complex in gebruik was, onderging het de nodige renovaties. De meeste van de hier aangetroffen weelderige beeldhouwwerken en mozaïeken stammen uit de tweede eeuw n.Chr., zo'n 250 jaar nadat de baden werden aangelegd.

Baiae zou zijn vernoemd naar de roerganger van een van Odysseus' schepen, een zekere Baius, die verdronk in de nabijgelegen baai. Toch had deze locatie ook een mythologische link die van nog eerder dateerde. Baiae bevindt zich boven op supervulkaan Campi Flegrei die nog altijd sputtert en de burgers van het naburige Napels bedreigt. In de oudheid heette dit gebied de Flegreïsche Velden en werd gezegd dat het vulkanische gerommel werd veroorzaakt door monsters zo oud als de wereld die na een epische strijd met Olympische goden onder de grond gevangen waren gezet.

Het begin

Door vulkanische activiteit waren er rond de baai warmwaterbronnen ontstaan. Dit warme, zwavelrijke water werd doorgesluisd naar een aantal baden en zwembaden waarvan bezoekers konden profiteren. Rond 500 v.Chr. was de plek nog een bescheiden vissershaven. Daarna groeide Baiae uit tot eerst de haven van de nabijgelegen stad Cumae en vervolgens, dankzij de warmwaterbronnen, tot een van 's werelds eerste wellnessresorts. (Het eiland Canopus in het Ptolemaeïsch Egypte kan met recht claimen het allereerste te zijn.)

In de jaren zeventig van de tweede eeuw stond het resort bekend als de Aquae Cumanae, de wateren van Cumae. Baiae zou zelfs nooit volwaardige stadsrechten verwerven en formeel gezien altijd een bestuurlijk district van Cumae blijven. In de eerste jaren werd een bezoek aan het ontspanningsoord eerder gezien als goed voor het lichaam en niet zozeer als slecht voor de geest. Zelfs die gretige chroniqueur van de Romeinse decadentie, de dichter Ovidius, loofde de bronnen in zijn gids van de verleiding, de *Ars Amatoria* (1.8): 'Denk aan het prachtige Baiae met zijn bronnen van rokende zwavel en door zeilen opgesierde baai.'

Aan verleidingen zeker geen gebrek in Baiae, wat voor de dichter Propertius in 25 v.Chr. aanleiding was om klaaglijk aan zijn geliefde te schrijven:

> Haast je weg uit het ontaarde Baiae,
> waarvan de stranden voor zovelen de opmaat tot scheiding waren
> en die zoveel fatsoenlijke meisjes in het verderf hebben gestort.
> Baiae's vervloekte wateren, schande van de liefde!
> (*Elegieën* 1.11)

Baiae was, gelegen op zo'n 150 kilometer van Rome, een ideaal toevluchtsoord voor al degenen die om welke reden dan ook de grote stad wilden ontvluchten. Bekend is dat sommige jonge Romeinse vrouwen negen maanden lang de wateren van Baiae opzochten, waarna ze iets dunner maar met ongeschonden reputatie terugkeerden.

Baiae was een resort voor de rijken. Velen van hen lieten aan de baai of op de heuvels boven de stad schitterende huizen bouwen. (In een van de huizen op de heuvel verbleef Julius Caesar ooit; keizer Hadrianus blies er twee eeuwen later zijn laatste adem uit.) Hedendaagse archeologen die de restanten van deze stulpjes-aan-zee onderzochten, constateerden dat de villa's waren ontworpen om vanaf zee door voorbijgangers op plezierboten te worden gezien.

Het keizerlijke Baiae

In de keizerlijke periode werd Baiae alleen maar beroemder (of beruchter, afhankelijk van je standpunt). De lage dunk die Seneca, Nero's adviseur, van de plek had, weerhield de keizer er niet van om een schitterend paleis in Baiae aan te houden. Het was daar dat Nero zijn moeder amuseerde tijden een feestelijk diner, waarna hij haar naar huis stuurde in een boot die was ontworpen om te zinken en haar te laten verdrinken. (Een politiek besluit. Nero's moeder zwom overigens naar de wal en werd gedood met een zwaard.)

De ziener Thrasyllus merkte ooit op dat Caligula 'eerder de Golf van Baiae in een strijdwagen zou oversteken dan keizer zou worden'. Toen Caligula keizer was geworden, liet hij plezierboten bijeenbrengen om de basis te vormen van een vijf kilometer lange pontonbrug. Nadat er planken overheen waren gelegd, stak hij inderdaad in een strijdwagen de Golf van Baiae over (Suetonius, *Caligula* 19).

In de tweede eeuw werd een aantal van de imposantste gebouwen van het resort opgetrokken, waaronder de 'tempels' van Venus en Diana. Vandaag de dag zijn de ruïnes van deze gebouwen te bezichtigen. Al blijkt uit nader onderzoek dat de gebouwen in werkelijkheid complexe badhuizen waren. In een daarvan leek zelfs een soort vroeg casino te zijn ingericht.

Toen het rijk christelijker en zediger werd, boette Baiae in aan aantrekkingskracht. De neergang zette in. Een aantal van de laatste bezoekers over wie wordt bericht waren barbaarse Visigoten en Vandalen, die er de geneugten van de beschaving kwamen proeven alvorens ze de fundamenten van diezelfde beschaving ontwrichtten. Zo'n beetje alles wat de barbaren overeind lieten staan, werd in de achtste eeuw door islamitische plunderaars vernietigd. De echte genadeklap werd echter niet uitgedeeld door mensen, maar door malariamuggen. Deze plaag werd zo hevig dat Baiae tegen 1500 volledig werd verlaten.

Onbedoelde ironie: deze met vissen versierde mozaïek verfraait een vloer die zich tegenwoordig onder water in de baai bevindt.

Baiae vandaag de dag

Toch werd Baiae niet helemaal vernietigd. Ruim de helft van de stad bleef behouden dankzij dezelfde vulkanische activiteit die ook ten grondslag lag aan de warmwaterbronnen waaraan het resort ooit zijn populariteit dankte. In de late keizerlijke periode en daarna opnieuw in de vroege middeleeuwen daalde de kustlijn als gevolg van vulkanische activiteit tussen de zes en tien meter, waardoor de overblijfselen onder het slib verdwenen.

Tegenwoordig trekt de stad een ander slag toeristen. Onderwaterarcheologen, zowel professionals als amateurs, begeven zich in groten getale naar Baiae om zich te vergapen aan de standbeelden, het marmer en de mozaïeken die op de zeebodem bewaard zijn gebleven. Maar wanneer het beschermende slib is weggehaald, vergt het grootschalig en continu beheer om te voorkomen dat het steenwerk niet wordt overwoekerd en aangetast door het zeeleven.

Sommige beelden, zoals dat van het nymfaeum (een monument voor de nimfen) van keizer Claudius, zijn om redenen van behoud uit de archeologische vindplaats onder water weggehaald. Toeristen kunnen deze en andere overblijfselen van het Romeinse Las Vegas tegenwoordig bezichtigen – zonder natte voeten te krijgen – in het nabijgelegen Parco Archeologico delle Terme di Baia.

Ca. 300 v.Chr.-1100 n.Chr.
Volubilis
Aan de rand van het Rijk

Niettegenstaande al zijn rijkdom en verfijning was en bleef Volubilis een grensstadje.

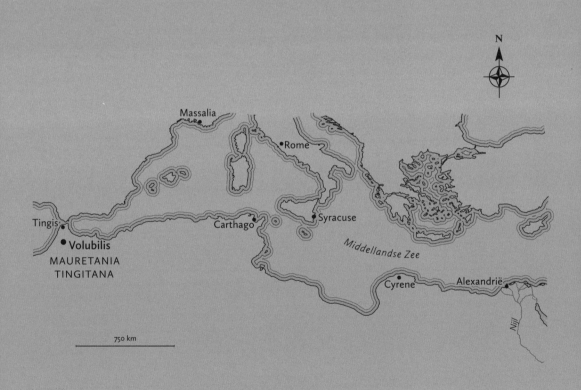

De Romeinse beschaving verspreidde zich niet alleen over de Romeinse provincies, maar ook naar aangrenzende landen. Sommige plekken lagen in een schemerzone en waren zowel Romeins als niet-Romeins. Enerzijds waren ze onderdeel van het rijk, maar anderzijds werden ze ook beïnvloed door landen aan de andere kant van de grens. Het Noord-Afrikaanse Volubilis was zo'n stad.

Volubilis bevond zich op de uitlopers van het Rifgebergte in het zuidoosten van Mauretania. De Berberse volkeren aan de andere kant van de Atlas woonden dus dichterbij dan de Latijnse volkeren van het Italiaanse schiereiland. Hoewel de stad aan de voet van de Jebel Zerhoun uitkeek over de vruchtbare vlakte, zouden de Romeinen vermoedelijk nooit een grote stad op zo'n veraf gelegen locatie hebben gesticht als zich daar niet al een nederzetting had bevonden.

Rome in Afrika. Hoewel de basilica van Volubilis nu een ruïne is, getuigen de restanten zowel van de rijkdom van deze verdwenen stad als van de enorme macht van het Romeinse Rijk.

Oorsprong

Deze locatie werd al duizenden jaren bewoond (er werden overblijfselen gevonden die dateren van de neolithische tijd), maar in de derde
eeuw v.Chr. werd Volubilis formeel een stad. Voordien was het als een
handelspost opgezet door de Carthagers, die vanuit deze plek contact
onderhielden met de niet-onderworpen Berberse stammen in het
binnenland. Een van de weinige overblijfselen van deze vroege periode uit de stadsgeschiedenis is een tempel die werd gebouwd voor de
Carthaagse god Baäl.

Aangezien Volubilis deel uitmaakte van het Carthaagse Rijk hadden
de Punische Oorlogen een indirecte impact op de stad, ook al zouden
de succesvolle legioenen van Scipio Africanus zich nooit zo zuidelijk
wagen. Toen het koninkrijk Mauretania in 146 v.Chr. onderdeel van het
Romeinse Rijk werd, werd Volubilis dat dus ook. Desalniettemin stond
het culturele leven van de stad vooral onder Griekse en niet zozeer
onder Romeinse invloed.

De filhelleense Juba II, koning van Mauretania (overlijden ca. 23
n.Chr.) was allesbehalve een 'barbaarse' koning. Hij was bevriend met
Julius Caesar en zijn erfgenaam Octavianus, sprak vloeiend Latijn en
Grieks en trouwde met Cleopatra Selene, de dochter van Cleopatra van
Egypte en haar geliefde Marcus Antonius. Binnen zijn koninkrijk stimuleerde hij de kunsten en wetenschappen. Zelf was hij ook een beetje
een geleerde, zo publiceerde hij een werk over Romeinse archeologie.
Onder Juba's bewind floreerde Volubilis in dusdanige mate dat sommige historici menen dat de stad als een tweede hoofdstad van het
koninkrijk diende.

In Volubilis gevonden
beeldjes van acrobaten.
Deze elegante figuur-
tjes bevinden zich nu in
het Musée Archéologi-
que in Rabat.

Het Romeinse Volubilis

Na Juba's overlijden annexeerden de Romeinen formeel zijn koninkrijk, dat toen de Romeinse provincie Mauretania Tingitana werd.
Waarschijnlijk merkten de inwoners van Volubilis weinig van deze
machtsovername. Al was de bescherming van de legioenen welkom; de
Berberse stammen weerstonden de pogingen van de Romeinen om hun
grenzen verder naar het zuiden te verleggen. Niettegenstaande al zijn
rijkdom en verfijning was en bleef Volubilis een grensstadje.

Uit inscripties blijkt dat de bevolking van de stad overwegend
bestond uit gelatiniseerde Berbers, voormalige bewoners van het
Carthaagse Rijk en een Joodse minderheid. Toch maakte de stad direct
onderdeel uit van het Romeinse economische systeem. De vlakte voor
de stad was ideaal om tarwe en olijven op te verbouwen, en de stad
Rome had een onstilbare zucht naar beide. In Volubilis wemelt het van
de aanwijzingen voor de olijventeelt. Zo is het industriële artefact dat
in de ruïnes het meest is gevonden de (restanten van de) olijfpers.

Een andere florerende economische activiteit in dit gebied was het vangen van exotische dieren ten behoeve van de Romeinse arena's. Hoewel de handelaren van Volubilis hier zeer van profiteerden, betekende dit ook een ecologische ramp. Deze activiteit leidde bijvoorbeeld rechtstreeks tot het uitsterven van de atlasbeer en de berberleeuw. De lokale bossen werden gekapt om plek te maken voor tarwevelden en olijfboomgaarden. Dit proces droeg bij aan, en werd versterkt door, de toenemende verwoestijning van de regio.

Volubilis in zijn hoogtijdagen

En toch ging het Volubilis in de eerste twee eeuwen van het keizerlijke Rome voor de wind. De meeste oude gebouwen van de stad moesten plaatsmaken voor nieuwere, grotere bouwwerken. De stad breidde zich uit over een gebied van ongeveer 43 hectare. In de hoofdstraat, de Decumanus, lagen brede stoepen langs winkels (vooralsnog zijn er tweehonderd winkels aangetroffen) en de huizen van de welgestelden. Aan het ene eind van de straat bevond zich de imposante Boog van Caracalla (die tijdens de Franse koloniale bezetting gedeeltelijk zou worden herbouwd), aan het andere de zogeheten Tingispoort.

Via een aquaduct werd er water de stad in geleid. Vervolgens stroomde het verder door de stad via een kanaal onder een straat die evenwijdig liep aan de Decumanus. De armere stedelingen woonden in kleinere leemstenen huizen die doorgaans slechts twee kamers hadden. Uit de restanten van tientallen bakkerijen blijkt echter dat de bevolking een groot deel van de dag buitenshuis doorbracht, onder meer op het forum en het marktplein, dat meer dan duizend vierkante meter besloeg. In totaal telde Volubilis zo'n twintigduizend inwoners.

Neergang

Zelfs in zijn bloeitijd werd Volubilis constant bedreigd door Berberse stammen. Rond 168 n.Chr. werd onder het bewind van keizer Marcus Aurelius bevolen tot de bouw van een 2,6 kilometer lange ringmuur ter aanvulling op de andere, enigszins hapsnap aangelegde fortificaties van de stad. Toen het Romeinse Rijk in de derde eeuw in een crisis wegzakte, bewezen deze verdedigingswerken zich als uitermate nuttig. Tijdens deze periode van algehele politieke en economische instabiliteit, verloor het Romeinse Rijk geleidelijk de controle over Volubilis.

Toen een reeks capabele keizers vervolgens het Romeinse Rijk naar rustiger vaarwater wist te loodsen, viel Volubilis in Afrika buiten het gekrompen rijk. Lokale stammen maakten inmiddels de dienst uit in Volubilis, dat klaarblijkelijk wel als stedelijk centrum bleef functioneren. Uit archeologische bevindingen blijkt dat het duale karakter van de

stad haar in staat stelde om door te gaan als Moorse stad toen de Romeinse invloed afnam. In deze latere jaren leek de stad ook een grote christelijke bevolkingsgroep te hebben geherbergd, wat van pas kwam toen Volubilis in de zesde en zevende eeuw weer kortstondig onder het bewind van het Oost-Romeinse Rijk kwam.

Tegen die tijd was Volubilis flink gekrompen. De ingestorte Italiaanse economie had weinig vraag meer naar de stedelijke producten; door een aardbeving in de vijfde eeuw was de stad aanzienlijk verwoest. Na 788 werd de stad islamitisch. Als de hoofdstad van de islamitische dynastie van de Idrisiden beleefde de stad een nieuwe bloeitijd. De ecologische schade van de voorgaande eeuwen was echter merkbaar. Tegen de elfde eeuw was de stad grotendeels verlaten.

In de zeventiende eeuw werd de geruïneerde stad nog maar eens geplunderd. Ditmaal door de sultan van Meknes, die met de marmeren zuilen en bewerkte stenen zijn eigen stad wilde verfraaien. In de achttiende eeuw richtte een aardbeving nog meer schade aan.

Volubilis vandaag de dag

In weerwil van al die eeuwen dat Volubilis is verlaten, blijft het een van de best bewaarde Romeinse steden in Afrika. Mede dankzij het droge klimaat is een schat aan mozaïeken, standbeelden en inscripties bewaard gebleven. Zo ontdekten archeologen een volledig intacte buste van Cato de Jongere, die in een verlaten ruimte nog altijd op zijn oorspronkelijke sokkel stond. Sommige bewoners die de stad ontvluchtten in 285 n.Chr., toen het Romeinse bewind ineenstortte, keerden nooit terug. Zij hadden geld in potten en fraaie bronzen beelden onder hun huizen begraven, tot blijdschap van de archeologen die ze daar zo'n 1700 jaar later zouden opgraven.

Volubilis kent tegenwoordig een kleine populatie van onderzoekers (sinds 2000 worden de opgravingen uitgevoerd door het University College in Londen en het Marokkaanse Institut National des Sciences de l'Archéologie et du Patrimoine). Toch moet bijna de helft van de stad nog worden blootgelegd. Zoals zoveel verdwenen en herontdekte steden staat Volubilis op de Werelderfgoedlijst van de Unesco.

Ca. 700 v.Chr.-790 n.Chr.
Stabiae
Vergeten slachtoffer van de Vesuvius

De vulkaan begroef Stabiae onder een laag as
en lava van vijftien meter dik...

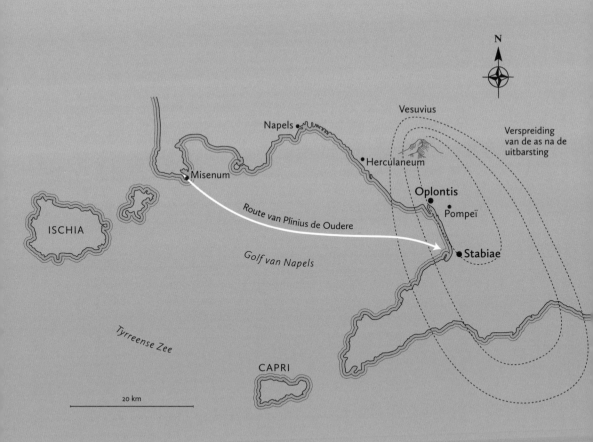

In het jaar 79 n.Chr. barstte de Vesuvius uit met catastrofale kracht. Aangezien de vulkaan zich eeuwenlang relatief rustig had gehouden, beschouwden de lokale inwoners hem niet als een existentiële dreiging. Sterker nog: de opstandige gladiator Spartacus had ooit de uitvalsbasis voor zijn guerrillaleger hoog op de berghellingen gevestigd. Toen de Vesuvius dan toch uitbarstte, deed hij dat op spectaculaire wijze. Een zuil van superverhit gas spuwde een aswolk van dertig kilometer de atmosfeer in, terwijl pyroclastische stromen lava en as met sneltreinvaart de berg af rolden.

Tijdens de eruptie, die bijna een hele dag duurde, braakte de Vesuvius honderden miljoenen tonnen as en puimsteen uit. Zoals algemeen bekend werden de steden Pompeï en Herculaneum volledig begraven onder de asregen. Datzelfde gold echter ook voor de havenstad Stabiae en het vissersdorpje Oplontis.

Dit marmeren beeld geeft zijn naam aan de villa waar het is gevonden, de Villa del Pastore. Een herder van middelbare leeftijd draagt een lam op zijn schouders, en heeft in zijn ene hand een mand met fruit en graan en in de andere een haas.

Veranderende bevolking

Stabiae lag aan de kust, op zo'n 4,5 kilometer van Pompeï en in de oostelijke hoek van de Golf van Napels. Het eerste bewijs voor bewoning van deze locatie gaat drieduizend jaar terug. In ieder geval vanaf de achtste eeuw v.Chr. werd de stad permanent bewoond. Destijds woonden er Etrusken, al getuigen de artefacten uit Athene, Korinte en Fenicië van het kosmopolitische karakter van deze nederzetting. Waarschijnlijk was ze een handelshaven.

Uit onderzoek van de stoffelijke overschotten in de uitgestrekte stedelijke necropolis blijkt dat de allereerste bewoners vermoedelijk Griekse handelaren annex kolonisten waren, die vervolgens door inheemse Etrusken werden verdreven. De grote begraafplaats van de necropolis was zo'n vier eeuwen in gebruik. De honderden graven geven hedendaagse onderzoekers een uitgelezen kans om demografische veranderingen in kaart te brengen.

Na de Etrusken lijkt Stabiae vooral te zijn bewoond door een Italische stam uit het binnenland, de Osken. Als een heuvelvolk waren de Osken niet zozeer geïnteresseerd in de zee, maar juist wel in de rijke landbouwgronden van de groeiende stad, de zogeheten Ager Stabianus. Dit had tot gevolg dat de handelaren zich verplaatsten naar het nabijgelegen Pompeï, dat qua economisch belang Stabiae overschaduwde. Later werden de Osken verdreven door de oorlogszuchtige Samnieten.

De Samnieten waren aartsvijanden van Rome. Stabiae voegde zich bij de anti-Romeinse Nucerische Federatie van lokale Samnitische steden. Omdat Stabiae echter algauw het nutteloze van het verzet inzag, gaf de stad zich in 308 v.Chr. over. Stabiae werd opgeslokt door het groeiende Romeinse Rijk. We weten dat de stad loyaal was aan Rome tijdens de oorlogen met Carthago van 264-201 v.Chr., aangezien de heldhaftige acties van een trireem met bemanning uit Stabiae in

de annalen van die oorlog zijn vastgelegd. Tijdens de *Bellum sociorum* van 90 v.Chr. vocht de stad echter mee met andere Italiërs, die Rome wilden dwingen hun volledige burgerschapsrechten toe te kennen. Die kreeg Stabiae echter niet; toen de Romeinse legioenen onder de notoir meedogenloze generaal Cornelius Sulla arriveerden, werd het stadje volledig verwoest. Volgens een tekst van Plinius de Oudere stond er na Sulla's vertrek slechts één boerderij overeind (*Naturalis Historia* 3.9.13).

Het Romeinse Stabiae

Stabiae gaf niet voor het laatst blijk van opvallende veerkracht. Binnen een paar decennia was de stad alweer opgebloeid, ditmaal als Romeinse stad. Het Romeinse Stabiae genoot aanzienlijke welvaart, en dan vooral als resort voor de rijken die wilden profiteren van de kust maar niet zaten te wachten op de schelmenstreken van de mondaine menigte in Baiae. Cicero schreef aan een vriend dat hij jaloers op hem was, omdat hij 'de ochtenduren aangenaam doorbracht met lezen voor dat grote venster in je kamer dat zo'n prachtig uitzicht biedt op de Baai van Stabiae' (*Brieven* 7.1.1).

De kamer waar Cicero naar verwees, bevond zich waarschijnlijk in een van de vele schitterende herenhuizen waar de bijna twee kilometer lange landtong mee bezaaid was. Die bevonden zich op de rand van een steile, bijna vijftig meter hoge klif. Het uitzicht moet dus inderdaad spectaculair zijn geweest. Zelfs de *villae rusticae* – de boerderijen die zich verder weg van de zee in het vruchtbare achterland bevonden – hadden rijke eigenaren. De boerderijgebouwen hadden niet alleen dorsvloeren en olijfpersen, maar waren ook voorzien van thermale baden en kostbare mozaïeken en fresco's.

Vesuvius en de nasleep

Plinius de Oudere zal bekend zijn geweest met Stabiae, want de stad lag verderop aan de kust gezien vanuit de marinebasis in Misenum, waarover hij het commando had (zijn andere bezigheid, naast die van natuurvorser en schrijver). Toen de Vesuvius uitbarstte was Plinius thuis bij zijn jongere neef, die later in brieven de gebeurtenis zou beschrijven. Deels uit wetenschappelijke nieuwsgierigheid gingen beide Pliniussen een kijkje nemen. Hun onderzoek veranderde echter algauw in een reddingsmissie toen ze zagen hoeveel mensen wanhopig voor de ramp op de vlucht sloegen.

Plinius (de Oudere) beval zijn mannen om naar Stabiae te gaan en daar zo veel mogelijk vluchtelingen van het strand te evacueren. Terwijl hij leidinggaf aan de operatie viel Plinius echter dood neer, hetzij door natuurlijke oorzaken als gevolg van de stress, hetzij door giftige dam-

pen van de uitbarsting. De vulkaan spuwde uiteindelijk genoeg materie uit om Stabiae grotendeels te bedelven onder een laag as en lava van vijftien meter dik. Dat bleek genoeg om de villa's duizenden jaren lang nagenoeg intact te bewaren. Ook de beelden en fresco's daarbinnen overleefden in vrijwel dezelfde toestand als ze werden begraven.

Dit was niet het einde van Stabiae. Het stadje zou wederom op-krabbelen. De eerste-eeuwse Romeinse dichter Statius noemt in zijn *Silvae* (3.6) onder de attracties van Campania het 'dampige Baiae' en het 'herboren Stabiae'. Net zoals de andere Campaniaanse resortstadjes

Een van de vele Romeinse imitaties van de Doryphoros ('Speer-drager') van de Griekse beeldhouwer Poly-kleitos. Net als bij het oorspronkelijke beeld ontbreken de linkerarm en speer. Anders dan deze marmeren imitatie uit Stabiae was dat beeld in brons gegoten.

In dit charmante fresco uit Stabiae strijkt een vogel neer op een plank om een aantal net geplukte vijgen te inspecteren.

ging Stabiae pas definitief ten onder met het Romeinse Rijk als geheel. Tegen de tijd dat de benedictijner kloosterorde in de vijfde eeuw een vestiging in Stabiae stichtte, was de rest van de stad vrijwel uitgestorven. In de middeleeuwen zou dat helemaal zo zijn.

Stabiae vandaag de dag

De schade die de Vesuvius toebracht aan de gebouwen van Stabiae werd verergerd doordat de stad een van de eerste Italiaanse archeologische vindplaatsen was die werd blootgelegd. Deze achttiende-eeuwse opgravingen werden verricht op dusdanig niet-wetenschappelijke wijze dat ze amper van plunderingen kunnen worden onderscheiden. Het hoofddoel was het opgraven van Romeinse voorwerpen die Karel VII van Napels vervolgens als geschenken aan zijn collega-monarchen kon presenteren.

Tot geluk van Stabiae werden even later de nog spectaculairdere restanten van Pompeï ontdekt, zodat de ruïnes van Stabiae werden overgelaten aan de meer wetenschappelijk ingestelde archeologen van latere eeuwen. Maar ook als gevolg van de voorzichtigere opgravingen werden de gebouwen aan de inwerking van de elementen blootgesteld. In 1980 raakten de toch al kwetsbare ruïnes nog verder beschadigd na een aardbeving. Gelukkig waren veel van de kostbare artefacten en schilderingen toen al veilig ondergebracht in een museum in Napels.

Vlak bij de vindplaats bevindt zich een modern dorpje. Dat doet goede zaken door diensten te verlenen aan de goedgeïnformeerde toeristen die weten dat de bezichtiging van de schitterende ruïnes van Stabiae een vergelijkbare ervaring biedt als een bezoek aan Pompeï, maar dan zonder de enorme drukte.

600 v.Chr.-43 n.Chr.?
Maiden Castle
De dood van een mythe

Bewijs voor een samenleving op drift is een disproportioneel aantal jonge mannen wier skeletten tekenen vertonen van een gewelddadige dood.

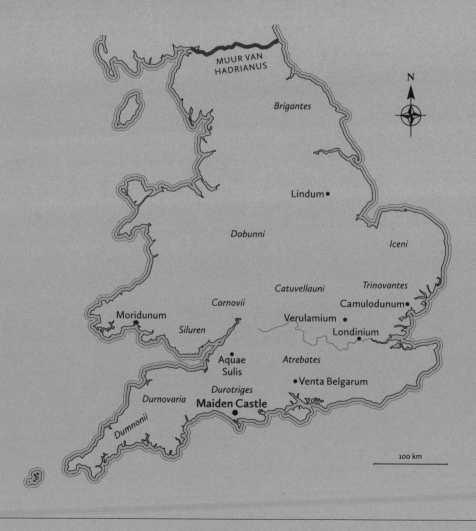

MUUR VAN HADRIANUS

Brigantes

N

Lindum •

Dobunni

Iceni

Catuvellauni

Trinovantes

Cornovii

Camulodunum •

Moridunum •

Verulamium •

Siluren

Londinium •

Aquae Sulis •

Atrebates

Durotriges

• Venta Belgarum

Durnovaria

Maiden Castle •

Dumnonii

100 km

Het verhaal gaat dat er in de tijd van de Romeinse invasie van Britannia ter plekke een overwegend vreedzame, matriarchale samenleving bestond waarvan de druïdenreligie harmonie met de natuur propageerde. Toch vochten de Britten hard om zich de militaristische Romeinen van het lijf te houden. Een van de grote bolwerken van verzet was het heuvelfort Maiden Castle (die 'Maiden' oftewel 'maagd' werd genoemd, omdat ze ondoordringbaar werd geacht). In weerwil van de geleverde heldhaftige weerstand wisten de Romeinen uiteindelijk het fort te veroveren dankzij hun superieure vuurkracht en militaire technologie. Ze regen alle inwoners aan hun zwaard en ze maakten deze vesting, een van de laatste Keltische forten in Britannia, met de grond gelijk.

Alleszins een meeslepend verhaal. Helaas is het enige wat klopt het feit dat Maiden Castle inderdaad een heuvelfort was. De rest is het resultaat van een combinatie van verkeerd geïnterpreteerd bewijs en wensdenken. Dat versluierde het ware – en evenzo fascinerende – verhaal van een de indrukwekkendste Britse nederzettingen van de ijzertijd.

Oorsprong

Een gegraveerd fragment van een bronzen plaat uit de Romeinse tijd in Maiden Castle. We zien hier de godin Minerva met de haar kenmerkende speer en helm.

De locatie van wat Maiden Castle zou worden bevindt zich net onder de top van een heuvel, zo'n 130 meter boven zeeniveau, vlak bij de huidige stad Dorset. De heuvel kijkt uit over een vlakte die ten minste zesduizend jaar lang door mensen werd bewoond. De eerste bewoners die hun stempel op de heuvel drukten deden dat vrij letterlijk, namelijk door geulen te graven waardoor het onderliggende witte krijt zichtbaar werd. Dit teken van bezit en bezetting was van mijlenver zichtbaar. Het maakt duidelijk dat Maiden Castle net zozeer een symbool als een locatie was. Wie de heuvel beheerste, beheerste de omliggende velden. En dat wilden de bewoners van de heuvel graag onderstrepen.

Ongeacht de reden van deze eerste periode van bewoning van de heuveltop, lijkt die hooguit onregelmatig te zijn geweest. Rond 5500 jaar geleden werd de heuvel weer verlaten. In de bronstijd, rond 1000 v.Chr., werd er een poging ondernomen om op het relatief vlakke heuvelplateau landbouw te bedrijven, maar de dunne toplaag van de bodem raakte weldra uitgeput. Nadien werd de locatie vooral gebruikt voor ceremoniële samenkomsten en begrafenissen.

Het fort

Rond 600 v.Chr., aan het begin van de ijzertijd, ontstond het eerste heuvelfort. Het zou kunnen dat dit zowel een bestuurscentrum betrof als een toevluchtsoord voor boeren in deze steeds gewelddadigere tijden. Naarmate de tijd verstreek, werd het fort groter en belangrijker. De dominante ligging (*mai dun* of 'grote heuvel' is de meer waarschijn-

lijke herkomst van de huidige naam) en formidabele fortificaties maakten de locatie tot een van de belangrijkste bolwerken van zijn tijd.

De sterke verdedigingswerken boden een veilige basis voor activiteiten zoals het smelten van ijzererts en de handel. Het gros van het ter plekke gevonden aardewerk is geïmporteerd; en uit het archeologische bewijs blijkt dat Maiden Castle in het toenmalige Britannia een van de belangrijkste locaties was voor de productie van ijzer. De nederzetting bracht zelfs meer ijzer voort dan er lokaal erts had kunnen worden gewonnen, dus waarschijnlijk werd er ijzererts aangevoerd vanuit Wales en het zuidelijk gelegen Weald. Uit de grote graanschuren blijkt dat oogsten van de vlakte veiligheidshalve in het heuvelfort werden opgeslagen.

Op een zeker moment werden de ietwat willekeurig verspreide huizen op basis van een regelmatiger stadsplan herschikt, al bleven dit huizen van tenen en leem, zoals in Britannia destijds gebruikelijk was.

De verdedigingswerken

De belangrijkste reden dat Maiden Castle kon uitgroeien tot een van de grootste heuvelforten van het Europa van de ijzertijd was het indrukwekkende geheel aan verdedigingswerken. Deze omringden de negentien hectare van de heuvel in de vorm van verschillende geulen, die werden gecombineerd met wallen van aarde en kalk die werden bekleed met hout. Weliswaar was Maiden Castle een belangrijk centrum van de ijzerproductie, maar dat materiaal was te kostbaar om toe te passen in de poorten; die werden dan ook zonder spijkers geconstrueerd.

De zwakte van de poorten werd ten dele gecompenseerd door de barbacanes die ter verdediging waren gebouwd, inclusief kuilen met daarin een flink aantal katapultprojectielen. Zulke verdedigingswerken waren nodig ook, zoals blijkt uit contemporaine heuvelforten elders in Britannia, die tekenen vertonen van door gewelddadige aanvallen veroorzaakte brand en andere schade.

Een ander bewijs voor een samenleving op drift is het disproportionele aantal jonge mannen op de lokale begraafplaats. Veel van deze skeletten vertonen tekenen van een gewelddadige dood; bovendien blijkt uit de gedeeltelijke genezing van niet-dodelijke wonden die het bot bereikten, dat er langdurig oorlog werd gevoerd.

De komst van Rome

Het is een soort historisch cliché dat de Romeinen Britannia 'beschaafden'. Toch ontwikkelden de Britten zich op het moment van de Romeinse invasie in 43 n.Chr. zelf ook al gestaag die kant op. Zo gaven veel stammen hun eigen munten uit, wat ook gold voor de Durotriges, de dominante stam in de regio van Maiden Castle. Er werd al veel gehandeld met het Europese vasteland en ook de verstedelijking was in Britannia al op gang gekomen. Op de plekken waar dat veilig kon, hadden veel mensen hun benauwde en oncomfortabele heuvelforten reeds verruild voor gerieflijker onderkomens op de vlakte.

Onder aanvoering van de latere keizer Vespasianus veroverde het Romeinse Legio II het gebied rondom Maiden Castle. Dat was het moment waarop het heldhaftige verzet zou hebben plaatsgevonden. Ter plekke werden 38 lichamen van krijgers gevonden, die allemaal gewelddadig aan hun einde waren gekomen. Daarnaast zijn er bewijzen dat gebouwen uit die tijd in brand zijn gestoken.

Máár 38 begraven lichamen is niet bijster veel na een gewelddadig beleg en een bloedbad in een nederzetting met duizend inwoners. Bovendien bleek de Romeinse 'katapultpijl' die in een van de skeletten werd aangetroffen, na nader onderzoek eigenlijk een gewone speerpunt die in een moeras van wensdenken was beland. Veelzeggend is bovendien dat de dode krijgers een formele begrafenis kregen – dat was vanzelfsprekend niet het werk van zegevierende Romeinen.

Zo ontstond er ruimte voor een nieuw historisch perspectief. In dit minder dramatische scenario was Maiden Castle grotendeels in onbruik geraakt en slechts gedeeltelijk bewoond toen de Romeinen het gebied overnamen. De oud-inwoners waren inmiddels verhuisd naar het comfortabelere nabijgelegen stadje Durnovaria (Dorchester). Maiden Castle werd vooral gebruikt als officiële begraafplaats voor de Durotrigres-krijgers die elders heldhaftig om het leven waren gekomen.

Zodra de *Pax Romana* in het gebied was gevestigd, werd alleen het oostelijk deel van het fort bezet – en dat spaarzaam en voor slechts een paar decennia. Daarna werd Maiden Castle definitief verlaten. De resterende gebouwen werden in brand gestoken, waarschijnlijk om het terrein vrij te maken om vee te laten grazen. Op een zeker moment eind eerste eeuw n.Chr. werden de geulen opgevuld. Misschien dacht een nerveuze Romeinse bestuurder dat de heuvelvesting in potentie toch nog kon dienen als een opstandig bolwerk.

In de vierde eeuw werd er op de heuvel een Romeins-Keltische tempel opgetrokken, maar die raakte ook algauw weer in verval. Daarna bestond de populatie van Maiden Castle eigenlijk uitsluitend nog uit schapen en een verdwaalde koe.

Maiden Castle vandaag de dag

Aangezien Maiden Castle in zijn hoogtijdagen het belangrijkste heuvelfort op de Britse Eilanden was, is het zeker een bezoek waard. Sinds de opgravingen in de jaren dertig van de vorige eeuw werden voltooid zijn hier zelfs zoveel mensen langsgekomen dat English Heritage de locatie tegenwoordig beheert en beschermt. De plek is nu ook beter ingericht, met parkeergelegenheid en strategisch geplaatste informatiebordjes. De locatie is het hele jaar open voor bezoek.

100-ca. 600 n.Chr.
Timgad
De stad van Trajanus

Toen een ontdekkingsreiziger beweerde dat hij in Algerije een Romeinse stad met alles erop en eraan had gevonden, waren er maar weinigen die hem geloofden.

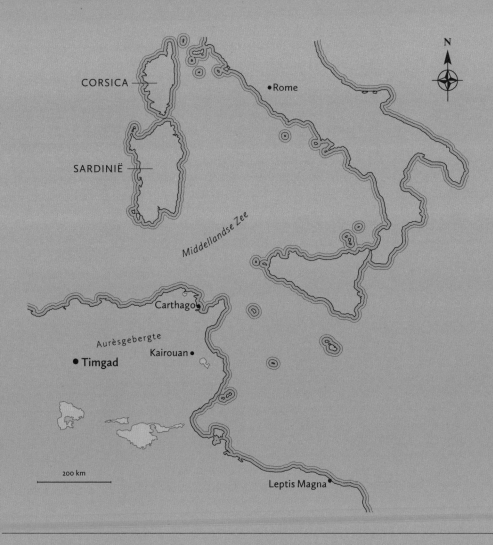

Ook wanneer je een groot en machtig heerser bent, is het helemaal vanaf nul opbouwen van een stad een riskante en zeer kostbare exercitie. Van de tientallen steden die door Alexander de Grote werden gesticht, heeft alleen de naar hem vernoemde Egyptische schepping als grote stad de tand des tijds doorstaan. De pagina's van dit boek zijn gevuld met mislukte steden die werden gesticht door ambitieuze heersers, zoals het Tigranocerta van Tigranes van Armenië en de ijdele projecten van de Egyptische farao's. Hoe moeten we dan verklaren dat Trajanus, toch een van de nuchterste Romeinse keizers, besloot om midden in de tegenwoordig Algerijnse woestijn, en op honderden kilometers afstand van wat dan ook, een complete stad uit de grond te stampen?

Een stad uit het niets

Een van de redenen was dat rond de tijd van de stichting van Timgad in 100 n.Chr. de Sahara nog niet zijn huidige omvang had bereikt. De nieuwe stad van Trajanus bevond zich dan ook niet op een dor plateau, maar op vruchtbare grond. Ze lag zo'n 770 kilometer ten zuidoosten van het huidige Algiers. Een andere reden voor deze locatiekeuze was juist dat er geen andere grote steden in de buurt lagen. Trajanus meende dat hij met een grote nederzetting de vijandige Berberstammen in het nabijgelegen Aurèsgebergte (onderdeel van de Atlas) zou kunnen intimideren en imponeren met de superioriteit van de Romeinse be-

Een blik op de ruïnes van Timgad, met in het midden de Boog van Trajanus en op de achtergrond het Aurèsgebergte.

Detail van een mozaïek uit Timgad met daarop de titan Tethys, de vrouw van Oceanus. Deze mozaïek maakt deel uit van de schitterende mozaïekcollectie van het Archeologische Museum van Timgad in Algerije.

schaving. Mocht de stad deze cultureel iconische functie onverhoopt niet afdoende vervullen, dan kon ze nog altijd militair van nut zijn door het Romeinse Legio III Augusta te ondersteunen. Dat was namelijk gelegerd in Lambaesis, zeventien kilometer verderop.

Het zou zelfs zo kunnen zijn dat de oorspronkelijke legerbasis van het Derde Legioen de kiem van de stad vormde. De nieuwe bevolking van Timgad was aanvankelijk hooguit semi-burgerlijk, aangezien Trajanus had voorzien dat de stad hoofdzakelijk zou worden bevolkt door afgezwaaide soldaten en hun gezinnen. Daarmee had hij voor noodgevallen ook meteen een soort reserveleger achter de hand.

Zorgvuldig ontwerp

De stad werd niet erg catchy Colonia Marciana Traiana Thamugadi genoemd. 'Colonia' omdat zijn bewoners Romeinse burgers waren. 'Marciana' omdat 'Marcia' als naam veel voorkwam binnen de familie van Trajanus. 'Traiana' omdat zelfs Trajanus niet helemaal gespeend was van ijdelheid. En 'Thamugadi' is een term van waarschijnlijk Berberse origine, maar de betekenis daarvan is onduidelijk.

De bewoners van deze wijdlopig genaamde stad zullen zich meteen thuis hebben gevoeld in de opzet ervan. De stadsplanners hadden het voordeel dat ze vanaf nul konden beginnen. Het gekozen stratenplan leek sterk op het ontwerp van een Romeinse legerbasis. De belangrijkste wegen liepen langs twee assen: de Cardo, een straat die van noord naar zuid liep, en de Decumanus Maximus, die van oost naar west liep. Zowel deze als andere straten werden geplaveid met kalkstenen flagstones die pakweg twee millennia later het oppervlak nog steeds bedekken.

Alle andere straten lopen parallel aan een van beide hoofdstraten, wat de stad het aanzien van een rechthoekig netwerk geeft. Alle kruispunten waren rechthoekig. Het belangrijkste verschil met een legerbasis was dat de Cardo niet dwars door de hele nederzetting liep, maar stopte bij het kruispunt met de Decumanus. Op dat punt werd namelijk een aantal blokken opgeofferd om in het stadscentrum ruimte te maken voor een aanzienlijk forum. Dit forum was de plek waar verkiezingskandidaten toespraken gaven en waar keizerlijke functionarissen rechtspraken. Hadden burgers zaken af te handelen met het stadsbestuur, dan kwamen ze naar de kantoren die zich hier bevonden. Ook vond een deel van het sociale leven hier plaats en werden er inkopen gedaan, want in de kraampjes op het forum vond de grootste stadsmarkt plaats.

Een stad in opkomst

Ook voor wat betreft de buizen en goten van het rioleringsstelsel betekende het bouwen vanaf nul dat de aanleg ongehinderd rationeel kon plaatsvinden. Dankzij de destijds overvloedige aanwezigheid van water was de stad voorzien van ongebruikelijk veel *thermae*, publieke baden. Er waren vier grote badhuizen en nog veel meer kleinere. Deze werden aangelegd naar de hoge standaarden van de beste Romeinse architectuur. Sterker nog: in het nabijgelegen Hammam Essalihine is een aantal vergelijkbaar aangelegde Romeinse baden nog altijd in gebruik.

Aangezien de stadsplanners met de stad een statement van Romeinse cultuur wilden afgeven, moesten de gebouwen groots en imponerend zijn. De schaal van de gebouwen werd zelfs nog wat groter dan aanvankelijk gepland, aangezien de bouwers wilden compenseren voor het feit dat ze vooral lokale steen en niet het indrukwekkendere marmer konden gebruiken – dat namelijk over een te grote afstand zou moeten worden aangevoerd. Een triomfboog en een tempel voor de Capitolijnse Jupiter domineerden het stadscentrum. Ook ging de stad prat op een grote bibliotheek. Rond 160 n.Chr. werd het culturele leven verder verrijkt met een theater dat plek bood aan meer dan 3500 toeschouwers en werd uitgehakt in een heuvel net buiten stad.

Tegen die tijd had Timgad al meer dan de tienduizend inwoners waar oorspronkelijk rekening mee was gehouden. Een aantal nieuwkomers bouwde hun huis dan ook buiten de stadsmuren. (Hoewel ommuurd zou Timgad nooit sterk gefortificeerd zijn.) Uit archeologisch bewijs blijkt dat er naast het oorspronkelijke Romeinse deel van de bevolking ook een grote Numidische en vooral Berberse populatie woonde.

De neergang

De daaropvolgende 250 jaar was de stad een bloeiend knooppunt van de Romeinse beschaving. Maar tegen de vierde eeuw n.Chr. zette geleidelijk de neergang in. Deels kwam dat door het veranderende klimaat, deels doordat de stad deelde in de algehele malaise van het Romeinse Rijk. Aan het eind van deze eeuw werd de inmiddels christelijke stad verscheurd door religieuze twisten; het bisdom schaarde zich tijdens het zogenoemde Donatistische Schisma aan de verliezende kant.

Een eeuw later beslechtte een op drift geraakte Vandalenstam – van ariaanse christenen – het religieuze geschil door Timgad te veroveren en volledig te plunderen, waarna het met de stad niet meer goed zou komen. Opstandige Berberstammen uit het Aurèsgebergte maakten het karwei af. Toen de soldaten van het Oost-Romeinse Rijk in de zesde eeuw in Timgad arriveerden, troffen ze een uitgestorven stad aan. In de buurt bouwden ze een groot fort. Tot aan de Arabische verovering had de stad een spookbevolking. Nadien werd Timgad definitief verlaten.

Timgad vandaag de dag

Timgad was zo totaal vergeten dat toen een Schotse ontdekkingsreiziger in de achttiende eeuw beweerde dat hij in Algerije een Romeinse stad met alles erop en eraan had gevonden, maar weinig mensen hem geloofden.

Pas na de Franse bezetting van Algerije werd er stelselmatig archeologisch onderzoek verricht. (Een deel van de schade van die vroege, ondoordachte inspanningen moet nog altijd worden hersteld.) Aangezien Timgad na zijn ondergang niet meer werd bewoond, werden de opgravingen niet gehinderd door gebouwen van later datum. En dus kwam algauw een stad aan het licht die een voorbeeldig staaltje Romeinse stadsplanning te zien gaf.

Naast de vroege archeologische inspanningen (waarbij overigens wel een paar fraaie mozaïeken uit woningen van de rijkeren waren veiliggesteld) werd Timgad in de afgelopen eeuw verder beschadigd door – o, de ironie – een muzikaal en cultureel festival. Dit internationale festijn werd sinds de jaren zestig van de vorige eeuw in Timgad gehouden; de festivalgangers lieten hun graffiti en rommel achter op de vindplaats en technici verminkten het theater met hun buizen en kabels.

Sinds 1982 prijkt Timgad op de Werelderfgoedlijst. De lokale autoriteiten, die zich terdege bewust zijn van de schade aan zowel de antieke stad als de culturele reputatie van hun land, organiseren het festival tegenwoordig in een namaaktheater in Romeinse stijl op veilige afstand van de Romeinse ruïnes.

De Boog van Trajanus in Timgad (hier afgebeeld) is als bouwwerk groter dan de bekendere boog van de keizer in Beneventum. Het is een van meerdere monumentale gebouwen die Trajanus verspreid over het rijk liet bouwen.

130-ca. 950 n.Chr.
Antinopolis
Stad van de verdronken god

Een stad die werd gesticht ter ere van de vergoddelijking van de jonge minnaar van keizer Hadrianus.

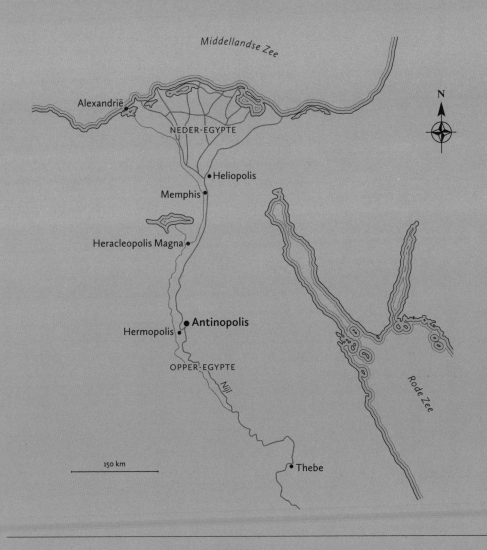

In het jaar 123 n.Chr. werd keizer Hadrianus voorgesteld aan een prachtige jongen afkomstig uit Bithynië, een provincie in Klein-Azië. Antinous was toen een jaar of twaalf. Doorgaans wordt aangenomen dat de keizer onmiddellijk een seksuele relatie met de jongen aanknoopte. Zoiets werd destijds maatschappelijk geaccepteerd. De hovelingen raakten gewend aan Antinous als de gezel van de keizer, die er zelfs bij was wanneer Hadrianus door de provincies van het Romeinse Rijk reisde.

De daaropvolgende zes jaar zou het koppel onafscheidelijk zijn. Daarna werd hun relatie problematischer. De Romeinse publieke opinie spiegelde als het ware de hedendaagse moraal: de relatie van Hadrianus met een minderjarige tiener werd getolereerd, maar een homoseksuele relatie met een volwassen man veel minder.

Het probleem loste zichzelf op in 130 n.Chr. toen Hadrianus een tour door Egypte maakte. Terwijl het keizerlijke gevolg de Nijl afvoer, verdronk Antinous onder mysterieuze omstandigheden. Werd hij vermoord door hovelingen die een pr-ramp probeerden te voorkomen? Doodde de keizer hem tijdens een ruzie? Of, en dit is de aannemelijkste theorie, besloot Antinous zelfmoord te plegen om zo de problemen op te lossen die hij zijn geliefde bezorgde?

Het is opmerkelijk dat Antinous overleed op een van de religieus meest symbolische plekken van de rivier. En wel in de stad Hermopolis, die was gewijd aan Thoth, de Egyptische god van magie, genezing en esoterische kennis. Zoals de priesters na afloop vertelden aan de

Portretbuste van Antinous, vervaardigd na zijn vergoddelijking. Hij draagt de *nemes*-hoofddoek die werd gedragen door leden van de Egyptische koninklijke familie.

rouwende Hadrianus, zou iedereen die onder zulke omstandigheden verdronk worden opgenomen in het wezen van de god Osiris.

Stichting van Antinopolis

Als dat zo was, gelastte Hadrianus, moest er op diezelfde plek op de Nijloever tegenover Hermopolis een stad worden gesticht ter ere van de vergoddelijking van zijn jonge minnaar. De stad zou dan ook Antino-polis heten en worden ontworpen als één groot gedenkteken. Als de grote liefhebber van stadsplanning en architectuur die hij was, subli-meerde Hadrianus zijn verdriet in de opzet van deze nieuwe stad.

Op de aangewezen locatie bevond zich het dorp Hir-we, dat daar in ieder geval al lag sinds de tijd van het Egyptische Nieuwe Rijk (ca. 1550-1069 v.Chr.). Hadrianus liet het dorp compleet afbreken, met uitzondering van een tempel van Ramses II en een heiligdom van de goedgunstige god Bes. (Bes beschermde huishoudens door onder meer slangen te doden, kwade invloeden af te weren en kinderen te beschermen.)

Cynici merkten op dat het overlijden van Antinous de Romeinen een opmerkelijk handig voorwendsel bood om vlak bij de rijksgrens een grote buitenpost van de Grieks-Romeinse cultuur op te trekken. In de praktijk zou de stad eerder Helleens dan Romeins zijn. Dat kwam doordat Hadrianus een bekend filhelleen was, maar ook doordat de nederzettingen in het oosten van het rijk nu eenmaal vaker Grieks dan Romeins van karakter waren.

Grieken werden aangemoedigd naar de stad te verhuizen. Ze kre-gen bepaalde voorrechten: alle kolonisten verwierven het Romeinse burgerschap en als ze met Egyptische vrouwen trouwden, zou ook hun nageslacht automatisch dezelfde privileges toevallen. Op papyrusfrag-menten die in de regio werden teruggevonden, gaat het vaak over een 'burger van Antinopolis' die omwille van die status een speciale behan-deling verdiende.

Een Griekse stad in Midden-Egypte

Een van de belangrijkste kenmerken van de nieuwe stad was (vanzelf-sprekend) een mausoleum van Antinous. De straten waren omzoomd door beelden van de vergoddelijkte jonge man. Tussen de elegante zui-lenrijen van deze brede, geplaveide straten bevonden zich tal van win-keltjes. De stad beschikte verder over een rudimentaire stadsmuur van zo'n 5,5 kilometer lang. Die diende eerder bestuurlijke dan defensieve doeleinden; aan de kant van de Nijl was de stad ook gewoon open. De grootste zuilenrij was even lang als de hele stad en verbond het theater aan de ene kant met het mausoleum aan de andere.

Detail van een stuk stof dat werd gevonden in het graf van een vrouw in Antinopolis. De zogenoemde Sabrina's sjaal vertoont een aantal bontgekleurde mythologische taferelen, zoals deze afbeelding waarop Bellerophon de Chimaera vertrapt.

De stadshaven moet bedrijvig zijn geweest, want het was een geschikte locatie voor de aanvoer van goederen uit India en China. Deze werden vervoerd vanuit de Rode Zeehaven van Berenice en vervolgens over de nieuwe Via Hadriana naar Antinopolis. Vervolgens werden ze verder over de Nijl verscheept. Buiten de muren lag een enorm hippodroom, terwijl zich binnen de muren tal van tempels, een theater en een triomfboog bevonden.

Om er helemaal zeker van te zijn dat Antinous nooit zou worden vergeten, organiseerde Hadrianus een jaarlijks festival, de Antinoeia. Dat behelsde atletiektoernooien, ruitersportwedstrijden en culturele evenementen, zoals muzikale competities en toneeluitvoeringen. Met de royale prijzen werd toptalent uit heel Egypte en daarbuiten gelokt. Mede daardoor bleef de Antinoeia eeuwenlang een van de grootste happenings in Midden-Egypte.

De 'Fajoemportretten' uit de tweede eeuw n.Chr. zijn soms zo realis-
tisch als een foto. Deze afbeeldingen op lindenhout geven inderdaad
weer hoe deze stedeling eruit zal
hebben gezien.

Beschilderd hoofd van een vrouw
uit Antinopolis die een reeks
kettingen draagt.

Op deze lijkwade uit Antinopolis
stapt een vrouw in tuniek met
franjes over een door Egyptische
goden geflankeerde drempel.

Het latere Antinopolis

Een van de beroemdste burgers van Antinopolis van latere datum was Serenus, een vierde-eeuwse wiskundige. Serenus bedacht een methode om de geometrische vorm van een cilinder te berekenen. De (christelijke) heilige Colluthus werd beroemd vanwege de martelaarsdood die hij in 304 dan wel 308 stierf. Hoewel de antichristelijke zuiveringen van keizer Diocletianus in Antinopolis bijzonder hevige vormen aannamen, was de stad in de vijfde eeuw christelijk. Een toenmalige reiziger bericht dat er zich ten minste twaalf 'vrouwenkloosters' in de stad bevonden en dat er buiten de stad tal van kluizenaars en heilige mannen leefden. Bovendien had de stad niet één, maar twee bisschopszetels.

Tegen die tijd was de oorsprong van de stad voor veel burgers een bron van schaamte geworden. In sommige teksten wordt de stad 'Antinoe' genoemd. In de Byzantijnse tijd werd de naamsverandering officieel en ging de stad Ansena heten.

Ansena/Antinoe/Antinopolis overleefde de islamitische verovering van Egypte in 641 en bestond ook in de tiende eeuw nog. Toen had de neergang echter al ingezet. Nadien raakte de stad in de vergetelheid.

Antinopolis vandaag de dag

Het volgende moment dat iemand aandacht aan de verdwenen stad besteedde, was vlak voor de negentiende eeuw toen Napoleon Egypte probeerde te veroveren. Hij bracht een gevolg van wetenschappers en bouwkundigen mee, die de locatie van Antinopolis onderzochten en de restanten van tempels en zuilenrijen vastlegden. Zij constateerden ook dat het merendeel van de stenen uit de stad waren hergebruikt om in nabijgelegen dorpen en steden huizen en moskeeën te bouwen. Dat gold vooral voor al-Sheikh Ibada, dat tegenwoordig vlak bij de vindplaats ligt.

Hedendaagse bezoekers zullen in Antinopolis vrijwel niets meer aantreffen van de restanten die Napoleons deskundigen registreerden. De locatie werd nagenoeg helemaal verwoest door de industriële bouwers van de vroegmoderne tijd, die de kalksteenblokken verbrandden voor hun kalk en andere antieke gebouwen ontmantelden om de steen te gebruiken bij de aanleg van een lokale dam.

Wie toch het antieke Antinopolis wil leren kennen, kan nog het beste naar el-Rodah gaan. Daar zijn veel van de stenen van de antieke gebouwen gebruikt voor de bouw van een moderne suikerfabriek. Maar op de echte locatie is de rest van Antinopolis, uitgezonderd een paar verweesde brokstukken van het antieke hippodroom, helemaal verloren gegaan.

DEEL 4

De grenzen van het Rijk en daarbuiten

Tijdens de laatste jaren van het Romeinse Rijk herontdekte de mediterrane wereld het belang van stadsmuren. Ook het machtige Rome zelf, dat zich eeuwenlang onbeschermd over het omliggende platteland had uitgestrekt, moest door keizer Aurelianus haastig van fortificaties worden voorzien. De vijfde eeuw n.Chr. wordt wel de tijd van de 'Grote Volksverhuizingen' genoemd. Veel van de barbaarse hordes die West-Europa binnentrokken, bezaten weinig meer dan een zwaard en bovenal diepe minachting voor andermans eigendomsrechten.

Als gevolg van deze tijd van troebelen haalden veel van de ooit bloeiende steden de middeleeuwen niet. Vaak was de reden dat ze niet verdedigd werden hetzij onverdedigbaar waren. Andere steden verdwenen doordat de handelsroutes waarvan ze afhankelijk waren niet meer werden gebruikt. Er kwamen weinig nieuwe steden bij, terwijl veel oude steden dramatisch krompen. Naar schatting daalde het bevolkingsaantal van Rome tussen 350 en 650 n.Chr. van 1,1 miljoen naar 30.000 inwoners. Andere steden werden simpelweg verlaten.

In sommige delen van het rijk krompen de steden al voordat de barbaarse invasies hun bevolkingscijfer deed dalen. In het West-Romeinse Rijk had een demografische neergang ingezet. Als er al sprake was van economische groei, dan vond die plaats op het platteland. Binnen het model van de zogenoemde villa-economie ontstonden zelfvoorzienende eenheden rondom de villa van een plaatselijke landeigenaar. (Dit systeem overleefde de val van het Romeinse Rijk. Sterker nog: we zien de grenzen van deze economische eenheden vaak nog terug in bijvoorbeeld de grenzen van hedendaagse Engelse gemeenten. Daarnaast getuigen achternamen als 'Schumaker' (schoenmaker), 'Molinaro' (molenaar) en 'Thatcher' (rietdekker) van de rol die voorouders van mensen in de gemeenschap vervulden.)

Van het forum naar de kathedraal

Binnen de steden die wel standhielden, paste het leven zich aan aan de nieuwe sociale en economische omstandigheden. Aangezien theaters en badhuizen niet strookten met de nieuwe christelijke waarden, raakten de meeste daarvan in verval. De nadruk verschoof naar het spirituele. In veel steden werd het forum als het maatschappelijke brandpunt vervangen door de kathedraal. Veel van de indrukwekkendste voorbeelden van stadsarchitectuur uit deze tijd zijn dan ook kathedralen, waaraan vaak eeuwenlang werd gebouwd. De citadel en het kasteel kregen een nieuw en vele malen groter belang.

Nieuwe nederzettingen werden in deze latere tijden niet per bestuurlijk fiat gesticht, maar ontstonden en groeiden organisch. Soms gebeurde dat rond legerbases (denk aan steden als Lancaster of Frankfurt). Sommige namen weerspiegelen de reden dat steden zich ontwikkelden. Dat geldt bijvoorbeeld voor Oxford of Innsbruck, steden die bij oversteekplaatsen ontstonden. Overal werden onbewoonde steden benut als bron van bouwmateriaal dat elders kon worden hergebruikt. (Wie geïnteresseerd is in de gebouwen van het Forum Romanum doet er goed aan het Vaticaan te bezoeken, waar de stenen van die antieke gebouwen zijn gerecycled in de Sint-Pietersbasiliek.) Wat resteerde van die in onbruik geraakte steden was een bron van verwondering voor latere generaties, zoals blijkt uit dit fragment van 'The Ruin', een oorspronkelijk in het Oudengels geschreven gedicht van een onbekende schrijver:

Wonderbaarlijk is het metselwerk, gebarsten door het noodlot,

verpletterde stadshuizen, het kwijnende werk van reuzen.

De daken zijn ingevallen, de torens geru-
ineerd.

De poort is bevroren, met rijp op het kalk-
steen,

en ondermijnd door ouderdom.

De gebarsten daken storten in.

De machtige bouwers zijn dood en vergaan,

opgenomen in de schoot der aarde.

Een honderdtal generaties is verstreken

sinds de muur, korstmosgrijs en met roest-
vlekken besmeurd, is opgetrokken,

rijk na rijk en door alle stormen heen.

De hoge, brede poort is neergehaald,

maar de stenen resteren.

Maar de dood van de Romeinse stad betekende niet de dood van de stad op zich. Toen de
mensen verspreid over Europa weer in aantal
toenamen, bloeiden de steden weer op. Overigens waren onder de islamitische kaliefen
de steden in het oosten nooit verdwenen.
Bagdad werd gesticht rond dezelfde tijd dat
'The Ruin' werd geschreven en zou in latere
eeuwen uitgroeien tot een van de grootste
steden ter wereld. Niettemin werden op plekken als Beta Samati in Oost-Afrika en Derinkuyu in Anatolië ook steden gebouwd die
later weer vergeten zouden worden.

De reden dat mensen in steden bij elkaar
gingen wonen, bleef aanwezig. De steden van
het laatmiddeleeuwse Europa waren bedrijvige, rumoerige (en zeer onhygiënische) plekken. Het was op deze plekken dat de zaadjes
van de renaissance ontkiemden en de vroegmoderne tijd ontsproot. En die werd in ieder
geval deels geïnspireerd door de spookach-
tige herinneringen aan de oudheid waarmee
het landschap nog altijd lag bezaaid.

Vóór 1000 v.Chr.-1400 n.Chr.
Palmyra
Stad van de woestijnkoningin

Bekend vanwege haar prachtige ligging, vruchtbare grond en overvloed aan zoet water.

Plinius de Oudere

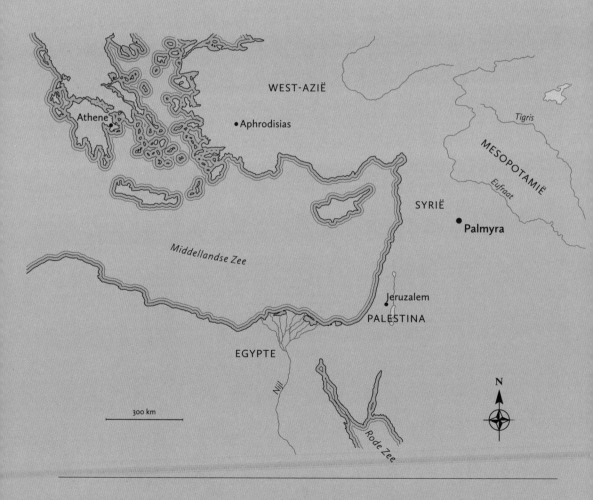

In het gebied rond de antieke stad Palmyra ging de geschiedenis van het stadsleven ver terug. 215 kilometer naar het zuidwesten was Damascus vermoedelijk de oudste plek op aarde die continu werd bewoond. De eerste mensen vestigden zich daar zo'n tienduizend jaar geleden. Palmyra doet daar weinig voor onder, al is deze stad tegenwoordig verlaten. De eerste sporen van bewoning rond de Efqabron stammen uit ongeveer 7000 v.Chr.

Een oasenederzetting

Het is niet duidelijk wanneer zich voor het eerst permanent mensen vestigden in het complex van onderling verbonden oases waaruit later Palmyra zou ontstaan – of 'Tadmor', de naam die de inwoners de stad gaven. Veel van deze oases werden gevoed door de bronnen die ontsprongen bij de Wadi al-Qubur, dat het centrum van de nederzetting werd (*al-Qubur* betekent 'rivierbedding'). In ieder geval was Palmyra/Tadmor tegen 1000 v.Chr. een stad. Nieuwkomers voegden zich bij de Aramese bevolking die hier al woonde.

Rond 950 v.Chr. voegden zich ook Hebreeën bij de toch al multiculturele bevolking. In die tijd kwam de stad binnen de invloedsfeer van het koninkrijk van Salomo te liggen, die, zo staat in de Bijbel, 'Tadmor

Vrouwenhoofd afkomstig uit een graf in Palmyra. Dit kalkstenen beeld uit de derde eeuw n.Chr. vertoont Romeinse invloeden terwijl de hoofddracht kenmerkend is voor de regio.

Luchtfoto van het theater van Palmyra, waar in onze tijd executies door de fanatici van IS en, na de herovering, een klassiek concert plaatsvonden.

versterkte, dat in de woestijn ligt' (2 Kronieken 8:4). Op kleitabletten uit de Mesopotamische stad Mari wordt de stad al een handelsplaats genoemd, een rol die Palmyra de duizenden jaren nadien zou houden.

Het belangrijkste gebouw van de stad was de tempel van de god Bel (een naam die was afgeleid van Baäl, die overal in de regio werd vereerd). Dankzij opgravingen rond en onder de tempel kon deze chronologie van de nederzetting worden bevestigd.

Een tempel door de tijd heen

Deze opgravingen voeren ons terug van de enigszins geïmproviseerde bouwwerken van de vroegmoderne tijd naar eerst de gebouwen van het Arabische kalifaat en vervolgens die van het Byzantijnse Rijk. Er zijn artefacten uit de late Romeinse tijd gevonden, waarvan vele stammen uit de hoogtijdagen van de stad in de derde eeuw n.Chr. De tempel van Bel is nog iets ouder: hij werd in 32 n.Chr. gebouwd toen Tiberius keizer van Rome was.

Hieronder ligt een laag die getuigt van een periode van hellenistische cultuur die verbonden zal zijn geweest aan het Seleucidische Rijk van de opvolgers van Alexander de Grote. Uit gevonden artefacten blijkt dat de stad op een gegeven moment werd bezet door, dan wel intensief handeldreef met de Assyriërs. De ook in deze laag aangetroffen gereedschappen dateren van de vroege bronstijd; de alleroudste stammen zelfs uit 7000 v.Chr., uit de steentijd dus.

Palmyra was lang een tussenstop voor karavanen die de Syrische woestijn doorkruisten. Hoewel verschillende rijken er in verschillende tijden formeel de baas waren, lag de stad dusdanig afgelegen dat ze altijd een grote mate van autonomie behield. Tot aan de eerste eeuw v.Chr. leek er zelfs geen behoefte aan stadsmuren te zijn. In die periode probeerde men de stad dan toch verdedigbaar te maken door fortificaties te bouwen op de plekken waar de omliggende heuvels geen natuurlijke bescherming boden. Deze muren konden het zich uitbreidende Romeinse Rijk echter niet tegenhouden, en in 64 v.Chr. werd Palmyra Romeins.

Het Romeinse Palmyra

Rond deze tijd werd Tadmor voor westerlingen 'Palmyra'. Beide namen (de Latijnse en de inheemse Palmyrese Aramese naam) zijn ontleend aan een van de belangrijkste exportproducten van de stad: dadels. Die groeiden in overvloed aan palmbomen, waarvan de omgeving van Palmyra tientallen varianten kende. Ongeacht de naam floreerde de stad onder Romeins bewind. Van een pleisterplaats voor woestijnkaravanen groeide ze uit tot een belangrijk handelscentrum. Dit kwam onder meer door de regionale welvaart die mogelijk werd dankzij de *Pax Romana*, maar ook door Palmyra's ligging tussen het Romeinse Rijk in het westen en het Parthische Rijk in het oosten.

Plinius de Oudere vertelt in zijn *Naturalis Historia* (5.21.25) uit de vroege eerste eeuw n.Chr.:

> De stad Palmyra staat bekend vanwege haar prachtige ligging, vruchtbare grond en overvloed aan zoet water. De velden worden aan alle kanten omringd door woestijnzand, zodat de natuur de stad van de rest van de wereld scheidt. Haar locatie tussen de rijken van Rome en Parthië geeft haar een zekere mate van onafhankelijkheid, want als de internationale spanningen hoog oplopen, zorgen beide rijken er altijd nauwlettend voor dat ze de stad aandacht geven.

In Palmyra wisselden kooplieden goederen van beide beschavingen uit. Op het grote plein werden slaafgemaakten, raspaarden, olijfolie en exotische kruiden verkocht, net als zijde, jade en schildpad(schild) die via de Zijderoute uit China werden aangevoerd. Dit plein werd naar hellenistisch gebruik de agora genoemd, al stelden archeologen vast dat het meer functioneerde als een oosterse soek.

E pluribus unum

Palmyra werd nooit echt Grieks, Romeins of Perzisch, maar bleef altijd een mix van al deze culturen, met daarbij bovendien een flinke dosis inheemse cultuur. Voor commerciële doeleinden werd het Grieks en niet het Latijn gebruikt, en onder elkaar spraken de inwoners een uniek Aramees dialect. Net als de bevolking die hen vereerde waren de goden van de stad overwegend Semitisch van origine, aangevuld met goden die waren overgenomen uit Mesopotamië en het zuiden.

Andere tempels, naast die van Bel, waren gewijd aan de goden Nabu, Al-lat en Baäl-Hammon. De priesters waren voornamelijk afkomstig uit de heersende clans die op erfelijke basis het bestuur van Palmyra vormden. Hoeveel clans er precies waren weten we niet, maar tijdens hedendaags onderzoek zijn er ten minste dertig geïdentificeerd. Aristocratische overledenen werden soms gemummificeerd zoals in de Egyptische traditie, om vervolgens in de grote necropolis van de stad te worden begraven in de kenmerkende familiemausoleums in toren-stijl.

Een opstandige staat

Toen het Romeinse Rijk in de derde eeuw n.Chr. zijn neergang inzette, steeg juist de ster van Palmyra. In de jaren vijftig van de derde eeuw nam een zekere Odaenathus de macht in de stad over. Odaenathus probeerde eerst langs diplomatieke weg de handel van Palmyra met de Perzen veilig te stellen. Toen dat mislukte, greep hij naar militaire middelen. Palmyra transformeerde van een handelsplaats in een militaire macht. In deze rol versloegen de Palmyrezen niet alleen de Perzen, maar onderwierpen ze zelfs een groot deel van het oostelijke Romeinse Rijk.

In 267 stierf Odaenathus plotseling. De belangrijkste begunstigde van zijn verdachte overlijden was zijn vrouw Zenobia. Als regent regeerde ze in naam van de jonge koningszoon en breidde ze de Palmyrese macht uit tot in Anatolië en Egypte. Hierdoor kreeg Zenobia het aan de stok met de Romeinen, die deze gebieden eeuwenlang als de hunne hadden beschouwd. Helaas voor Palmyra werd Rome op dat moment geleid door de uitermate bekwame keizer Aurelianus. De Palmyrese boogschutters en kamelencavalerie waren geen partij voor de Romeinse legioenen.

Aanvankelijk wilde Aurelianus het belangrijke economische knooppunt Palmyra graag behouden. Na een volgende opstand verloor hij echter zijn zelfbeheersing (Aurelianus was berucht om zijn opvliegende karakter). Tijdens de tweede Romeinse bezetting van Palmyra werd de stad geplunderd en met de grond gelijkgemaakt. Van die verwoesting zou ze nooit echt herstellen. Het bevolkingsaantal daalde van een geschatte 200.000 inwoners naar ongeveer een tiende daarvan.

Het latere Palmyra

Een bas-reliëf in Romeinse stijl dat naar wordt aangenomen uit Palmyra komt. We zien aristocraten in Parthische uitrusting en daarachter kameelruiters.

We hebben aanwijzingen dat Palmyra vervolgens een Romeinse legerbasis werd, waarbij de economische activiteiten van de stad waren gericht op de ondersteuning van het garnizoen. De latere keizer Diocletianus probeerde de stad haar oude rol terug te geven, maar

klaarblijkelijk zonder veel succes. Toen de Byzantijnse tijd aanbrak was Palmyra slechts een regionaal bestuurlijk centrum. Al moet gezegd dat de stad onder het kalifaat van de Omajjaden enigszins opleefde.

Aan het begin van de vijftiende eeuw stortten de strijders van de Mongoolse krijgsheer Timoer Lenk (ook wel bekend als Tamerlane) zich op Palmyra. Ze richtten een bloedbad aan onder de stadsbevolking. Nog weer later werd een piepklein dorp gevestigd binnen de ruïnes van de tempel van Bel. In de jaren dertig van de twintigste eeuw verplaatsten de Franse koloniale heersers van het gebied de laatste bewoners van deze ooit imposante stad naar een speciaal voor hen gebouwd dorp, zodat ze zelf aan hun opgravingen van de ruïnes konden beginnen.

Palmyra vandaag de dag

In het eerste kwart van de eenentwintigste eeuw haalde Palmyra het wereldnieuws als het slachtoffer van een nieuwe golf indringers. Ditmaal waren het de religieuze fanatici van de zogenoemde Islamitische Staat. In 2015 bliezen ze een aantal van de overgebleven tempels op. Sinds de stad in 2017 werd heroverd, is een deel van de schade hersteld. Daarnaast werd met vereende internationale krachten een 3D-model gereconstrueerd van een deel van de verwoeste stad op basis van bestaande films, foto's en archeologische vondsten.

Sinds 1980 staat Palmyra op de Werelderfgoedlijst van de Unesco. Maar op het moment van schrijven is de plek nog altijd te onveilig om te bezoeken. Niettemin gaf het Mariinsky-orkest uit Sint-Petersburg in 2016, als een aankondiging van betere tijden, in Palmyra een concert voor een publiek van internationale hoogwaardigheidsbekleders.

Een kalkstenen beeld uit Palmyra van een vrouw uit de derde eeuw n.Chr. Ze draagt inheemse kledij, halskettingen en andere sieraden.

4 v.Chr.-9 n.Chr.
Waldgirmes
Het Romeinse Duitsland
dat had kunnen zijn

Na slechts vijf jaar verdwenen, en wel zo volledig dat niemand tegenwoordig nog haar oorspronkelijke naam kent.

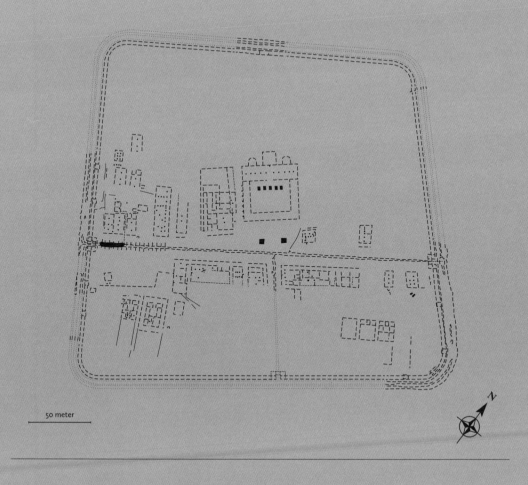

50 meter

N

Zilveren broche uit Waldgirmes met een doorsnede van drie centimeter. Deze broche werd gevonden in een geul naast de nederzetting en is een van de weinige vondsten die dateert van de eerste periode van bewoning van deze locatie.

Toen de eerste eeuw n.Chr. aanbrak, liep de Romeinse verovering van Germania op rolletjes. De Romeinse legioenen waren inmiddels aangekomen bij de Midden-Europese rivier de Elbe. Die leek een goede natuurlijke grens voor wat keizer Augustus voor zich zag als een netjes afgebakende, nieuwe keizerlijke provincie.

De Romeinse legionairs arriveerden in het Lahntal, een bosrijk en golvend landschap van lage heuvels zo'n honderd kilometer ten oosten van de Rijn. Ze kozen een goed verdedigbare locatie bij de rivier en zetten daar hun tijdelijke kamp op. Hun bedoeling was niet om te veroveren, maar om een stad te bouwen.

Misschien was de stad bedoeld als een *colonia* (een militaire buitenpost om grondgebied veilig te stellen) of als nederzetting voor veteranen. Of misschien – zoals haar ambitieuze grondplan doet vermoeden – moest hier een centrum van provinciaal bestuur ontstaan waar lokale stamleden, Romeinse kolonisten en handelaren samenwoonden en -werkten. Zoals de historicus Cassius Dio destijds opmerkte: 'De barbaren pasten zich aan aan de Romeinse manieren van doen, leerden markt te houden en vreedzaam samen te leven' (*De geschiedenis van Rome* 56.18).

Tegenwoordig kan de permanente nederzetting duidelijk worden onderscheiden van het tijdelijke kamp. De vroege stadsgebouwen hebben stenen funderingen, goede riolering en loden waterbuizen. Het fundament van het kamp was daarentegen van minder permanente aard, met latrines in de grond en stortplekken die niet al te veel zijn gebruikt.

Civitas ab initio

Omdat de stad vanaf nul werd opgebouwd, konden de legionairs met militaire nauwkeurigheid te werk gaan. Een houten, ongeveer 3,5 meter hoge omwalling moest de nieuwe nederzetting bescherming bieden, desnoods totdat er hulp arriveerde vanaf de legerbasis in Dorlar. De omwalling omsloot acht hectare van de stadskern en had drie poorten, aan de oost-, west- en zuidkant. Dwars door de nederzetting liep een weg van oost naar west. Het geheel was zo netjes ontworpen dat de eerste hedendaagse archeologen die deze plek bezochten voetstoots aannamen dat ze met een Romeinse legerbasis te maken hadden.

Toch was het geen legerbasis. Barakken ontbraken en er werd amper legeruitrusting aangetroffen. Daarentegen was dit de kern vanwaaruit naar Romeinse verwachting een relatief omvangrijke stad zou ontstaan. Middenin bevond zich een ruim forum met een Romeinse basilica ernaast. Een van de eerste dingen die de nieuwe burgers deden, was het oprichten van een pontificaal standbeeld van een man te paard op het forum.

Het onderwerp was waarschijnlijk keizer Augustus, want het standbeeld vertoonde tekenen van serieuze toewijding. Ten eerste was het

kalksteen voor de sokkel ingevoerd uit Gallië, waarschijnlijk via de rivier de Lahr (die gemakkelijk toegang bood tot de Romeinse wereld, onder meer via de grote Romeinse basis Castra Vetera aan de Neder-rijn). Het beeld zelf woog honderden kilo's en lijkt met bladgoud te zijn bekleed: allemaal tevens bedoeld om de lokale bewoners te imponeren die samen met de Romeinen een nieuw thuis van deze nederzetting moesten maken.

De inrichting van de stad gaf een fascinerende combinatie te zien van Romeinse en Germaanse elementen. De openbare gebouwen waren ontegenzeggelijk Romeins, al blijkt uit hun gedeeltelijk houten constructie dat ze op termijn door solidere gebouwen moesten worden vervangen. Dat laat onverlet dat ze vanwege het stenen gedeelte van de constructie de oudste Romeinse gemetselde gebouwen zijn die we in Germania hebben aangetroffen. Terwijl de protostad alle kenmerken van een klassieke Romeinse stad vertoont en ook een paar huizen in Romeinse stijl kende, hebben andere woongebouwen de typisch Germaanse 'longhouse'-constructie. Dit suggereert dat de stadsbevolking van meet af aan etnisch gemêleerd was.

Sommige Romeinen zetten werkplaatsen en pottenbakkerijen op en produceerden aardewerk in de hun kenmerkende stijl. Ander aardewerk dat hier werd gevonden was juist typisch Germaans. Het lijkt erop dat de lokale inwoners liever traditionele keramiek gebruikten dan importproducten uit Gallië of andere Romeinse steden ten noorden van de Alpen. Zo'n twintig procent van de in Waldgirmes gebruikte keramiek had een met de hand vervaardigd, inheems ontwerp.

Het einde

Binnen een jaar of twee nadat de legionairs de spade in de grond hadden gestoken, was Waldgirmes een volledig functionerende stad. Ze kon bogen op werkplaatsen, smidsen en pottenbakkerijen, een bestuurlijk centrum en een markt op het forum waar lokale boeren hun oogsten van de vruchtbare akkers konden verkopen. Maar nog geen tien jaar nadat de stad was gesticht, ging het verschrikkelijk mis.

De ramp die Waldgirmes trof had hoogstwaarschijnlijk alles te maken met het nog grotere onheil dat de Romeinse legioenen verder zuidwaarts overkwam. In het Teutoburgerwoud bij Kalkriese werden in 9 n.Chr. drie Romeinse legioenen, heel het Romeinse garnizoen in Germania, in een hinderlaag gelokt toen ze naar hun winterkwartier trokken. Ze werden volledig in de pan gehakt door Germaanse opstandelingen. Deze nederlaag luidde uiteindelijk het einde in van de Romeinse bezetting. Vlak daarna werd er ook met geweld een einde gemaakt aan de Romeinse nederzetting in Waldgirmes. We weten niet of de Romeinen wegtrokken uit de stad en die zelf vernietigden of dat lokale stammen dat voor hun rekening namen.

Hoe een provincie te verliezen. Dit schilderij uit 1873 van Peter Janssen, een Duitse schilder van historische taferelen, toont het moment waarop de Romeinse legioenen in een Germaanse hinderlaag lopen en worden overweldigd. De gebeurtenis markeerde het begin van het einde voor de Romeinse bezetting van de Germaanse gebieden, en daarmee ook voor Waldgirmes.

De verdedigingswal werd tot de grond toe afgebrand, het imposante ruiterbeeld brak in duizenden stukjes. Het grootste resterende fragment, het paardenhoofd, werd in een put gegooid, waar het eeuwenlang werd beschermd door de twee molenstenen die erachteraan werden gesmeten. Deze molenstenen waren bijna helemaal nieuw en waren destijds recent aangevoerd uit nederzettingen in het noordwesten. Ook andere overblijfselen, waaronder gereedschappen en emmers, belandden in de put. Deze voorwerpen zijn zo goed bewaard gebleven dat ze zeer nauwkeurig kunnen worden gedateerd: het recentst een ladder gemaakt van het hout van een boom die in de herfst van 9 n.Chr. werd gekapt.

Uit niets blijkt dat de Romeinen hier na 9 n.Chr. nog lang zijn gebleven. De enige andere aanwijzing voor Romeinse bewoning van deze locatie is een kampement dat het leger tijdelijk opzette, waarschijnlijk ten tijde van de meedogenloze strafexpedities waarmee de Romeinen het verlies van de provincie wilden wreken. Hoe dan ook was hun geplande regionale centrum verdwenen, en wel zo volledig dat vandaag de dag niemand zelfs maar zijn naam kent.

Waldgirmes vandaag de dag

Tegenwoordig wordt de antieke Romeinse nederzetting Waldgirmes genoemd, naar het nabijgelegen dorp. Aangezien de dorpelingen op een lokale akker keer op keer Romeinse aardewerkscherven aantroffen, kwamen archeologen in 1993 maar eens een kijkje nemen.

Nadat bodemradar geometrisch ontworpen straten aan het licht bracht, werd aangenomen dat zich hier een legerkamp had bevonden. Geleidelijk werd echter duidelijk dat het iets veel opwindenders betrof. Tot op dat moment werd aangenomen dat de bewering van Cassius Dio (56.18), dat er in Germania 'nieuwe steden werden gesticht', niet letterlijk moest worden genomen, maar dat het een retorische uitdrukking betrof die aangaf hoe vreedzaam de regio was geworden.

Dat het mogelijk was om een stad te stichten zonder dat er zich in de onmiddellijke omgeving een legerbasis bevond, deed historici opnieuw nadenken over de politieke situatie in Duitsland voorafgaand aan de Germaanse opstand. De romanisering was klaarblijkelijk verder gevorderd dan eerder werd aangenomen. Dat werpt de prikkelende vraag op of Germania, als de Romeinse legioenen niet waren afgeslacht tijdens de vernietigende hinderlaag in Kalkriese, niet net als Gallië uiteindelijk een Romeinse provincie had kunnen worden.

Tegenwoordig zijn de legionairs terug in Waldgirmes. Als *re-en-actors* zijn ze onderdeel van een levendig toeristisch toneel waartoe ook gladiatoren, een hypocaustum en een bezoekerscentrum behoren. Veel van de vondsten uit Waldgirmes bevinden zich in het plaatselijke Heimatmuseum, al wordt de rest tentoongesteld in het archeologische museum in Frankfurt am Main.

Glazen zegel uit Waldgirmes waarop mogelijk Niobe staat afgebeeld, een tragische figuur uit de Griekse mythologie.

50-106 n.Chr.
Sarmizegetusa Regia
Dacisch bolwerk

Een stad die speciaal was ontworpen als het religieuze,
politieke en economische centrum van een nieuw land.

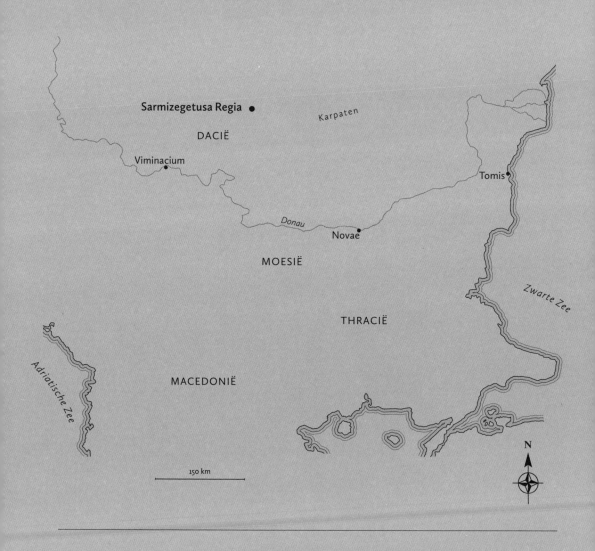

De Daciërs waren een Thracisch volk – lang, rossige haren en blauwe ogen – waarvan de krijgers eeuwenlang een plaag vormden voor de bewoners van Noord-Griekenland. In de moderne tijd bestaat de neiging om de oudheid op te delen in 'beschaafde' volkeren (zoals de Grieken, Egyptenaren en Romeinen) en 'barbaren'. Naar wordt aangenomen waren de beschaafde volkeren druk met het bouwen van badhuizen en theaters, terwijl de barbaren rondlummelden en luizen uit hun baarden plukten.

Dat beeld klopt niet. De nieuwe kennis die na 800 v.Chr. in de mediterrane wereld haar intrede deed, verspreidde zich naar alle volkeren in deze regio, al werden niet alle aspecten door alle volkeren even snel toegepast. De Thraciërs waren eersteklas metaalwerkers, maar stonden afkerig tegenover het stadsleven. Toch laat de stad Sarmizegetusa Regia duidelijk zien waartoe deze 'barbaren' in staat waren als ze dat wilden.

Oorsprong

De antieke staat Dacië ontstond vooral dankzij de inspanningen van één koning: Boerebista. Vanaf wanneer deze koning de scepter zwaaide is niet helemaal duidelijk, maar in ieder geval regeerde hij decennialang tot aan zijn overlijden in 44 v.Chr. Boerebista's grootste prestatie was dat hij de twistende stammen van Dacië wist te verenigen tot één volk. Dat woonde in het tegenwoordige Transsylvanië, in het midden van Roemenië.

Een nieuw land had natuurlijk ook een nieuwe hoofdstad nodig. Boerebista's vorige hoofdstad – waarschijnlijk een plek die Argedava heette – was te nauw verbonden met zijn eigen Geto-Dacische stam. De gekozen locatie bevond zich in de Karpaten. Verdediging was topprioriteit: de toegang tot de hoofdstad werd gecontroleerd door een complex van zes forten (die elk tegenwoordig zelf een hooggewaar-

Een Medusahoofd uit de Tempel van Aesculapius in Ulpia Traiana Sarmizegetusa, tweede of derde eeuw n.Chr.

Op deze taferelen van
de Dacische Oorlog op
de Zuil van Trajanus
in Rome zien we hoe
Romeinse legionairs
onder het wakende oog
van de keizer rivieren
oversteken en fortifica-
ties bemannen.

deerde archeologische vindplaats zijn). Sarmizegetusa Regia zelf werd gebouwd op een zuidelijke bergkam, zo'n 1200 meter boven zeeniveau nabij de top van de Muncelu.

Sarmizegetusa werd specifiek ontworpen als het religieuze, politieke en economische centrum van het nieuwe land, en daarnaast als het best verdedigde bolwerk. De opzet en bouw van de stad hoefden niet onder te doen voor welk stadsontwerp in het Romeinse Rijk dan ook. Dat kwam onder meer doordat de stad werd gebouwd door voormalige Romeinse onderdanen. Dacische krijgers ontvoerden Grieks-Romeinse ambachtslieden uit het noorden van Griekenland en uit steden aan de Donau. Anderen werden waarschijnlijk ingehuurd. Het resultaat was een stad die kon bogen op de meest geavanceerde civiele en militaire architectuur van die tijd en waarin van meet af aan sanitair en een rioleringsstelsel was aangelegd.

Modelstad

Waarschijnlijk was Sarmizegetusa Regia opgedeeld in vier verschillende stadsfuncties die verdeeld waren over twee locaties. Het bestuurlijke gebied was nauw verbonden met een tempelcomplex nabij de oostelijke poort, dat tegenwoordig doorgaat voor het Heilige Gebied. Dat complex lag op zijn beurt dicht bij de belangrijkste citadel van de stad; het geheel besloeg drie hectare. In de wijk van de woningen en werkplaatsen stroomde het water via buizen rechtstreeks naar de huizen van de rijkere burgers. Je kunt waarschijnlijk stellen dat de gemiddelde burger van Sarmizegetusa Regia evenveel comfort genoot als een inwoner van Athene of Rome en toegang had tot bijna dezelfde voorzieningen.

De belangrijkste Dacische god was Zalmoxis. De hoofdpriester was blijkbaar een belangrijk persoon. Op de vindplaats werden de restanten aangetroffen van zo'n zeven tempels, en ook een groot altaar. Hoewel de details van de Dacische religie onduidelijk blijven, zijn er overduidelijke syncretische verbanden aan te wijzen met de Grieks-Romeinse goden Mercurius, Venus en (natuurlijk) Mars. Een van de raadselachtigere bouwwerken in het Heilige Gebied is de zogenoemde Andesitische Zon, een cirkel met een doorsnede van zeven meter die is genoemd naar de steensoort waaruit hij bestaat. Wat dit raadselachtige plaveisel verbeeldt is onduidelijk. De stralen, die vertrekken vanuit het centrum, wijzen naar de belangrijke gebouwen van de stad; en eentje wijst recht naar het noorden. (De zonneschijf was een veelvoorkomend Dacisch symbool.)

Een van de redenen voor de keuze van deze locatie van Sarmizegetusa Regia was dat het bergbolwerk dankzij de combinatie van de dichte bossen van de Karpaten met de overvloedige ijzerertssedimenten een ideale plek was voor metaalbewerking, het ambacht waar de Daciers in uitblonken. In het vroegere industriële stadsdistrict zijn dan ook honderden metalen voorwerpen opgegraven: specialistische gereed-

De raadselachtige houten palen van het zogenoemde kringvormige heiligdom in het Heilige Gebied van Sarmizegetusa Regia. Niettegenstaande de naam is het doel van deze merkwaardige constructie nog altijd niet achterhaald.

schappen voor ambachtslieden en boeren evenals allerlei wapentuig, van messen tot de kenmerkende Dacische strijdbijl, die een 'falx' werd genoemd. (Dit wapen bezorgde de Romeinse legioenen zoveel problemen dat ze speciale aanpassingen aan hun bepantsering doorvoerden.)

Oorlog met Rome

Een verenigd Dacië was zeker geen vreedzaam Dacië. De sociale opbouw van het volk was gericht op oorlogsvoering en de krijgszuchtige Daciërs stortten zich graag op de boerderijen en dorpen van het Romeinse Rijk, dat zich inmiddels tot pal aan de Dacische grens had uitgebreid. Vooral Pannonië, een nieuwe Romeinse provincie, had eind eerste eeuw n.Chr. zwaar te lijden onder de verwoestende Dacische invallen. Keizer Domitianus probeerde de aanvallen in te dammen, maar ten gevolge van zijn eigen zwakke politieke positie wilde hij Rome niet verlaten en vertrouwde hij tevens geen groot leger aan iemand anders toe. Uiteindelijk besloot Domitianus de vrede te bewaren door de Daciërs af te kopen.

Op een doortastendere Romeinse oplossing voor het probleem van de Dacische agressie was het wachten tot de politiek stabielere periode onder keizer Trajanus. Na plichtmatige onderhandelingen met de Dacische koning Decebalus koos Trajanus voor militair ingrijpen. Naar Romeins strategisch gebruik rukten de legioenen op richting iets dat de vijand aan het hart ging – in dit geval Sarmizegetusa Regia –, waarbij ze korte metten maakten met alle weerstand die ze tegenkwamen.

We beschikken niet over teksten over de Dacische Oorlog van Trajanus, maar wel over afbeeldingen. Deze lopen spiraalsgewijs omhoog op het monument in Rome dat we kennen als de Zuil van Trajanus: een reeks bas-reliëfs dat het verloop van de oorlog verbeeldt vanaf het begin (de Romeinse inval in Dacië) tot het eind (de val van Sarmizegetusa Regia). De Romeinen braken de buitenste stadsmuren af, maar lieten de rest ongemoeid zodra een vrede was overeengekomen.

Het einde

Trajanus en Decebalus 'beschouwden' de vrede als slechts een tijdelijke toestand. De vijandigheden werden op dramatische wijze hervat toen Decebalus een Romeins generaal ontvoerde die een goede vriend was van Trajanus. Omdat de generaal niet als gijzelaar tegen de keizer wilde worden gebruikt, pleegde hij zelfmoord. Woedend trok Trajanus opnieuw op naar Sarmizegetusa Regia. De Romeinen trokken zoals gebruikelijk muren op rond de stad om de bevolking erin op te sluiten (een zogenoemde circumvallatielinie) en sloten de watertoevoer af. Hiermee dwongen ze een overgave af.

Decebalus ontsnapte, maar werd achtervolgd en gedood. Trajanus toonde al even weinig mededogen voor zijn hoofdstad. Sarmizegetusa Regia werd met de grond gelijkgemaakt, uitgezonderd het deel waar de Romeinen een garnizoen legerden om er zeker van te zijn dat de Daciërs hun vestingstad niet zouden herbouwen. Later stichtte Trajanus op zo'n veertig kilometer afstand een hoofdstad voor deze veroverde provincie. De resterende muren van Sarmizegetusa Regia werden neergehaald toen het Romeinse leger er wegtrok.

Sarmizegetusa Regia vandaag dag

Vele jaren lang werd aangenomen dat Sarmizegetusa Regia dezelfde stad was als Trajanus' Romeinse stad Ulpia Traiana Sarmizegetusa. Maar het oorspronkelijke Sarmizegetusa Regia, dat niet alleen ontoegankelijker was maar ook grondig vernietigd, moest nog een paar decennia langer op herontdekking wachten.

De plek is een van de spectaculairste archeologische vindplaatsen in Roemenië, met als extraatje dat het zich bevindt in het schitterende natuurreservaat Grădiștea Muncelului-Cioclovina. De archeologische graafwerkzaamheden zijn nog altijd gaande, maar inmiddels is er genoeg gevonden om hedendaagse bezoekers een goede indruk te geven van het verbazingwekkend 'beschaafde' leven van de inwoners van deze 'barbaarse' stad.

Ca. 170 v.Chr.-750 n.Chr.
Gerasa
De opkomst en val en opkomst van een stad

Een van de best bewaard gebleven steden uit de Grieks-Romeinse tijd buiten Italië.

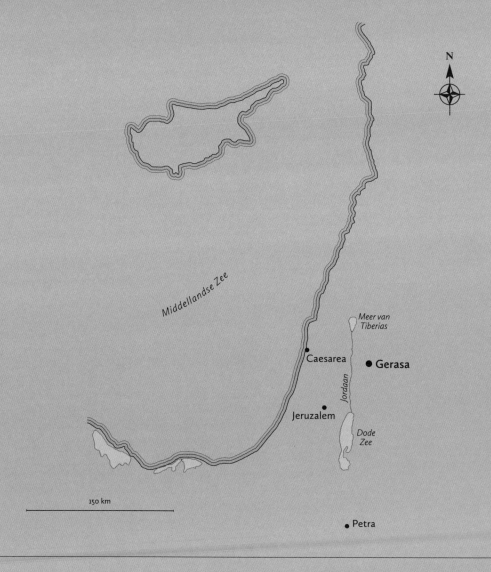

H et huidige Jerash (het antieke Gerasa) bewijst dat een goede stad
zich niet klein laat krijgen door natuurrampen en catastrofes
waar de mens zelf de hand in had. Hoewel Gerasa werd verwoest door
aardbevingen en geplunderd door legers, richtte de stad zich telkens
weer op. Na een aantal eeuwen te zijn verdwenen en verlaten, is Gerasa
terug als een van de belangrijkste steden van Jordanië. Die periode van
verlatenheid had als grote voordeel dat – anders dan bij veel steden in
die tijd – veel van het steenwerk uit de antieke periode niet in de latere
gebouwen werd hergebruikt. Daardoor is het oude Gerasa een van de
best bewaard gebleven steden uit de Grieks-Romeinse tijd buiten Italië.

De zuidpoort van Gerasa was de voornaamste toegang tot de stad vanuit Amman, de hoofdstad van Jordanië. Ooit imponeerde de poort bezoekers met de inkervingen en beeldhouwwerken, die symbool stonden voor de rijkdom van de stad.

Ligging, ligging, ligging

Gerasa ligt zo'n vijftig kilometer ten noorden van de Jordaanse hoofdstad Amman, maar het is er een stuk koeler doordat de stad zich bevindt op een van de hoogste heuvels in het golvende landschap. Op

bijna vijfhonderd meter boven zeeniveau blijft de drukkende hitte de huidige hoofdstad Gerasa grotendeels bespaard. Bovendien bood deze ligging de stedelingen duizenden jaren lang een schitterend uitzicht over het omliggende platteland.

Net als in voorgaande eeuwen staan de hellingen tegenwoordig weer vol met ceders en boomgaarden met pruimen, vijgen en olijven. Dankzij het relatief gematigde klimaat is het hier goed grazen voor het vee. Waarschijnlijk was dat ook de doorslaggevende factor die de eerste bewoners 7500 jaar geleden deed besluiten hier neer te strijken.

Stichting en groei

Het is niet duidelijk wanneer Gerasa formeel een stad werd. Sommige historici menen dat de locatie, in opdracht van Alexander de Grote, werd gekozen door de Macedonische generaal Perdiccas als de plek waar de Macedonische huurlingen zich na Alexanders succesvolle Egyptische veldtocht konden vestigen. Maar waarschijnlijk werd de stad formeel pas rond 170 v.Chr. gesticht door een van Alexanders opvolgers, de Seleucidische koning Antiochus IV Epiphanes.

De nederzetting ontstond rond een oud waterreservoir. De stad haalde haar zoete water uit de Kerwan, een rivier die door de stad

Op deze kaart van kalkstenen tesserae, die werd blootgelegd in een Byzantijnse kerk in Gerasa, staan de Egyptische steden Alexandrië en Memphis.

stroomde. De militaire kolonisten kregen weldra gezelschap van handelaren die beseften dat Gerasa gunstig op een knooppunt van handelswegen was gelegen, en wel tussen de haven van Joppa (het huidige Jaffa), Damascus, Petra en de steden van Judea.

De Judese connectie bleek cruciaal toen het Seleucidische Rijk ten onder ging. Omdat de Joodse koning Alexander Jannaeus (bewind 103-76 v.Chr.) koste wat het kost wilde voorkomen dat zo'n belangrijke handelspost in vijandelijke handen zou vallen, belegerde en veroverde hij Gerasa. Vervolgens kreeg de stad een aanzienlijke Joodse bevolking, die binnen het Hasmoneese koninkrijk klaarblijkelijk relatief vreedzaam zij aan zij leefde met de Macedoniërs.

De problemen van het Romeinse Gerasa

Dit was pas de eerste van de vele malen dat de stad zou veranderen van heerser. Het stevige geschil dat de Romeinse generaal Pompeius met de Hasmoneeën had, werd in 63 v.Chr. door de Romeinse legioenen kordaat beslecht. Gerasa werd een Romeinse stad en zou later worden opgenomen in de nieuwe Romeinse provincie Syria. Naar Romeins gebruik genoot Gerasa een hoge mate van zelfbestuur, dat het uitoefende binnen een los verbond van lokale steden, de Decapolis.

In de Romeinse tijd was de politieke situatie in het Midden-Oosten al even turbulent als tegenwoordig, zo blijkt bijvoorbeeld uit het verslag van de Joodse historicus Flavius Josephus. Een bloedbad onder Joden in het kuststadje Caesarea werkte wraakacties in de hand, waarbij Joden 'zich opsplitsten in verschillende groepen. Ze verwoestten Syrische dorpen en de nabijgelegen steden Philadelphia Sebonitis en Gerasa' (*De Joodse Oorlog* 2.18.1).

Desondanks, of misschien juist hierdoor, stond Gerasa opnieuw onder Joods bestuur aan het begin van de anti-Romeinse opstand die hier in 66 n.Chr. onmiddellijk op volgde. Toen de Romeinse generaal Annius Gerasa heroverde, volgde hij de traditie zoals beschreven door de historicus Tacitus: de Romeinen 'creëerden een woestijn en noemden het vrede' (*Agricola* 30).

Gerasa overleefde ook deze enorme bevolkingskrimp. De stad bloeide opnieuw op en werd in 106 n.Chr. onderdeel van de Romeinse provincie Arabia.

Gerasa's hoogtijdagen

Tot deze provincie behoorden ook het voormalige Nabatese koninkrijk en de karavaanstad Petra. Midden in Gerasa resteren nog sporen van de Nabatese invloed. Op de in terrassen onderverdeelde heuvels waar de tempel van Artemis staat, bevinden zich namelijk ook de ruïnes van

Vorige twee pagina's
Het nymfaeum was de
grootste fontein van
Gerasa. Vanuit fon-
teinen in de vorm van
leeuwenkoppen viel
het water in een stenen
bekken. Een nymfaeum
was een heiligdom ter
ere van de waternimfen.

Een terracottabeeldje
uit Gerasa dat een mix
van Grieks-Romeinse
en oriëntaalse stijlen
vertoont.

een andere, aan de Nabatese god Pakidas gewijde tempel. De tempel
van Artemis was de mooiste van allemaal, maar de stad kon ook bogen
op een schitterende tempel van Zeus Olympias en tempels gewijd aan
Hera, Apollo, Poseidon en Nemesis.

Vervolgens brak voor Gerasa een periode van ongekende welvaart
aan. Een groot deel van de stad was gebouwd op de vlakke grond van
een terras op de linkeroever van de Kerwan, waar de inwoners werden
beschermd door stadsmuren van bijna drie kilometer lang. De Cardo
Maximus, de hoofdstraat, liep door dit bebouwde gebied naar de Zuidpoort. Gerasa was echter zozeer uit zijn oorspronkelijke stadskern ge-
groeid dat iedereen die vanuit deze richting de stad naderde eerst ruim
anderhalve kilometer aan huizen en winkels passeerde, voordat hij of
zij bij de poort kwam.

Vlak bij de poort bevond zich een hippodroom waar meer dan vijftienduizend toeschouwers samen de wagenraces konden zien. Ook
stond hier een boog die was opgetrokken ter ere van het bezoek dat
de Romeinse keizer Hadrianus in 129-130 aan de stad bracht. Het is
tekenend voor het belang van Gerasa dat ook de opvolger van Hadrianus, Trajanus, de stad bezocht – alhoewel dat vooral een zakentrip was
ten tijde van een militaire campagne in Mesopotamië. De Boog van
Hadrianus was zonder meer indrukwekkend, maar de wegen die Trajanus liet aanleggen, opdat zijn troepen zich sneller konden verplaatsen,
faciliteerden tevens de handel en leverden de stad dan ook veel meer
voordeel op.

Een reiziger die via de Zuidpoort de stad binnenkwam, kon zich
noordwaarts via de Cardo Maximus naar het stadsforum begeven. Aangezien de stad de functie van handelscentrum vervulde, hoeft het niet
te verbazen dat dit forum groot was (7200 vierkante meter). Het forum
werd omgegeven door imposante zuilen en was geplaveid met grote
stukken kalksteen. Nog verder naar het noorden liep de weg heuvelop-
waarts richting de tempel van Zeus, vanwaar de reiziger de stad en het
platteland in ogenschouw kon nemen.

Het latere Gerasa

Tijdens de late keizertijd leidde de kerstening van het rijk tot de bouw
van een grote kathedraal in Gerasa. Een deel van het bouwmateriaal
werd gestript van de tempel van Artemis, die zijn religieuze functie
voor de stadsbevolking had verloren. Niettegenstaande dit vandalisme
is deze tempel nog altijd een van de indrukwekkendste gebouwen van
de stad; de kathedraal liet op haar beurt een aantal schitterende moza-
iekvloeren aan latere generaties na.

Toen het Oost-Romeinse Rijk overging in het Byzantijnse Rijk bleef
Gerasa een relatief belangrijke stad. Zo belangrijk dat de Sassanidische
Perzen de plek in 614 overvielen. Hoewel Gerasa al het onheil leek te

kunnen verduren dat de mensheid ervoor in petto had, stond het machteloos tegenover de enorme aardbeving die het in 749 verwoestte. Pogingen tot wederopbouw werden gefnuikt door nieuwe aardbevingen. Waarschijnlijk werd de stad een tijdlang verlaten.

Onder het islamitische kalifaat leefde de stad enigszins op. Delen van Gerasa werden herbouwd. De lokale munt gaf weer munten uit. Moskeeën en kerken werden tegelijkertijd gebruikt. Helaas was deze religieuze tolerantie niet bestand tegen religieuze fanatici. In 1121 bereikten kruisvaarders Gerasa. Ze verwoestten de stad en trokken verder.

Gerasa vandaag de dag

Hoewel Gerasa eeuwenlang verlaten bleef, krabbelde de stad geleidelijk weer op. De nieuwe stad – die naast en niet boven op de oude werd gebouwd – is inmiddels weer uitgegroeid tot een regionale hoofdstad. De relatief goed bewaard gebleven Grieks-Romeinse restanten trekken jaarlijks tienduizenden bezoekers. Bij gebrek aan goede informatiebordjes op de vindplaats moeten bezoekers vertrouwen op de beschrijvingen van de deskundige gidsen.

Ook zijn er twee musea. In het oudste daarvan worden veel artefacten tentoongesteld die uit de antieke stad afkomstig zijn, terwijl het modernere Archeologische Museum vertelt over Gerasa's bewogen zevenduizendjarige geschiedenis.

De afgelopen veertig jaar vindt er in Jerash ook elk jaar een festival van cultuur en kunst plaats waarbij kunstenaars uit heel de Arabische wereld en daarbuiten acte de présence geven.

75-ca. 450 n.Chr.
Venta Silurum
Het leven van een Romeins-Brits stadje

*De indrukwekkendste Romeinse stadsmuren van heel
Noord-Europa.*

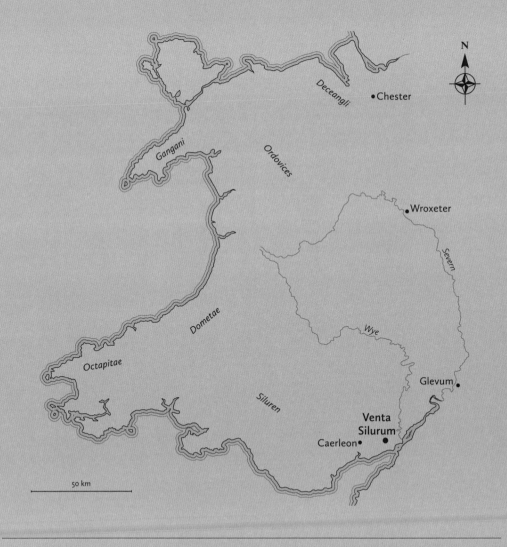

Een hoofd dat in Keltische grove stijl is uitgehakt in gele zandsteen met kwarts. Dit hoofd uit de vierde eeuw n.Chr. verbeeldde misschien een huisgod.

Toen de Romeinen in 43 n.Chr. aan hun invasie van Britannia begonnen, hadden ze waarschijnlijk niet gedacht dat ze er twintig jaar later nog steeds aan het vechten zouden zijn. Hoewel het zuidoosten relatief snel viel (en onder Boudica ook kortstondig weer in opstand zou komen), gaven de stammen van de hoogvlakten van het huidige Wales de strijd tegen de Romeinen niet op. Het zwaarst hadden de Romeinse legioenen het nog te stellen met de stam van de Siluren, wier donkere tint en krullerige haar de historicus Tacitus deed vermoedden dat hun voorouders uit Spanje waren geëmigreerd (*Agricola* 11). Ostorius Scapula, de tweede gouverneur van Britannia, stelde gefrustreerd voor om de Siluren ofwel met wortel en tak uit te roeien, ofwel ze in hun totaliteit naar de andere kant van het rijk te verplaatsen. In 52 n.Chr. overleed Scapula, uitgeput door een veldtocht die maar niet ophield. Vervolgens zou het nog een generatie duren voordat de Siluren zich zouden onderwerpen aan de Romeinse heerschappij.

Een nieuwe stad

Zodra ze de Siluren hadden gepacificeerd, spoorden de Romeinen de stam aan om te verkassen naar het relatief vlakke – en veel minder goed verdedigbare – land van de tegenwoordig Vale of Glamorgan. Daar zetten ze in 75 n.Chr. een klein marktstadje op dat als nieuw centrum van de stam moest dienen. De stadsnaam 'Venta Silurum' betekent dan ook 'De markt van de Siluren'. 'Venta' heeft dezelfde wortel als het Engelse woord *vendor* ('verkoper'). Om er zeker van te zijn dat de Siluren zich bleven gedragen, vestigden de Romeinen een legerbasis in Caerleon (Isca Augusta), op een dagmars afstand. Niet zo dichtbij dat het beklemmend werd, wel zo dichtbij dat de Siluren een nieuwe opstand wel uit hun hoofd zouden laten. De Siluren werden beschouwd als *dediticii*: mensen onderworpen aan de Romeinse macht die slaven noch burgers waren.

De stad werd oorspronkelijk aangelegd aan weerszijden van de hoofdweg tussen Caerleon en Glevum (Gloucester), ook zodat de lokale inwoners zich zouden kunnen vergapen aan de Romeinse militaire macht en economische kracht. Stadsmuren ontbraken, die zouden immers niet stroken met het doel waarvoor de stad was gebouwd.

Groei zonder groeipijnen

Naarmate de *Pax Romana* wortel schoot in Britannia werd Venta Silurum een bestuurlijk centrum of *civitas*. Onder de Antonijnse keizers van de tweede eeuw, de hoogtijdagen van het rijk, groeide de nederzetting uit tot een echt stadje. Een forum en een basilica had Venta Silurum van meet af aan, aangezien die hoorden bij de oorspronkelijke stedelijke functie (het forum als marktplein, de basilica ten behoeve van

Hoewel ze op sommige plekken zijn vervallen, behoren de muren van Venta Silurum tot de mooiste voorbeelden in heel Europa van muren uit de Romeinse tijd die nog overeind staan.

bestuurlijke en juridische aangelegenheden). Terwijl de Siluren steeds meer zeggenschap over hun eigen zaken kregen, werd de basilica verfraaid met acht meter hoge Korintische zuilen en verwierf de civitas de o zo Romeinse voorzieningen van een amfitheater en publieke baden.

Op dit punt werd er lijn gebracht in de ongeorganiseerde bouwwerken langs de weg. Het land werd opgedeeld in zo'n dertig woonpercelen, zogenoemde *insulae*. Veel van de huizen die op deze percelen werden gebouwd, dienden twee doelen: in de ruimten aan de straatkant bevonden zich winkels of werkplaatsen, terwijl achterin de woonvertrekken waren. Later werden sommige huizen groter en kregen ze luxe kenmerken, zoals mozaïekvloeren en hypocausta (een hypocaustum is een soort vloerverwarming die zeer gewenst was in het Welshe klimaat).

Er is gespeculeerd dat de legionairsbasis in Caerleon de economie van Venta Silurum op gang hielp. En dan niet alleen doordat de stad producten aan de basis kon verkopen, maar ook doordat gepensioneerde soldaten in de stad dicht bij de vrienden konden blijven wonen met wie ze een groot deel van hun leven hadden doorgebracht. Eind tweede eeuw was de stad dusdanig waardevol, en waren de Siluren dusdanig vreedzaam, dat de logica ingaf om het geheel met een aarden geul en stadsmuur tegen aanvallers te beschermen. Rechtstreekse militaire betrokkenheid bij de stad kan ook worden afgelezen aan een overgeleverde inscriptie die is gewijd aan de gouverneur Tiberius Claudius Paulinus: 'Paulinus, legatus van Legio II Augusta, proconsul van de provincie Narbonensis (...) per decreet van de *ordines* voor publieke werken van de stammenraad van de Siluren.' De inscriptie benadrukt de hechte band tussen het legioen in Caerleon en de stad, en uit de vermelding van een *ordo* (stammenraad) blijkt dat de Siluren inmiddels een hoge mate van autonomie genoten.

De terugtocht van het rijk

Deze band zou aan het eind van de derde eeuw worden verbroken toen het rijk in een politieke en economische crisis raakte. Dat het Legio II Augusta werd teruggetrokken uit Caerleon zou weleens de directe aanleiding kunnen zijn geweest voor de bouw van de massieve stenen muren die Venta Silurum nu nog altijd omringen. Deze grotendeels intacte muren zijn op sommige plekken maar liefst zeven meter hoog. Mede vanwege de toenemende dreiging van Ierse piraten die vanaf de rivier de Severn het gebied binnenvielen, werden naast de poorten vierkante torens opgetrokken. Bovendien zijn er aanwijzingen dat de stad werd verdedigd door een militair garnizoen.

Maar Venta Silurum kampte met een letterlijk ingebouwde ontwerpfout: de stadslocatie was bewust gekozen omdat die zo lastig te verdedigen viel. Zodra de Romeinse legioenen Britannia hadden verlaten, was Venta Silurum niet langer levensvatbaar. Uiteindelijk moesten de inwoners dit erkennen en zich terugtrekken in de nabijgelegen heuvels. Hoewel hier later nog een klooster werd gebouwd, lijkt Venta Silurum als stad in ieder geval in 450 n.Chr. de facto niet meer te hebben bestaan.

Venta Silurum vandaag de dag

Venta Silurum is weliswaar verdwenen, maar behoudt een belangrijke plek in het bewustzijn van de plaatselijke bevolking. De naam 'Venta' muteerde in 'Guenta', wat ten slotte het Welshe koninkrijk Gwent werd. Toen de rust in Britannia terugkeerde, ontstond er een dorp op de plek van de nederzetting uit de Romeinse tijd. Dit was – en is – Caerwent, waarvan het '-went' is afgeleid van 'Venta'.

Doordat lange tijd niemand het waagde om te gaan wonen op het vlakke land waar Venta Silurum ooit stond, werden de Romeinse muren niet afgebroken omwille van de steen – zoals op veel andere plekken wel gebeurde. Met als gevolg dat de plek veruit de indrukwekkendste Romeinse stadsmuren van heel Noord-Europa bezit.

Hoewel op een aanzienlijk deel van de vindplaats nog moet worden gegraven, is Venta Silurum grotendeels een openluchtmuseum. De plek is het hele jaar door te bezoeken. Bij de kerk, die zelf veel Romeinse artefacten uit de verdwenen stad herbergt, bevindt zich een parkeerplaats voor bezoekers.

Ca. 300 v.Chr.-256 n.Chr.
Dura-Europos
Stad om te veroveren

Bij archeologisch onderzoek zijn aanwijzingen blootgelegd voor een wanhopige verdediging door het Romeinse garnizoen.

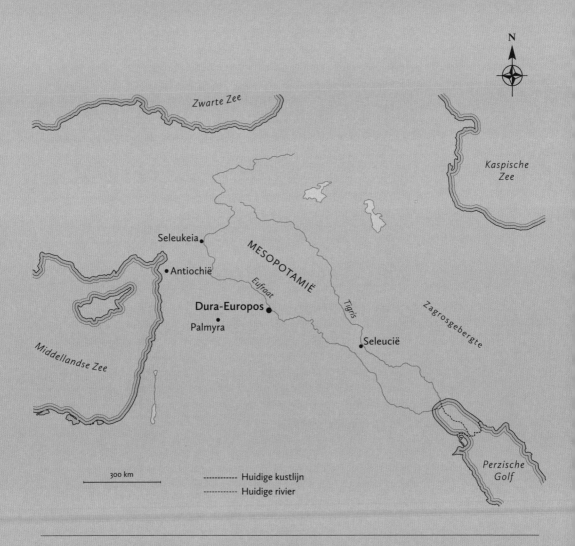

De stad die we vandaag Dura-Europos noemen, telde nooit meer dan zo'n vijftienduizend inwoners. Toch dwingt deze verder weinig opmerkelijke vestingstad op de oever van de Eufraat ons om ons beeld van de oudheid bij te stellen. Binnen de muren woonde een bevolking die een dwarsdoorsnede was van de mediterrane culturen en vele religies vertegenwoordigde. Ook bevindt zich hier een van de vroegste christelijke kerken ooit ontdekt. In de late oudheid viel de stad uiteindelijk na een uitputtend beleg, dat de eerste bewijzen ooit te zien gaf van het gebruik van gifgas bij de oorlogsvoering.

Stichting

Toen de stad werd gesticht, had ze een functionele naam voor een functioneel doel. De plek werd 'Dura' genoemd, wat zich in de plaatselijke Aramese taal het best laat vertalen als 'fort'. De stichter was Seleucus I Nicator, een opvolger van Alexander de Grote, die zowel het Syrische deel van het enorme Macedonische Rijk erfde als de gebieden die zich van Bactrië oostwaarts uitstrekten tot aan de voet van de Himalaya.

De sombere Romeinse muren van de verdwenen stad vormen de achtergrond van de restanten van Dura-Europos. Deze stad wordt in antieke teksten amper vermeld en is vrijwel uitsluitend bekend dankzij archeologisch onderzoek.

Een muurschildering van het kind Mozes dat werd gevonden in een sjoel (synagoge) in Dura-Europos. Deze vestingstad herbergde een verbluffend aantal culturen en geloofsopvattingen.

Seleucus had eerder twee grote steden gesticht die beide als regionale hoofdsteden moesten dienen, Antiochië en Seleucië aan de Tigris. Aan de weg tussen die steden werd de vestingstad Dura gesticht, bij een oversteekplaats van de Eufraat. De plek was zo gekozen dat de handelswegen over water en land konden worden gecontroleerd. Van lieverlee kreeg Dura ook de naam 'Europos', waarschijnlijk als verwijzing naar de Europese afkomst van zowel Seleucus als het stedelijke garnizoen bestaande uit zijn Macedonische landgenoten. De samenvoeging van de namen tot Dura-Europos dateert echter van moderne tijden. Vermoedelijk gebruikten de inwoners hetzij de ene, hetzij de andere naam.

Ontwikkeling

Dankzij zijn strategische ligging als militaire basis aan een handelsroute tussen belangrijke steden, groeide Dura (Europos) uit tot een kleine maar welvarende stad en tevens tot bestuurlijk centrum van de omgeving. In 160 v.Chr. raakte de stad beschadigd tijdens een aardbeving. Dat moment lijkt door de heersers van het rijk te zijn aangegrepen om hun vestingstad te transformeren tot het toonbeeld van een modern stadje.

Het vestinggedeelte van de stad lag in het oosten, op een smalle richel boven de rivier. Daaronder bevond zich echter een vlak gebied van zo'n 45 hectare. Hierop werd nu een staaltje geavanceerde stadsplanning losgelaten.

De straten werden naar 'hippodamisch' voorbeeld aangelegd in rechthoekige blokken. (Hippodamus ontwikkelde zijn stadsontwerpen voor Griekse steden in de vijfde eeuw v.Chr.; ironisch genoeg had hij zijn systeem afgekeken van veel oudere steden in de buurt van Dura-Europos.) Er werden riolering en een watertoevoer aangelegd. Centraal in de rechthoek bevond zich een agora, die voor de inwoners diende als marktplein en openbare ontmoetingsplek.

Het Parthische Dura

Het bleef Dura voor de wind gaan, maar datzelfde kon niet worden gezegd van de rest van het Seleucidische Rijk. Het enorme, krakkemikkige rijk werd eigenlijk van meet af aan verscheurd door middelpuntvliedende krachten. Wat niet hielp was de opeenvolging van zwakke en incompetente heersers. In 113 v.Chr. bezweek de stad voor de Parthen, een Iraans volk dat zich nooit had willen neerleggen bij de Griekse overheersing.

Het belangrijkste gevolg van deze bestuurswisseling voor de inwoners van Dura was dat Seleucië aan de Tigris en Antiochië zich voortaan bevonden in verschillende koninkrijken die niet bepaald op vriendschappelijke voet met elkaar stonden. Dat betekende dat Dura geen groot militair of economisch belang meer vertegenwoordigde. De stad schikte zich in haar rol van gewoon een van de vele stadjes van het Parthische Rijk en stond alleen bekend om de grote diversiteit van haar bevolking.

Dura's inwoners hebben ons een hele collectie op de stadsmuren gekraste en gekrabbelde aantekeningen nagelaten, waaronder recepten, namen, belangrijke data en zelfs schetsjes van kamelenkaravanen en bewapende ruiters. Die stelden onderzoekers in staat om vast te stellen dat de stad een bevolking van Grieken, Arabieren, Italianen, Joden en Parthen had. De families die het politieke en economische lot van de stad bepaalden, lijken Grieken afkomstig uit het oorspronkelijke Macedonische garnizoen te zijn geweest die op de golven van de stedelijke voor- en tegenspoed wisten mee te deinen.

Rome

Slimme diplomatie was vereist toen de groeiende macht van het Romeinse Rijk een dreiging vormde voor het Parthische bewind. Onder keizer Trajanus werd Dura in 114 n.Chr. kortstondig een Romeinse stad, maar zijn opvolgers wisten zijn Mesopotamische veroveringen niet te

Vorige twee pagina's
Terwijl sommige
stadspoorten louter
een bestuurlijke of zelfs
enkel een esthetische
functie vervulden, was
de Palmyrapoort van
Dura-Europos duidelijk
bedoeld om vijanden
buiten te houden.

consolideren. Na een paar jaar viel Dura weer in Parthische handen – en ondertussen bleven de vooraanstaande families van de stad gewoon waar ze waren.

Rome keerde in de jaren zestig van de tweede eeuw n.Chr. nog eenmaal terug. De stad werd toen onderdeel van de Romeinse provincie Syria Coele en verwierf zelfs de begeerde status van *colonia*, wat de inwoners een aantrekkelijke juridische status opleverde. De Romeinen maakten duidelijk dat ze ditmaal wilden blijven door het noordelijke deel van de stad in een legerbasis te veranderen, inclusief een amfitheater om de manschappen te vermaken. Uit echtscheidingsdocumenten blijkt dat sommige soldaten met lokale vrouwen trouwden.

Niettemin bleef Dura een onbeduidende stad aan de rijksgrens. In contemporaine geschiedenissen wordt de stad hooguit terloops genoemd, aangezien de schrijvers zich concentreren op wat zij als belangrijkere zaken beschouwen. Daaronder was bijvoorbeeld de val van het Parthische Rijk en de opkomst van de machthebbers die het vacuüm vulden: de beter georganiseerde en militaristische Sassanidische Perzen. Deze ontwikkeling zou een enorme invloed hebben op Dura's toekomst – of beter gezegd: het gebrek daaraan.

Dood van een stad

In de historische bronnen wordt nergens bericht dat Dura in handen viel van de Sassaniden, maar bij archeologisch onderzoek zijn aanwijzingen blootgelegd voor een wanhopige verdediging door het Romeinse garnizoen. Dat wilde koste wat het kost voorkomen dat de vijand de oversteekplaats in handen kreeg. In tegenstelling tot hun Parthische voorgangers waren de Sassaniden experts in belegeringen. Hun specialiteit was het graven van tunnels onder cruciale muren en torens, om die bouwwerken zo te doen instorten.

De Romeinen waren zich terdege bewust van dit gevaar en groeven ter verdediging zelf ook tunnels. Dat er in de claustrofobisch nauwe tunnels bij toortslicht een wanhopige strijd moet zijn geleverd, zien we vandaag de dag aan de lijken die er door archeologen werden gevonden. In een van de tunnels beseften de Perzen dat de Romeinen hun tunnel hadden doorkruist. Ze trokken zich terug terwijl één moedige man achterbleef en een mix van zwavel en bitumen tot ontploffing bracht, waarna de tunnel zich met een giftig gas vulde. Hier zijn de lichamen aangetroffen van negentien Romeinen en die ene Pers. Hij moet verantwoordelijk zijn geweest voor de ontploffing, waarna de dampen zich verspreidden, terwijl hij zelf niet op tijd kon wegkomen.

Het heroïsche verzet van de verdedigers was tevergeefs: de Parthen groeven zich uiteindelijk een weg naar de stad en verwoestten haar. Hoewel er tussen het puin nog enige tijd overlevenden kunnen hebben gewoond, mogen we als sterfdatum van Dura het jaar 256 n.Chr. noteren.

Links Een fragment Latijnse tekst op een stuk gips dat de keizer, de senaat en inwoners van Rome veel geluk toewenst.

Rechts Terracotta amfoor uit Dura-Europos die dateert van 100-225 n.Chr.

Dura-Europos vandaag de dag

Voordat begin eenentwintigste eeuw opnieuw een oorlog oplaaide in de regio, vond een opeenvolging van archeologische onderzoeksteams, in samenwerking met de Syrische overheid, tussen de ruïnes een verbazingwekkende hoeveelheid documenten en artefacten. Hieronder bevinden zich de archieven van het Cohors XX Palmyrenorum van het Romeinse leger, die in goed bewaarde staat werden aangetroffen, en ook inscripties in de vroegste christelijke huiskerk die ooit is gevonden. Alles bij elkaar hebben de duizenden artefacten die in de ruïnes zijn aangetroffen, geholpen om een gedetailleerd beeld te krijgen van het leven in de stad in de periode voor haar ondergang.

In recente jaren werd Dura-Europos opnieuw door barbaren geplunderd en grotendeels verwoest. De daders waren leden van de zogenoemde Islamitische Staat die, in een wanhopige poging om hun oorlog te financieren, Dura-Europos meedogenloos plunderden op zoek naar kostbare overblijfselen. Daarbij vernietigden ze naar schatting zeventig procent van de vindplaats.

800 v.Chr.-ca. 650 n.Chr.
Beta Samati
Vergeten stad van een vergeten rijk

Het koninkrijk Aksum is een van de grootste rijken dat ooit volledig werd vergeten.

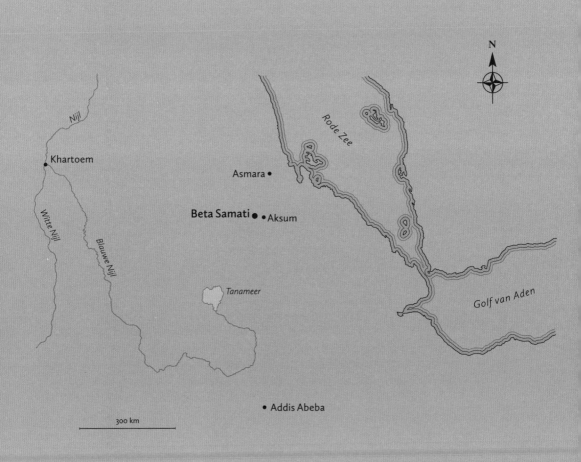

In de zesde eeuw n.Chr. meenden de Perzen dat er vier grootmachten in de wereld waren: zijzelf (natuurlijk), het Romeinse (Byzantijnse) Rijk, China en het koninkrijk Aksum. Hoewel de meeste mensen de eerste drie wel zullen kennen, is het koninkrijk Aksum uit de late oudheid een van de grootste rijken dat ooit volledig werd vergeten. In zijn hoogtijdagen in de derde eeuw n.Chr. controleerde dit koninkrijk een groot deel van het huidige Ethiopië, Eritrea, het noorden van Sudan en het westen van Jemen.

Tot voor kort was de moderne wereld Beta Samati volkomen vergeten. De rol van de stad als internationaal handelsknooppunt en bestuurscentrum komt nu pas geleidelijk aan het licht.

In deze tijd van de Grote Volksverhuizingen waren de karavaanroutes over land tussen Europa en Azië ten prooi gevallen aan chaos: Goten, Vandalen, Hunnen en Slaven trokken westwaarts. Aangezien de macht van Aksum zich destijds uitstrekte tot gebieden aan weerszijden van de Rode Zee, controleerde het koninkrijk de veiligste handelsroute tussen het Byzantijnse Rijk en de beschavingen in het oosten. Toen de stad Meroë in het oosten van Sudan in handen van Aksum kwam, beheerste het koninkrijk ook een groot deel van het gebied dat via Afrika bezuiden de Sahara in verbinding stond met de mediterrane wereld.

De pre-Aksumitische tijd, 775-360 v.Chr.

De oorsprong van Beta Samati is nog altijd onduidelijk, maar uit radio-koolstofdatering blijkt in ieder geval dat deze locatie vanaf 775 v.Chr. werd bewoond, twee eeuwen vóór de traditionele stichtingsdatum van Rome. (Al woonden er al duizenden jaren eerder mensen op de Palatijnse Heuvel van Rome.) De naam van wat toen nog het dorp Beta Samati was, betekent in het lokale Tigrinya 'het huis van audiëntie' – misschien was dit een plek waar lokale heersers rechtspraken.

In deze tijd zal Beta Samati zijn bestuurd vanuit Yeha, een 6,5 kilometer verderop gelegen stad in het huidige noorden van Ethiopië, op de grens met Eritrea. Yeha is nu slechts nog een klein stadje, maar zijn ruïnes zijn voor archeologen buitengewoon interessant. Tot voor kort werd aangenomen dat het gebied rond Yeha amper meer werd bewoond nadat de stad zelf werd onderworpen door de opkomende macht van Aksum.

De klassieke Aksumitische tijd, 160-380 n.Chr.

Het Aksumitische Rijk werd genoemd naar de stad Aksum, net zoals het Romeinse Rijk werd genoemd naar de stad Rome. Aksum ligt in de noordelijke regio Tigray in het huidige Ethiopië. Tegenwoordig telt de stad zo'n zestigduizend inwoners. De koningen die de scepter zwaaiden in zowel de stad als Beta Samati waren ontwikkelde mensen; in ieder geval een aantal van hen sprak vloeiend Grieks. Een van de onderscheidende kenmerken van hun architectuur waren de enorme obelisken waarin namaakdeuren en -ramen waren uitgehouwen. Daardoor hebben ze wel wat weg van moderne flats.

Inmiddels is vastgesteld dat Beta Samati binnen het koninkrijk Aksum een bloeiend economisch, religieus en bestuurlijk centrum was. Ter plekke opgegraven overblijfselen wijzen op grote wederzijdse culturele beïnvloeding. De bevolking had te maken met – en bestond wellicht uit – Grieken, Romeinen, Indiërs en Arabieren. Er is geopperd dat Grieks als de lingua franca diende waarmee lokale bewoners met buitenlandse handelaren communiceerden. Uit de vondst van wijnamfora's uit de Levant blijkt dat de stad niet alleen handelde in buitenlandse goederen, maar die ook consumeerde. Het lokale aardewerk was simpeler en functioneler.

Voorwerpen die verband houden met lastdieren getuigen van het belang van de handel voor de stad. Uit de blootgelegde werkplaatsen blijkt dat de lokale industrie grotendeels voorzag in de behoeften van de stedelingen. De stad besloeg ten minste 14,5 hectare, en binnen dat gebied stonden de gebouwen dicht op elkaar.

Deze rijk bewerkte gouden ring is ingezet met een carneool met daarin een intaglio-motief van een stier. Hierdoor kon de ring worden gebruikt om documenten mee te bezegelen.

Deze stenen hanger, met aan de linkerkant een kruis, werd gevonden in de basilica. Het schrift is in het Ge'ez, nog altijd de liturgische taal van de Ethiopische Orthodoxe Kerk.

Van de bloeitijd tot de post-Aksumitische tijd, 380-900 n.Chr.

Toen koning Ezana halverwege de vierde eeuw n.Chr. gelastte dat het koninkrijk Aksum christelijk moest worden, lijkt de bevolking van Beta Samati gemengde gevoelens over deze nieuwe religie te hebben gehad. Talrijke 'heidense' symbolen dateren namelijk van ná de tijd dat de stad officieel was gekerstend. De destijds gebouwde basilica vertoont duidelijke christelijke kenmerken, al lijkt het bouwwerk net zozeer voor bestuurlijke als voor religieuze doeleinden te zijn gebruikt.

Beta Samati floreerde voornamelijk als handelsknooppunt en regionaal bestuurlijk centrum. De voorspoed van de stad was dan ook afhankelijk van de voorspoed van het koninkrijk Aksum als geheel. Toen het islamitische kalifaat in de zesde eeuw aan zijn opmars bezig was, bekeerde Beta Samati zich tot de islam. Dat kon de stad echter niet redden. Door de veranderde religieuze en politieke situatie in de regio controleerde het koninkrijk Aksum niet langer de handelswegen waar zijn economische voorspoed op steunde.

Een bijkomstig probleem voor het koninkrijk was dat de regio door klimaatverandering verdroogde. De ooit vruchtbare akkers rond Beta Samati veranderden in de stoffige vlakten die ze nu nog altijd zijn. Rond 960 n.Chr. zakte het koninkrijk Aksum stilletjes in elkaar. Beta Samati was toen al eeuwen verlaten; de recentste sporen van bewoning dateren van circa 650 n.Chr.

Beta Samati vandaag de dag

Veel van wat er is geschreven over de verdwenen stad Beta Samati is speculatief, want de locatie werd pas in 2009 herontdekt, en de afgelopen jaren was de situatie niet van dien aard dat archeologisch onderzoek mogelijk was.

De stad werd teruggevonden nadat het Southern Red Sea Archaeological Historical Project zich rond de eeuwwisseling op de omgeving van Yeha richtte. Van Yeha was bekend dat het de oudste gebouwen en vroegste teksten uit Afrika bezuiden de Sahara herbergde. De onderzoekers waren dan ook benieuwd naar wat ze hier nog meer zouden aantreffen.

De lokale bewoners wezen de researchers op een 'tell', oftewel een verhoging die zo'n 25 meter boven de omliggende vallei uitstak. Ze wisten dat dit een plek van belang was, maar de details van deze geschiedenis waren verloren gegaan. Algauw werd vastgesteld dat de tell was gevormd door stedelingen die het afval van hun dagelijks leven 1500 jaar lang op één plek hadden weggegooid, zodat er letterlijk een stad boven op haar vroegere restanten ontstond.

Uit de aanwezige grote blokken gehouwen zandsteen bleek dat het om een aanzienlijke nederzetting moest gaan. De ontdekking van Beta Samati zorgde ervoor dat academici hun vroegere ideeën over de politieke en economische activiteit in het gebied drastisch moesten bijstellen. Voorheen werd het gebied na de neergang van Yeha gezien als een soort negorij, maar nu werd duidelijk dat de handel en commerciële activiteiten nog ruim duizend jaar onverminderd waren doorgegaan. Alleen waren veel van deze activiteiten verplaatst naar Beta Samati, waar ze definitief verborgen raakten toen de stad zelf verdween.

Als een van de jongste herontdekte steden van de oudheid blijft Beta Samati een raadsel. Het is wachten op het moment dat de huidige politieke en militaire onenigheid in de regio is bijgelegd, want dan kunnen toekomstige onderzoekers aan het werk om een hele reeks prangende vragen te beantwoorden.

Aksumitische 'obelisk', waarschijnlijk uit de vierde eeuw n.Chr. In de voet zit een 'deur' en in de rest van de constructie zijn 'ramen' gebeeldhouwd. Deze stèles dienden misschien als grafmonumenten, aangezien er ook honderden kleinere varianten werden aangetroffen (die in wisselende staat verkeren).

Vóór ca. 750 v.Chr.-1923 n.Chr.
Derinkuyu
Ondergrondse stad

Indringers wisten Derinkuyu nooit te vinden,
laat staan te veroveren.

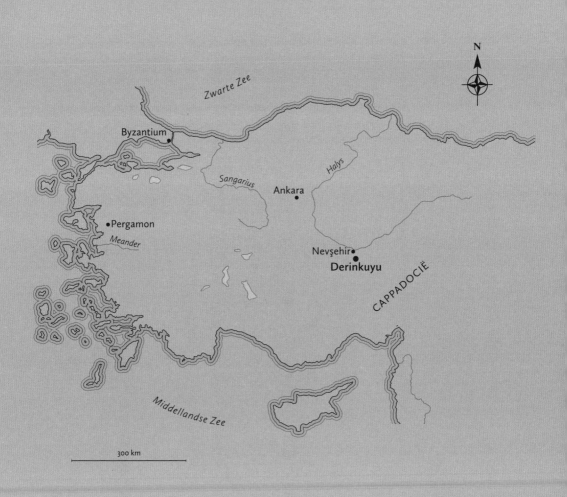

Veel mensen creëren ruimte in hun huis door een muur door te breken en een uitbouw toe te voegen, maar slechts één iemand slaagde erin zijn woonvertrekken zo uit te breiden dat hij daar twintigduizend mensen met hun bezittingen en vee kon onderbrengen. De man in kwestie woonde in de Cappadocische provincie Nevşehir, in Turkije. Toen hij in 1963 een muurtje doorbrak, ontdekte hij een verborgen ruimte. Die ruimte leidde naar een trap, die leidde naar een nieuwe reeks ruimten, die vervolgens leidden naar nog meer kamers, opslagplaatsen, tunnels en naar, zo bleek, een complete ondergrondse stad.

Archeologen leggen al eeuwen begraven steden bloot, met Pompeï als het beroemdste voorbeeld. Het bijzondere aan deze stad is echter dat die niet onder de grond terechtkwam als gevolg van het verstrijken van de tijd of een natuurramp, maar van meet af aan zo was bedoeld.

Dit soort ondergrondse ruimten, die werden uitgehakt in het tuf, gaf de bevolking de mogelijkheid in veiligheid te schuilen, zonder dat bovengrondse indringers wisten waar ze waren.

Oorsprong

De naam van het dorp waar de ondergrondse stad werd ontdekt, gaf de lokale inwoners eigenlijk al een hint over wat zich onder hun voeten bevond. De plek heet Derinkuyu, wat zoiets betekent als 'diepe bron'. Het verhaal van Derinkuyu begon een paar miljoen jaar geleden toen het landschap bezaaid lag met de as van een reeks vulkaanuitbarstingen. Deze as vormde een afzetting: tuf. Het fascinerende kenmerk van tuf is dat het zich net zo makkelijk laat weggraven als leem, maar na blootstelling aan zuurstof lithificeert, oftewel versteent. Mensen kunnen er dus eerst makkelijk doorheen graven, om vervolgens een tunnel te hebben die net zo solide is als wanneer ze die hadden uitgehouwen in stenen rotsen.

Er wordt gedacht dat de Frygiërs in de achtste eeuw v.Chr. als eerste volk in Derinkuyu hiervan profiteerden. Anderen betogen echter dat de vroegste kamers al een millennium eerder door de Hettieten moeten zijn uitgegraven. Wat vaststaat is dat er constant, generatie na generatie, ruimten werden toegevoegd, totdat er in de Byzantijnse tijd van de achtste eeuw n.Chr. een complete geheime stad was ontstaan.

Veel andere gebouwen zijn in tuf uitgehakt, zoals grotwoningen en zelfs kerken. Naast Derinkuyu bestaan er nog andere ondergrondse toevluchtsoorden. Maar nergens ter wereld bestaat er een plek die zo diep en uitgebreid is, of in staat is zoveel mensen, goederen en vee te herbergen.

Vestingstad

Een ander punt van discussie is of de inwoners van Derinkuyu echt ondergronds leefden of dat deze ondergrondse vesting alleen in noodsituaties werd gebruikt. Deze vraag zal onbeantwoord blijven totdat de stad volledig in kaart is gebracht (vooralsnog hebben archeologen nog niet eens de helft van deze reusachtige stad kunnen verkennen). Voorlopig gaan de meeste academici uit van de 'vestingstad'-hypothese.

Wat buiten kijf staat is dat Derinkuyu voor defensieve doeleinden is gebouwd. De stadspoorten zouden niet misstaan bij een nucleaire bunker: de halve meter dikke poorten zijn gemaakt van steen en hebben de vorm van enorme wielen. Ze werden op hun plek gerold in een groef voor de toegang, waardoor die zo robuust werd als de muren ernaast. Mochten aanvallers zich hier onverhoopt toch langs weten te vechten, dan zouden ze zich gehurkt en een voor een door smalle gangen met lage plafonds hebben moeten begeven.

Uiteindelijk zouden ze dan een voor een uitkomen in een ruimte met hoger plafond, waar ze werden opgewacht door een goedbewapend ontvangstcomité. (Er zijn verschillende kamers aangetroffen die als wapenopslag kunnen hebben gediend.) En zelfs als aanvallers er

Voor toeristen is het onveilig om alleen door de kronkelende tunnels – sommige met valstrikken – te dwalen. Aangezien sommige delen van het complex nog in kaart moeten worden gebracht, kan het weleens een hele poos duren voordat een verdwaalde bezoeker wordt teruggevonden.

wonderwel in slaagden om hun weg te vinden in de (opzettelijk?) ver-
warrende wirwar aan tunnels – waarvan sommige bovendien doodlo-
pen – en een verdieping in te nemen, konden de verdedigers zich terugtrekken op een al evenzeer gefortificeerd lager niveau en daar alles nog
eens dunnetjes overdoen.

Afhankelijk van hoe je telt had Derinkuyu in totaal zestien of achttien verdiepingen die zich tot een diepte van zeventig meter uitstrekten. Er zijn geen aanwijzingen dat indringers Derinkuyu ooit hebben
gevonden, laat staan veroverd.

Thuis in de spelonken

Het grote voordeel van het duizenden jaren doen over de aanleg van
een ondergronds toevluchtsoord is dat er alle tijd is om vergissingen
recht te zetten en voorzieningen toe te voegen. Wanneer mensen Derinkuyu niet als woonverblijf gebruikten, waren de spelonken klaarblijkelijk in gebruik als opslagplaats. In de lagere ondergrondse ruimten
was de temperatuur het hele jaar door een constante 13 à 15° Celsius.
Via een zorgvuldig opgezet ventilatiesysteem bestaande uit 52 grote
luchtkanalen en tal van kleinere ventilatiegaten werden zelfs de diepste
lagen van frisse lucht voorzien.

Sommige putten in de stad reiken tot aan de oppervlakte. Aangezien aanvallers die zouden kunnen vergiftigen, groeven de inwoners
ook putten die alleen toegankelijk waren via de ondergrondse stad.
Daarnaast groeven ze verticale schachten om afvalwater te lozen. De
ondergrondse omstandigheden voor de langetermijnopslag van graan
waren uitstekend. Verschillende ondergrondse bakkerijen konden de
bewoners regelmatig van vers brood voorzien. Andere ondergrondse
ruimten dienden als stallen voor vee. Ongetwijfeld lagen er in sommige
voorraadkamers ook balen stro. Uit de in de spelonken opgeslagen olij-
ven- en druivenpersen blijkt dat ten minste een deel van de oogst veilig
ondergronds op verdere verwerking zal hebben liggen wachten.

Naar wordt vermoed diende in ieder geval één grote ondergrondse
ruimte als school of ontmoetingsplek: om een grote hal bevinden zich
kleine kamers die wellicht fungeerden als kantoren of studeerkamers.
Uit de talrijke Griekse inscripties die werden aangetroffen, blijkt tevens
dat de stad eeuwenlang een veilige haven voor christenen moet zijn
geweest. In het aan veranderingen onderhevige religieuze klimaat van
Anatolië bestond voor christelijke gemeenschappen de dreiging van
vervolging eerst tijdens de Romeinse keizertijd en later opnieuw ten
tijde van de oorlogen tussen moslims en het kwijnende Byzantijnse
Rijk. Ook toen de Ottomanen Turkije overnamen, diende Derinkuyu
als toevluchtsoord, en dat gebeurde wederom in de veertiende eeuw
tijdens de grootschalige en verwoestende invasie van de Mongolen
onder Timoer Lenk (Tamerlane).

Vergeten Derinkuyu

Vanaf wanneer Derinkuyu precies wegzakte in de vergetelheid is niet helemaal duidelijk. Een van de belangrijkste kenmerken van een geheime stad is logischerwijs dat mensen het bestaan ervan niet officieel vastleggen of aan de grote klok hangen. We weten dat de Griekse bewoners van het gebied de plek Malakopea noemden; de huidige naam Derinkuyu raakte tussen 1910 en 1930 in zwang toen de Cappadocische Grieken via de tunnels aan repressie ontsnapten. Begin twintigste eeuw verzegelden de laatste gebruikers stilletjes de toegang om vervolgens te vertrekken naar het veiliger Griekenland, zonder dat ze de nieuwe bewoners van de plek vertelden wat er onder de grond lag.

Nadien leidde de verborgen stad Derinkuyu ongestoord een sluimerend bestaan. Totdat een van de geheime toegangen werd ontdekt door een ambitieuze klusser die zijn huis onder handen wilde nemen.

Derinkuyu vandaag de dag

Sinds 1969 worden delen van Derinkuyu opengesteld voor publiek. De ondergrondse uitstapjes staan onder strikt toezicht, aangezien het gevaar reëel is dat een verdwaalde toerist niet meer zal worden teruggevonden.

Vaak worden toeristische tripjes op touw gezet vanuit Göreme, een stad zo'n dertig kilometer verderop. Dit biedt bezoekers bovendien de kans om onderweg van de schitterende omgeving te genieten. De volledig waterdichte spelonken zijn het hele jaar geopend, al gelden er 's winters en 's zomers andere openingstijden.

Zeer recent werd er onder een kasteel in dezelfde provincie een ander gangenstelsel gevonden. Sommige enthousiaste archeologen vermoeden dat deze verborgen stad, die aan het licht kwam door het werk aan een woningbouwproject, weleens groter dan Derinkuyu zou kunnen zijn.

EPILOOG

Waarschijnlijk probeert iedereen die door een stadsruïne loopt zich voor te stellen hoe het daar in haar hoogtijdagen zal zijn geweest, met drukke hoofdwegen, exotische tempels en bedrijvige marktpleinen. Maar hoeveel mensen kijken weleens naar de straten van hun eigen stad terwijl ze zich inbeelden hoe die er over tweeduizend jaar door de ogen van archeologen uit zullen zien? Het winkelcentrum met ingestorte muren en net opgegraven kelders die onder de blote hemel liggen; nauwkeurig schoongeborstelde fragmenten trottoir en stukken plastic die zorgvuldig van vuilnishopen worden weggehaald voor nader onderzoek. Misschien zal er ooit een toekomstige archeoloog tussen de restanten van de slaapkamer van een tiener staan en zelfverzekerd verkondigden dat, afgaande op de aangetroffen voorwerpen, het ofwel een bordeel ofwel een heiligdom moet zijn geweest.

Voor het eerst in duizenden jaren is het tegenwoordig een serieuze vraag of steden eigenlijk wel noodzakelijk zijn, en of ze kunnen – dan wel zouden moeten – overleven. Ooit klitten mensen bij elkaar om middelen en kennis te delen en om samen maatschappelijke en religieuze rituelen en gebeurtenissen te beleven. Maar vandaag de dag is het dankzij de wijdvertakte productie- en distributiesystemen zelfs voor inwoners van de meest afgelegen stadjes mogelijk om digitaal te kiezen uit een bredere waaier aan goederen dan tot een paar decennia geleden beschikbaar was in Londen of New York. Het is niet langer noodzakelijk om in dezelfde stad, of zelfs op hetzelfde continent, te wonen als je werkgever. Miljoenen mensen bekijken sportwedstrijden en nationale aangelegenheden via media die uitzenden in steeds hogere kwaliteit. Academisch onderzoek dat ooit mogelijk was in universiteitssteden, kan nu worden verricht door een kluizenaar in een bergstadje, zolang hij of zij maar over de juiste apparatuur beschikt. De vraag is dus: beleeft de stad nu haar hoogtepunt terwijl de meerderheid van de mensen op aarde samengepropt leeft in steden die door de technologie langzaam overbodig zullen worden?

Kijk je naar het in neonlicht badende centrum van Tokio of de ochtendspits van Los Angeles, dan valt dat moeilijk te geloven. Maar datzelfde gevoel dat het 'altijd zo zou blijven' en dezelfde verwondering over de menselijke vooruitgang, zal ook de inwoners van Çatalhöyük hebben bevangen toen ze naar de muren van de eerste stad van de mensheid staarden. Diep vanbinnen weten we dat de stadsomgevingen om ons heen van voorbijgaande aard zijn en dat onze achter-achterkleinkinderen niet in de steden van tegenwoordig zullen leven. De hedendaagse steden zijn overvol, vervuild, duur en – zoals we onlangs ontdekten – broeihaarden van ziekten. Toch bieden ze ook, zoals steden altijd hebben gedaan, een leefwijze die qua volheid en reuring ongeëvenaard is.

Als gevolg van klimaatverandering kunnen we er vergif op innemen dat plekken als Pavlopetri niet de laatste steden zijn die onder het zeewater zullen verdwijnen of, zoals Timgad, moeten worden prijsgegeven aan de oprukkende woestijn. Een meer beklijvende vraag is of er over een paar eeuwen überhaupt nog steden op aarde zullen zijn, anders dan enkele overblijfselen die zorgvuldig worden bewaard zodat academici en toeristen zich kunnen verbazen over het menselijke experiment in collectief samenleven dat een jaartje of zesduizend heeft geduurd.

Verder lezen

DEEL1 **De oudste steden**

Çatalhöyük

Balter, M., *The Goddess and the Bull: Catalhoyuk: An Archaeological Journey to the Dawn of Civilization* (New York, 2010).

Hodder, I., 'Women and Men at Catalhoyuk', in: *Scientific American* 290(1) (2004), pp. 76-83.

Hodder, I., *Catalhoyuk Excavations. The 2009-2017 Seasons* (Ankara, 2023).

Skara Brae

Clarke, D.V., *Skara Brae: Official Souvenir Guide* (Edinburgh, 2012).

Shepherd, A.N. et al., 'Skara Brae Life Studies: Overlaying the Embedded Images', in: F. Hunter en A. Sheridan (red.), *Ancient Lives: Object, People and Place in Early Scotland. Essays for David V. Clarke on his 70th birthday* (Leiden, 2016), pp. 213-232.

Watterson, A. et al., 'Digital Dwelling at Skara Brae', in: I. Russell en A. Cochrane (red.), *Art and Archaeology: Collaborations, Conversations, Criticisms* (Londen, 2014), pp. 179-195.

Akkad

Black, J.A., *The Literature of Ancient Sumer* (Oxford, 2006).

Foster, B.R., *The Age of Agade: Inventing Empire in Ancient Mesopotamia* (Abingdon, 2015).

King, L., *A History of Sumer and Akkad* (Londen, 1994).

Liverani, M., 'Akkad: The First World Empire: Structure, Ideology, Traditions', in: *History of the Ancient Near East/Studies* 5 (1993), pp. 1-10.

Speiser, E.A., 'Some Factors in the Collapse of Akkad', in: *Journal of the American Oriental Society* 72(3) (1952), pp. 97-101.

Pavlopetri

Harding, A., 'Pavlopetri: A Mycenaean Town Underwater', in: *Archaeology* 23(3) (1970), pp. 242-250.

Holden, C., 'Undersea Metropolis', in: *Science* 324 (2009), p. 995.

Ivrou, V., *The Maritime Cultural Landscape in the South Peloponnese-Kythera-West Crete During the Late Bronze Age*, PhD thesis, University of Glasgow (2014).

Zoar

Dishi, G., 'Saving Zoar: How Did Lot Succeed?', in: *Jewish Bible Quarterly* 38(4) (2010), pp. 211-218.

Donner, H., *The Mosaic Map of Madaba: An Introductory Guide* (Leuven, 1992).

Neev, D. en Emery, K., *The Destruction of Sodom, Gomorrah, and Jericho: Geological, Climatological, and Archaeological Background* (Oxford, 1995).

Hattusa

Beckman, G., 'Hattusa', in: R.S. Bagnall et al. (red.), *The Encyclopedia of Ancient History* (Hoboken, NJ, 2013).

Bryce, T., 'The Last Days of Hattusa: The Mysterious Collapse of the Hittite Empire', in: *Archaeology Odyssey* 8 (2005), pp. 32-41.

Charles River Editors, *Hattusa: The History and Legacy of the Ancient Hittites* (2016).

Mardaman

Barjamovic, G. et al., 'Trade, Merchants, and the Lost Cities of the Bronze Age', in: *The Quarterly Journal of Economics* 134(3) (2019), pp. 1455-1503.

Millard, A.R., 'History and Legend in Early Babylonia', in: V.P. Long et al. (red.), *Windows into Old Testament History: Evidence, Argument, and the Crisis of "Biblical Israel"* (Grand Rapids, MI, 2002), pp. 103-110.

Plantholt, I.S., 'Gula in the 2nd and 1st Millennia BCE', in: *The Image of Divine Healers: Healing Goddesses and the Legitimization of the Asu in the Mesopotamian Medical Marketplace* (Leiden, 2017), pp. 51-105.

Thebe

Pischikova, E. et al., *Thebes in the First Millennium BC* (Newcastle, 2014).

Strudwick, N. en Strudwick, H., *Thebes in*

Egypt: Guide to the Tombs and Temples of Ancient Luxor (Ithaca, NY, 1999).

Warburton, D., *Architecture, Power, and Religion: Hatshepsut, Amun & Karnak in Context* vol. 7 (Munster, 2012).

Phaistos

Charles River Editors, *The Phaistos Disc: The History of the Indecipherable Ancient Minoan Artifact Found on Crete* (2018).

Schoep, I. et al., *Back to the Beginning: Reassessing Social and Political Complexity on Crete during the Early and Middle Bronze Age* (Oxford, 2011).

Vasilakis, A., *Agia Triada Phaistos* (Heraklion, 2009).

DEEL 2 Van Troje tot Rome

Troje

Hertel, D., 'The Myth of History: The Case of Troy', in: *A Companion to Greek Mythology* (Oxford, 2011), pp. 425-441.

Rose, C., *The Archaeology of Greek and Roman Troy* (Cambridge, 2013).

Winkler, M.M., *Troy: From Homer's Iliad to Hollywood Epic* (Hoboken, NJ, 2009).

Thonis

Belov, A., *Ship 17: A Baris from Thonis Heracleion* (Oxford, 2019).

Robinson, D. en Goddio F., *Thonis-Heracleion in Context* (Oxford, 2015).

Shenker, J., 'How Thonis-Heracleion resurfaced after 1,000 years under water', in: *The Guardian* (15 augustus 2016).

Mycene

Chadwick, J., *The Mycenaean World* (Cambridge, 1977).

French, E.B., *Mycenae, Agamemnon's Capital: The Site and its Setting* (Stroud, 2002).

French, E.B. et al., 'Archaeological Atlas of Mycenae', in: *Archaeological Society of Athens Library* 229 (2003).

McCabe, R. en Cacouri, A., *Mycenae: From Myth to History* (New York, 2016).

Seleucië aan de Tigris

Hopkins, C., *The Topography and Architecture of Seleucia on the Tigris* (Ann Arbor, MI, 1972).

Messina, V., 'Seleucia on the Tigris. The New Babylon of Seleucid Mesopotamia', in: R. Matthews en J. Curtis (red.), *Mega-cities & Mega-sites. The Archaeology of Consumption & Disposal. Landscape, Transport & Communication* vol. 1 (Wiesbaden, 2012).

Oetjen, R., *New Perspectives in Seleucid History, Archaeology and Numismatics: Studies in Honor of Getzel M. Cohen* vol. 355 (Berlijn, 2019).

Sybaris

Kleibrink, M., 'The Search for Sybaris', in: *BABesch* 76 (2005), pp. 33-70.

Lomas, H., 'Sybaris', *Oxford Research Encyclopedia of Classics* (Oxford, 2016).

Rutter, N., 'Sybaris – Legend and Reality', *Greece & Rome* 17(2) (1970), pp. 168-176.

Plataeae

Boedeker, D., 'Heroic Historiography: Simonides and Herodotus on Plataea', in: *Arethusa* 29(2) (1996), pp. 223-242.

Buckler, J. en Spawforth, A., 'Plataea', in: *Oxford Research Encyclopedia of Classics* (2016).

Rissman, E., *Plataea* (Madison, WI, 1902).

Taxila

Ahmed, N., *The History and Archaeology of Taxila*, PhD thesis, University of London, School of Oriental and African Studies (1958).

Marshall, J., *Taxila 3 Volume Paperback Set: An Illustrated Account of Archaeological Excavations* (Cambridge, 2013).

Shah, S., 'Legendary History of Taxila', in: *Ancient Sindh Annual Research Journal* 10(1) (2008), pp. 97-131.

Tigranocerta

Coloru, O., 'Tigranocerta', in: R.S. Bagnall et al. (red.), *The Encyclopedia of Ancient History* (Hoboken, NJ, 2013).

Orr, C., *Tigranes the Great: A Re-Appraisal*, BA thesis, University of Wales Trinity Saint David (2016).

Sinclair, T., 'The Site of Tigranocerta (II)', in: *Revue des Etudes Armeniennes* 26 (1996), pp. 51-117.

Persepolis

Barnett, R., 'Persepolis', in: *Iraq* 19(1) (1957), pp. 55-77.

Mousavi, A., *Persepolis: Discovery and Afterlife of a World Wonder* (Berlijn, 2012).

Razmjou, S., 'Persepolis: A Reinterpretation of Palaces and their Function', in: J. Curtis en S.J. Simpson (red.), *The World of Achaemenid Persia* (Londen en New York, 2010), pp. 231-245.

Numantia

Cheesman, G., 'Numantia', in: *The Journal of Roman Studies* 1 (1911), pp. 180-186.

Goffaux, B., 'Numantia (Spain)', in: R.S. Bagnall et al. (red.), *The Encyclopedia of Ancient History* (Hoboken, NJ, 2012).

DEEL 3 Verspreid over het Romeinse Rijk

Glanum

Conges, A., 'Glanum', in: R.S. Bagnall et al. (red.), *The Encyclopedia of Ancient History* (Hoboken, NJ, 2012).

Heyn, M., 'Monumental Development in Glanum: Evidence for the Early Impact of Rome in Gallia Narbonensis', in: *Journal of Mediterranean Archaeology* 19(2) (2006), pp. 171-198.

Kleiner, F.S., *The Glanum Cenotaph: A Study of the Great Relief Panels* (New York, 1973).

Falerii Novi

Battistin, F., 'Space Syntax and Buried Cities: The Case of the Roman Town of Falerii Novi (Italy)', in: *Journal of Archaeological Science: Reports* 35 (2021).

McCall, W.F., *Falerii Novi and the Romanisation of Italy During the Mid-Republic*, PhD thesis, The University of North Carolina at Chapel Hill (2007).

Verdonck, L. et al., 'Ground-penetrating Radar Survey at Falerii Novi: A New Approach to the Study of Roman Cities', in: *Antiquity* 94(375) (2020), pp. 705-723.

Cyrene

Abdulkariem, A. en Bennett, P., 'Libyan Heritage Under Threat: The Case of Cyrene', in: *Libyan Studies* 45 (2014), pp. 155-161.

Jeffery, L., 'The Pact of the First Settlers at Cyrene', in: *Historia: Zeitschrift fur Alte Geschichte*, 10(2) (1961), pp. 139-147.

Reynolds, J., 'Cyrene', in: *Oxford Research Encyclopedia of Classics* (Oxford, 2015).

Tipasa

Briggs, L.C., *Archaeological Investigations Near Tipasa, Algeria. With Geological Comments by Charles E. Stearns*, red. H. Hencken (Cambridge, MA, 1963).

Ford, C., 'The Inheritance of Empire and the Ruins of Rome in French Colonial Algeria', in: *Past & Present* 226 (2015), pp. 57-77.

Nadir, M., *The Revaluation of the Archaeological Sites of Tipasa: Contribution to the Safeguard of the Algerian Heritage* (2022).

Baiae

Capozzi, R. et al., 'Archaeology, Architecture and City: The Enhancement Project of the Archaeological Park of the Baths of Baiae', in: *ArchNet-IJAR: International Journal of Architectural Research* 10(1) (2016), pp. 113-130.

Painter, K.S., 'Roman flasks with scenes of Baiae and Puteoli', in: *Journal of Glass Studies* 17 (1975), pp. 54-67.

Petriaggi, B.D. et al., 'Reconstructing a Submerged Villa Maritima: The Case of the Villa dei Pisoni in Baiae', in: *Heritage* 3(4) (2020), pp. 1199-1209.

Volubilis

Benton, J., 'The Bakeries of Volubilis: Process, Space, and Interconnectivity', in: *Mouseion,* 17(2) (2021), pp. 241-272.

Picard, C. en Grummel, W., 'Volubilis: French Excavations at a Moroccan City', in: *Archaeology* 2(2) (1949), pp. 58-65.

Skurdenis, J., 'Passport: Road to Volubilis', in: *Archaeology* 41(3) (1988), pp. 50-55.

Stabiae

Maiuri, A., *Pompeii, Herculaneum and Stabiae* (Milaan, 1963).

Orsi, L., 'The Excavations at Stabiae', in: *East and West* 4(2) (1953), pp. 101-108.

Purcell, N., 'Stabiae', in: *Oxford Research Encyclopedia of Classics* (Oxford, 2016).

Maiden Castle

Redfern, R., 'A Re-Appraisal of the Evidence for

Violence in the Late Iron Age Human Remains from Maiden Castle Hillfort, Dorset, England', in: *Proceedings of the Prehistoric Society* 77 (2013), pp. 111-138.

Russell, M., 'Mythmakers of Maiden Castle: Breaking the Siege Mentality of an Iron Age Hillfort', *Oxford Journal of Archaeology* 38(3) (2019), pp. 325-342.

Sharples, N.M., *English Heritage Book of Maiden Castle* (Londen, 1991).

Timgad

Cherry, D., *Frontier and Society in Roman North Africa* (Oxford, 1998).

Kherrour, L. et al., 'Archaeological Sites and Tourism: Protection and Valorization, Case of Timgad (Batna) Algeria', in: *Geo Journal of Tourism and Geosites* 28(1) (2020), pp. 289-302.

Antinopolis

Abdulfattah, I., *Theft, Plunder, and Loot: An Examination of the Rich Diversity of Material Reuse in the Complex of Qalāwūn in Cairo* (2017).

Lambert, R., *Beloved and God: The Story of Hadrian and Antinous* (Londen, 1984).

Vout, C., 'Antinous, Archaeology and History', in: *The Journal of Roman Studies* 95 (2005), pp. 80-96.

DEEL 4 De grenzen van het Rijk en daarbuiten

Palmyra

Denker, A., 'Rebuilding Palmyra Virtually: Recreation of its Former Glory in Digital Space', in: *Virtual Archaeology Review* 8(17) (2017), pp. 20-30.

Sommer, M. en Sommer-Theohari, D., *Palmyra: A History* (Abingdon, 2017).

Veyne, P., *Palmyra: An Irreplaceable Treasure* (Chicago, 2017).

Waldgirmes

Rasbach, G., 'Germany East of the Rhine, 12 BC – AD 16. The First Step to Becoming a Roman Province', in: R.G. Curcă et al. (red.), *Rome and Barbaricum: Contributions to the Archaeology and History of Interaction in European Protohistory* (Oxford, 2020), pp. 22-38.

Schnurbein, S. von, 'Augustus in Germania and his New "Town" at Waldgirmes East of the Rhine', in: *Journal of Roman Archaeology* 16 (2003), pp. 93-107.

Wells, P., *The Battle That Stopped Rome: Emperor Augustus, Arminius, and the Slaughter of the Legions in the Teutoburg Forest* (New York, 2004).

Sarmizegetusa Regia

Comes, R. et al., 'Enhancing Accessibility to Cultural Heritage Through Digital Content and Virtual Reality: A Case Study of the Sarmizegetusa Regia UNESCO Site', in: *Journal of Ancient History and Archaeology* 7(3) (2020), pp. 124-139.

Florea, G., 'Sarmizegetusa Regia – the Identity of a Royal Site?', in: C.N. Popa en S. Stoddart, *Fingerprinting the Iron Age – Approaches to Identity in the European Iron Age. Integrating South-Eastern Europe into the Debate* (Oxford en Philadelphia, 2014), pp. 63-75.

Oltean, I. en Hanson, W., 'Conquest Strategy and Political Discourse: New Evidence for the Conquest of Dacia from LiDAR analysis at Sarmizegetusa Regia', in: *Journal of Roman Archaeology* 30 (2017), pp. 429-446.

Gerasa

Haddad, N. en Akasheh, T., 'Documentation of Archaeological Sites and Monuments: Ancient Theatres in Jerash', in: *Conservation of Cultural Heritage in the Arab Region* 61 (2005), pp. 64-72.

Holdridge, G. et al., 'City and Wadi: Exploring the Environs of Jerash', in: *Antiquity* 91(358) (2017), pp. 1-7.

Khouri, R., *Jerash: A Frontier City of the Roman East* (Hoboken, NJ, 1986).

Venta Silurum

Frere, S. en Millett, M., 'Venta Silurum', in: *Oxford Research Encyclopedia of Classics* (Oxford, 2016).

Guest, P., 'The Forum-Basilica at Caerwent (Venta Silurum): A History of the Roman Silures', in: *Britannia* 53 (2022), pp. 1-41.

Howell, R., *Searching for the Silures: An Iron Age Tribe in South-East Wales* (Cheltenham, 2009).

Wacher, J., *The Towns of Roman Britain* (Abingdon, 1997).

Dura-Europos

Baird, J.A., 'Dura-Europos', in: T. Kaizer (red.), *A Companion to the Hellenistic and Roman Near East* (New York, 2021), pp. 295-304.

Baird, J.A., *The Inner Lives of Ancient Houses: An Archaeology of Dura-Europos* (Oxford, 2014).

Brody, L. en Hoffman, G., *Dura-Europos: Crossroads of Antiquity* (Chicago, 2011).

Beta Samati

Burstein, S.M., *Ancient African Civilizations: Kush and Axum* (Princeton, NJ, 2009).

Cartwright, M. en Davey, A., 'Kingdom of Axum', in: *Ancient History Encyclopedia,* retrieved from https://www.worldhistory.org/Kingdom_of_Axum/ (laatst bezocht 7 februari 2023).

Harrower, M. et al., 'Beta Samati: Discovery and Excavation of an Aksumite Town', in: *Antiquity* 93(372) (2019), pp. 1534-1552.

Derinkuyu

Ciner, A. en Aydar, E., 'A Fascinating Gift from Volcanoes: The Fairy Chimneys and Underground Cities of Cappadocia', in: A. Ciner, C. Kuzucuoğlu en N. Kazanci (red.), *Landscapes and Landforms of Turkey* (Edinburgh, 2019), pp. 535-49.

Mutlu, M., *Geology and Joint Analysis of the Derinkuyu and Kaymaklı Underground Cities of Cappadocia, Turkey*, MA thesis, Middle East Technical University, Ankara (2008).

Pinkowski, J., 'Subterranean Retreat May Have Sheltered Thousands of People in Times of Trouble', *National Geographic* (26 maart 2015).

Illustratieverantwoording

2-3 Foto Michael Runkel/imageBROKER/Superstock; 4 Yale University Art Gallery, New Haven. Yale-Franse opgravingen in Dura-Europos; 6-7 Foto Ali Balikci/Anadolu Agency via Getty Images; 8 Foto DeAgostini Picture Library/Scala, Florence; 11 Cleveland Museum of Art. Leonard C. Hanna, Jr Fund 1964.359; 12 Foto DeAgostini/W. Buss/Getty Images; 17 Çatalhöyük Research Project; 18 Foto Sonia Halliday Foto Library/Alamy Stock Photo; 21 Çatalhöyük Research Project. Foto's Jason Quinlan; 23 Foto VisitScotland/Colin Keldie; 24-25 Stromness Museum. Foto Rebecca Marr; 26-27 Foto David Lyons/age fotostock/ Superstock; 29 National Museums of Scotland. Foto © National Museums Scotland; 31 The Metropolitan Museum of Art, New York. Geschonken door Nanette B. Kelekian, ter nagedachtenis aan Charles Dikran en Beatrice Kelekian, 1999; 32 Musée du Louvre, Parijs; 35 Ashmolean Museum, University of Oxford. Gepresenteerd door Herbert Weld-Blundell, 1923. Foto Ashmolean Museum/Bridgeman Images; 37 Foto N. Maverick/Adobe Stock; 38 Foto © BBC Archief; 41 Foto panosk18/Adobe Stock; 43 Foto Manuel Cohen/Scala, Florence; 44 Hessisches Landesmuseum Darmstadt; 46-47 Foto Jane Taylor/Shutterstock; 49 Foto Zev Radovan/ Alamy Stock Photo; 51 The Metropolitan Museum of Art. Purchase, Joseph Pulitzer Bequest, 1955; 52-53 Foto Sailingstone Travel/Adobe Stock; 54 Cleveland Museum of Art. Leonard C. Hanna, Jr Fund; 55 Foto funkyfood London – Paul Williams/Alamy Stock Photo; 57 Bassetki-Project van de Universiteit van Tübingen. Foto Peter Pfälzner; 59 Privécollectie; 60 Bassetki-Project van de Universiteit van Tübingen. Foto's Rouhollah Zarifian; 63 Foto Tomasz Czajkowski/Adobe Stock; 64 Los Angeles County Museum of Art. Geschonken door Carl W. Thomas; 66-67 Foto Andrew McConnell/ robertharding; 68 Los Angeles County Museum of Art. Verkregen met gelden verstrekt door Phil Berg; 71 Foto Gianni Dagli Orti/Shutterstock; 72 Foto DeAgostini/Superstock; 75 Heraklion Archaeological Museum; 76 Foto Christoph Gerigk © Franck Goddio/Hilti Foundation; 81 Foto Archief/Stringer/Getty Images; 82-83 The Walters Art Museum, Baltimore. Verkregen door Henry Walters met de Massarenti Collection, 1902; 85 Antikenmuseum Basel und Sammlung Ludwig; 86 Städel Museum, Frankfurt am Main; 89, 91 Foto's Christoph Gerigk © Franck Goddio/Hilti Foundation; 95 Nationaal Archeologisch Museum, Athene; 96 Nationaal Archeologisch Museum, Athene. Foto Leemage/Corbis/ Getty Images; 98-99 Foto aerialphotos.com/Alamy Stock Photo; 100 J. Paul Getty Museum, Los Angeles; 101 The Metropolitan Museum of Art. Rogers Fund, 1954; 103 Musée du Louvre, Parijs. Foto VCG Wilson/Corbis/Getty Images; 104 Yale University Art Gallery, New Haven; 105 New York Public Library. Foto Science History Images/Alamy Stock Photo; 106 Foto Yphoto/Alamy Stock Photo; 109 Foto Alfonso Di Vincenzo/KONTROLAB/ LightRocket via Getty Images; 110 Yale University Art Gallery, New Haven. The Ernest Collection ter nagedachtenis aan Israel Myers; 111 Museo Nazionale Archeologico della Sibaritide. Foto van DeAgostini/A. De Gregorio/Getty Images; 112-113 Foto DeAgostini/ Superstock; 115 Bibliothèque nationale de France, Parijs. Foto Artokoloro/Alamy Stock Photo; 116 Schloss Bruchsal. Foto INTERFOTO/Alamy Stock Photo; 119 The Metropolitan Museum of Art, New York. Rogers Fund, 1906; 121 Foto grandpa_nekoandcoro/ Adobe Stock; 122 met de klok mee vanaf links: The Metropolitan Museum of Art. Rogers Fund, 1913; Cleveland Museum of Art. Geschonken door George P. Bickford 1956.1; Los Angeles County Museum of Art. Verkregen met gelden verstrekt door het South and Southeast Asian Acquisition Fund en de Southern Asian Art Council; Cleveland Museum of Art. John L. Severance Fund 1982.66; 124-125 Foto Ms Mariko Sawada, Saiyu Travel Japan; 126 Los Angeles County Museum of Art; 127 The Metropolitan Museum of Art. Samuel Eilenberg Collection, Geschonken door Samuel Eilenberg, 1987; 129 Foto © Monument Watch; 130 Privécollectie; 132 J. Paul Getty Museum, Los Angeles. Ms. Ludwig XIII 5, v2 (83.MP.148.2), fol. 82v. Digitale afbeelding met dank aan het Getty's Open Content programma; 135 Foto Borna Mirahmadian/Adobe Stock; 136 The Metropolitan Museum of Art. Fletcher Fund, 1939; 137 Foto Andre Chipurenko; 138-139 Foto Kurt en Rosalia Scholz/Superstock;

141 Privécollectie; 143 Foto Prisma Archivo/Alamy Stock Photo; 144 Foto Tolo/Adobe Stock; 146 Junta de Castilla y León. Archivo Museo Numantino. Foto Alejandro Plaza; 147 Museo del Prado, Madrid; 148 Foto Michael Runkel/robertharding; 153 Foto Carole Raddato; 154-155 Foto Dominique Reperant/Gamma-Rapho/Getty Images; 156 Foto Paul Popper/Popperfoto via Getty Images; 158 Hôtel de Sade, Saint-Rémy-de-Provence. Foto Gianni Dagli Orti/Shutterstock; 161 Foto Scala, Florence; 163 Musée du Louvre, Parijs. Foto Musée du Louvre, Dist. RMN-Grand Palais/Thierry Ollivier; 164, 165 The Metropolitan Museum of Art. Aankoop via abonnement, 1896; 167 The British Museum, Londen; 168-169 Foto Atlantide Phototravel/Getty Images; 171 The British Museum, Londen; 173 Foto DeAgostini/C. Sappa/Getty Images; 174 Foto Werner Forman/Universal Images Group/Getty Images; 176-177 Foto lic0001/Adobe Stock; 179 Musée archéologique de Tipasa. Foto Jona Lendering; 181 Foto Beniamino Forestiere/Shutterstock; 182 Fitzwilliam Museum, Cambridge; 185 Foto BIOSPHOTO/Alamy Stock Photo; 187 Foto Gianni Dagli Orti/De Agostini/Getty Images; 188-189 Musée Archéologique, Rabat. Foto DeAgostini/Superstock; 190 Foto Petr Svarc/image-BROKER/Shutterstock; 193 Museo Archeologico Nazionale, Napels. Foto Scala, Florence; 194, 199 Foto Adriano/Adobe Stock; 196-197 Foto Rocco Casadei/EyeEm/Adobe Stock; 198 The Minneapolis Institute of Art; 201 Dorset Museum; 202-203 Foto Skyscan Photolibrary/Alamy Stock Photo; 207 Foto World Photo Service LTD/Superstock; 208 Timgad Archaeological Museum. Foto mauritius images GmbH/Alamy Stock Photo; 210 Foto Michel Huet/Gamma-Rapho/Getty Images; 213 Art Institute of Chicago; 215 Musée du Louvre, Parijs; 216 met de klok mee vanaf links: Harvard Art Museums/Arthur M. Sackler Museum. Geschonken door Dr. Denman W. Ross. Foto President en Fellows van het Harvard College; The Metropolitan Museum of Art. Rogers Fund, 1909; Musée du Louvre, Parijs. Foto funkyfood London – Paul Williams/Alamy Stock Photo; 218 Foto Karol Kozlowski/age fotostock/Superstock; 223 Los Angeles County Museum of Art. Geschonken door Robert Blaugrund; 224 Foto Christophe Charon/Abaca Press/Alamy Stock Photo; 227 Cleveland Museum of Art. Aangeschaft via het J.H. Wade Fund 1970.15; 228 Los Angeles County Museum of Art. Geschonken door Nasli M. Heeramaneck; 231, 232, 235 Deutsches Archäologisches Institut; 234 Kunstmuseen Krefeld; 237 Museum of Dacian and Roman Civilisation, Deva. Foto DeAgostini/Superstock; 238 Foto robertharding/Alamy Stock Photo; 240 Foto Coroiu Octavian/Alamy Stock Photo; 243 Foto Targa/age fotostock/Superstock; 244, 248 Yale University Art Gallery, New Haven. De Yale-British School opgravingen in Gerasa; 246-247 Foto Andrea Jemolo/Scala, Florence; 251 Newport Museum and Art Gallery; 252 Foto DeAgostini/G. Wright/Getty Images; 255 Foto DeAgostini/Getty Images; 256 The Jewish Museum, New York. Photo Godong/UIG/ Shutterstock; 258-259 Foto Jane Taylor/Shutterstock; 261 (links) Yale University Art Gallery, New Haven. Yale-Franse opgravingen in Dura-Europos; 261 (rechts) The Metropolitan Museum of Art. Rogers Fund, 1916; 263, 264, 265 Met toestemming van Michael J. Harrower. Foto's Ioana A. Dumitru; 266 Foto Artushfoto/Adobe Stock; 269 Foto Kadir Kara/Alamy Stock Photo; 271 Foto Jackson Groves/The Journey Era; 274 Foto DeAgostini/Superstock

Register

De schuingedrukte paginanummers verwijzen naar afbeeldingen.

Voor Ludwik Dziurdzik

Uitgeverij Omniboek
Postbus 13288, 3507 LG Utrecht
www.omniboek.nl

Published in arrangement with Thames & Hudson,
Londen
Copyright © 2023 Thames & Hudson
Copyright © 2023 Philip Matyszak
Copyright Nederlandse vertaling © 2023, Uitgeverij
Omniboek

Oorspronkelijk verschenen onder de titel *Lost Cities of
the Ancient World* bij Thames & Hudson Ltd
Vertaling Alexander van Kesteren
Omslagbeeld voorkant De basilica van
Volubilis. Foto Jon Arnold Images Ltd/Alamy Stock
Photo
Omslagbeeld achterkant Een Medusahoofd uit de
Tempel van Aesculapius in Ulpia Traiana
Sarmizegetusa. Foto DeAgostini/Superstock
Kaarten Martin Lubikowski
Gedrukt door RR Donnelley in China
ISBN 9789401920056
NUR 683

Uitgeverij Omniboek vindt het belangrijk om op
verantwoorde wijze met natuurlijke bronnen om
te gaan. Bij de productie van dit boek is daarom
gebruikgemaakt van papier waarvan het zeker is dat de
productie niet tot bosvernietiging heeft geleid.

Blijf op de hoogte van onze nieuwe boeken en schrijf u
in voor de nieuwsbrief: www.omniboek.nl/nieuwsbrief

*Bijschriften afbeeldingen aan het begin van de
delen:*

Introductie
p. 8 Niké (Victorie) staat op de boeg van een
trireem in een monument uit de derde eeuw
v.Chr. ter ere van een overwinning op zee
door de bevolking van Cyrene (in het moderne
Libië).

Deel 1
p. 12 De grote tempel van Amun in Karnak,
Egypte. Het uitzicht hier is vanaf de eerste
van tien 'pylonen' of poorten die leiden
naar het complex, dat een van de grootste
archeologische schatten van Egypte is.

Deel 2
p. 76 Kolossaal standbeeld van Hapy, de oude
Egyptische god van de Nijl, vastgebonden met
banden voordat hij voorzichtig uit het water
van de Aboukir-baai in Egypte wordt getild.

Deel 3
p. 148 De Boog van Trajanus in Timgad,
Algerije. De boog is twaalf meter hoog en
herdenkt de stichting van de stad door de
keizer. Hij werd later verfraaid met andere
sculpturen, waaronder een van de godin
Concordia gepresenteerd door de latere keizer
Septimius Severus.

Deel 4
p. 218 The Roman South Theatre Stage in
Gerasa, Jordanië. Theater was een van de
middelen waarmee de Grieks-Romeinse
cultuur zich verspreidde over het multi-
etnische rijk van Rome.

Epiloog
p. 274 Standbeelden van Demeter en Kore
staan tussen de ruïnes van hun tempel in
Cyrene, Libië.